LES LARMES
D'ISIS

BARBARA ERSKINE

LES LARMES
D'ISIS

roman

Traduit de l'anglais par Sophie Dalle

Pygmalion
Gérard Watelet

Paris

Titre original : *Whispers in the sand*

Ce roman est entièrement imaginaire. Les noms, les personnages et les événements y sont fictifs. Toute ressemblance avec des personnes vivantes ou décédées, ainsi qu'avec des lieux, serait purement fortuite.

Sur simple demande adressée aux
Éditions Pygmalion/Gérard Watelet, 70, avenue de Breteuil, 75007 Paris
vous recevrez gratuitement notre catalogue
qui vous tiendra au courant de nos dernières publications.

L'édition originale est parue en Grande-Bretagne chez HarperCollins Publishers à Londres.
© 2000 Barbara Erskine
© 2001 Éditions Pygmalion/Gérard Watelet à Paris pour l'édition en langue française
ISBN 2-85704-706.1

Croisière à bord du *WHITE EGRET*

Itinéraire

Note : certaines modifications peuvent être effectuées sans préavis.
La plupart des soirées sont consacrées dans le salon-bar à des films
et des conférences sur les différents aspects de l'Egypte ancienne et moderne.

Jour 1 : Arrivée dans l'après-midi
Dîner à bord

Jour 2 : Visite de la Vallée des Rois
Nuit : croisière jusqu'à Edfou

Jour 3 : Matinée : visite du temple d'Edfou
Après-midi : croisière jusqu'à Kôm Ombo

Jour 4 : Matinée : visite du temple de Kôm Ombo
Après-midi : croisière jusqu'à Assouan

Jour 5 : Matinée : visite de l'obélisque inachevé
Après-midi : île Kitchener

Jour 6 : Matinée : bazar d'Assouan
Midi : apéritif à l'hôtel Old Cataract
Après-midi : visite du barrage

Jour 7 : Matinée : croisière à bord d'une felouque
Après-midi : libre

Jour 8-9 : En option : visite sur deux jours d'Abou Simbel
(départ 4 heures du matin)

Jour 10 : Retour en fin d'après-midi
Soirée : son et lumière au temple de Philae

Jour 11 : Matinée : visite du temple de Philae. Croisière jusqu'à Esna
Après-midi : temple d'Esna. Croisière jusqu'à Louxor.

Jour 12 : Matinée : temple de Karnak
Après-midi : temple de Louxor
Soirée : soirée du commandant

Jour 13 : Matinée : Musée de Louxor et bazar
Après-midi : Musée du papyrus
Soirée : son et lumière au temple de Karnak

Jour 14 : Retour en Angleterre.

C'est sans nul doute sous la XVIIIe dynastie que furent manufacturés en Egypte les premiers récipients en verre, notamment à partir du règne d'Amenhotep II (1426-1401 av. J.-C.). Ces récipients se distinguent par leur technique de fabrication particulière : la forme requise était tout d'abord modelée en argile (probablement mélangée avec du sable) et fixée à une tige métallique. Le moule était ensuite enrobé de verre en fusion, le plus souvent de couleur bleu opaque. Puis on y appliquait à chaud un décor encore malléable de fils de verre, que l'on étirait à l'aide d'un outil ressemblant à un peigne pour obtenir des festons, des chevrons ou des zigzags. Ces fils, le plus souvent jaunes, blancs ou verts, et parfois rouges, affleuraient à la surface du récipient. Destinés à contenir des onguents, la plupart de ces récipients étaient de petite taille.

Prologue

Dans la fraîcheur du temple où régnait un parfum d'encens, le soleil n'éclairait pas encore le sol en marbre. Silencieux, Amenanhotep, prêtre d'Isis et d'Amon, se tenait devant l'autel, les mains enfouies dans les plis de ses manches. Il venait d'enflammer la myrrhe pour l'offrande de midi et regardait les volutes de fumée s'élever dans la pièce sombre. Devant lui, reposait la coupe en or contenant le mélange d'herbes et de pierres précieuses réduites en poussière et arrosées d'eau sacrée du Nil. Bientôt, le rayon l'illuminerait. Amenanhotep eut un sourire satisfait. Il porta son regard vers l'étroit passage menant au saint des saints. Un fin faisceau de lumière effleura l'encadrement de la porte, parut hésiter comme un souffle dans la chaleur de l'air. C'était presque l'heure.

– Mon ami. Tout est prêt, enfin !

Cachée par une haute silhouette, la lumière sacrée rebondit sur le sol, reflétée par la lame polie d'une épée.

Amenanhotep retint son souffle. Ici, dans le temple hiératique, en présence de la déesse Isis, il n'était pas armé. Il n'avait rien pour se protéger, personne à appeler au secours.

11

– Psenisis, le sacrilège que tu projettes te poursuivra pour l'éternité, dit-il d'une voix forte, qui résonna contre les pierres. Renonces-y, pendant qu'il en est temps encore.

– Renoncer ? Alors que je vais enfin triompher ? répliqua Psenisis avec un sourire glacial. Nous avons tant œuvré pour ce moment, mon frère, et tu voudrais m'en priver ? Tu veux gaspiller la source sacrée de la vie pour ce jeune pharaon malade ? Pourquoi, quand la déesse elle-même a déclaré que cette vie lui revenait ?

– Non ! protesta Amenanhotep. La déesse n'en a aucun besoin.

– C'est toi qui commets un sacrilège ! siffla Psenisis. La potion distillée avec les larmes de la déesse lui revient de droit. Elle seule a rendu vie aux membres mutilés d'Osiris, elle seule peut ressusciter le corps du pharaon !

– C'est celui du pharaon !

Amenanhotep s'éloigna de l'autel. Tandis que son adversaire se jetait vers lui, le rayon de soleil purificateur transperça comme un couteau l'obscurité et frappa la surface cristalline de la potion, la transformant en or. Pendant un instant, les deux hommes se figèrent, distraits par la puissance qui jaillissait du récipient.

– Ainsi, souffla Amenanhotep, nous avons réussi. Le secret de la vie éternelle nous appartient.

– Il appartient à Isis !

Psenisis brandit son épée et, d'un geste preste, ficha la pointe dans la poitrine d'Amenanhotep, qui tomba à genoux. Il hésita, comme s'il regrettait son initiative, puis agita la lame ensanglantée au-dessus de l'autel et, décrivant un arc large, l'abattit sur la coupe. La potion sacrée se répandit sur le sol.

– O Isis ! s'exclama-t-il en posant l'épée et en levant les mains vers le ciel… C'est pour toi que je commets cet acte. Toi, seule, ô déesse, possèdes les secrets de la vie, et ils sont à toi pour l'éternité !

Derrière lui, Amenanhotep s'était redressé. Les yeux déjà voilés, il chercha à tâtons l'épée placée sur l'autel au-dessus de lui. Il se hissa avec peine sur ses pieds, la souleva des deux mains. Le dos tourné, Psenisis fixait le disque du soleil qui se déplaçait. La lame s'enfonça entre ses omoplates et pénétra jusqu'aux entrailles. Il était mort avant de s'être écroulé.

Amenanhotep le contempla. La potion sacrée, mare bleu-vert, se teintait déjà du sang des deux hommes. Amenanhotep jeta un coup d'œil désespéré autour de lui. Puis, le souffle court, il se traîna jusqu'à une étagère, à l'ombre d'un pilier. Là se dressait la petite fiole en verre travaillé dans laquelle il avait transporté la potion jusqu'au saint des saints. Il la saisit, regagna l'autel. Aveuglé par la sueur, il s'agenouilla pour remettre un peu du liquide dans la minuscule bouteille. Les doigts tremblants, il enfonça le bouchon le plus profondément possible, maculant de sang la surface délicatement ornée. Dans un ultime effort, il alla poser la fiole dans la pénombre entre le pilier et le mur, puis il se détourna et chancela en direction de la lumière.

Quand on le trouva gisant en travers de l'entrée du temple, il était déjà mort depuis plusieurs heures.

On lava, puis on embauma les corps des deux prêtres défunts en chantant des prières pour qu'ils servent la déesse de la vie dans l'autre monde, puisqu'ils avaient échoué dans celui-ci.

Le grand prêtre ordonna que les deux momies soient placées côte à côte dans le saint des saints, de part et d'autre de l'autel, et que la chambre soit scellée pour l'éternité.

Les citations figurant en tête de chaque chapitre proviennent de *The Book of the Dead* d'E.A. Wallis Budge.

I

Que rien ne me repousse lors de mon jugement ;
Que rien ne s'oppose à moi ;
Que rien ne te sépare de moi en présence de celui
qui veille sur la balance

Nous sommes en l'an 1300 avant la naissance de Jésus-Christ. Les corps embaumés des prêtres sont transportés jusqu'au temple creusé dans la falaise où ils ont servi leurs dieux. Ils reposeront dans l'ombre, là où ils sont morts. Un rayon de soleil s'attarde un instant sur le sanctuaire puis s'estompe, quand est placée la dernière brique en terre sèche. Désormais, le temple est une tombe obscure. Tout est silencieux.

Le sommeil des morts est paisible. Les huiles et les résines commencent à agir dans les chairs. La putréfaction est interrompue.

Les âmes des prêtres quittent leurs corps terrestres, en quête des dieux du jugement. Au-delà des portes de l'Occident, Anubis, le dieu des morts, tient la balance qui décidera de leur sort. D'un côté, il y a la plume de Maât, la déesse de la vérité et de la justice. De l'autre, un cœur humain.

★

★　★

– Ma fille, tu devrais prendre des vacances !

Petite et menue, le visage anguleux, les cheveux très courts, Phyllis Shelley paraissait vingt ans de moins que les quatre-vingts qu'elle avouait à contrecœur.

Elle quitta la cuisine, un plateau dans les mains. Anna la suivit avec la bouilloire et une assiette de biscuits.

– Tu as raison, bien sûr, répondit celle-ci avec un sourire attendri.

Tandis que sa grand-tante se dirigeait vers la terrasse, elle marqua une pause dans le vestibule pour se regarder dans la glace. Elle avait les traits tirés. Ses cheveux châtains, noués en catogan, rehaussaient la nuance gris-vert de ses yeux noisette. Elle était grande, mince et encore jolie, mais des ridules se formaient autour de sa bouche, et ses pattes d'oie étaient trop profondes pour une femme de trente-cinq ans. Elle poussa un soupir et grimaça. Elle avait eu raison de venir. Elle avait besoin d'une bonne dose de Phyllis !

Prendre le thé avec la seule sœur encore en vie de son grand-père était toujours un plaisir. Infatigable, forte – invincible, affirmaient certains –, la vieille dame avait la tête sur les épaules et un sens de l'humour inaltérable. Dans l'état où elle se trouvait, seule et déprimée, trois mois après le verdict définitif, Anna était en quête d'un bon remontant. Elle esquissa un sourire en rejoignant Phyllis : une tasse de thé, quelques gâteaux et une discussion suffiraient sans doute.

C'était une magnifique journée d'automne, les feuilles couleur d'or et de bronze contrastaient avec les rouges et les noirs des baies sauvages. L'air sentait le feu de bois.

– Tu me parais en pleine forme, Phyllis.

La vieille dame haussa un sourcil narquois.

– Pour mon âge, tu veux dire. Merci, Anna ! Je vais bien, ce qui ne semble pas être ton cas. Pardonne-moi, mais tu es dans un état pitoyable.

Anna eut un mouvement des épaules.

– Je viens de passer trois mois épouvantables.

– Je comprends, mais à quoi bon revenir sur le passé, ma chérie ? Que vas-tu faire de ton existence, maintenant qu'elle t'appartient ?

– Je vais sans doute commencer par chercher un emploi.

Dans le silence qui suivit, Phyllis remplit les tasses. Elle en tendit une à sa petite-nièce.

– Anna, la vie est faite pour être vécue, murmura-t-elle. Les choses ne tournent pas forcément comme on l'espérait. Ce n'est pas une partie de plaisir tous les jours, cependant, il faut aller de l'avant. J'ai l'impression que tu n'as aucun projet.

Anna rit malgré elle.

– En ce moment, j'avoue que c'est le cadet de mes soucis.

Les deux femmes se turent. Anna contempla le muret en pierres au bout de l'étroit cottage. Jolly, le chat de Phyllis, y dormait paisiblement, la tête entre les pattes, sur un matelas de vigne vierge. Tout autour, les dernières roses de la saison s'épanouissaient à profusion. A l'abri du vent, il faisait étonnamment doux. Anna sentit sur elle le regard de sa grand-tante et se mordit la lèvre inférieure. Elle se voyait tout à coup telle qu'elle devait apparaître. Trop gâtée. Paresseuse. Bonne à rien. Déprimée.

Phyllis plissa les yeux.

– Tu sais, Anna, les gens qui s'apitoient sur leur sort ne m'ont jamais impressionnée. Il faut que tu te remues. Je n'appréciais guère ton mari. Ton père devait être fou pour t'avoir laissée l'épouser. Tu t'es mariée trop jeune. Tu ne savais pas dans quoi tu te lançais. A mon avis, tu viens de l'échapper belle. Tu as l'avenir devant toi. Tu es jeune, en bonne santé, tu as toutes tes dents.

Anna rit de nouveau.

– Décidément, tu as toujours raison, Phyllis. Mon problème, c'est que je ne sais pas par où commencer.

Ils avaient divorcé à l'amiable. Ils ne s'étaient pas disputé leurs biens. Félix lui avait donné la maison en échange de sa bonne conscience. Après tout, c'était lui qui avait menti, lui qui était parti. D'ailleurs, il envisageait l'acquisition d'une autre maison, dans un quartier plus chic, une demeure confortable qui conviendrait parfaitement à sa nouvelle femme et à leur enfant.

Anna, la « victime », avait accusé le coup. Félix était tout pour elle. Même ses amis étaient plutôt ceux de Félix. Au fond, son métier était de recevoir pour lui, de tenir son agenda, d'huiler les rouages de sa progression sociale. Elle pensait avoir été à la hauteur de la tâche. Peut-être s'était-elle trompée. Sa propre insatisfaction avait sans doute fini par remonter à la surface, en dépit de ses efforts.

Ils s'étaient mariés deux semaines après qu'Anna eut obtenu son diplôme universitaire en langues modernes. Félix avait quinze ans de plus qu'elle. Elle se rendait compte aujourd'hui que sa décision de finir ses études avait probablement été la dernière : Félix l'avait suppliée de tout arrêter, le jour où il lui avait demandé sa main.

– Pourquoi continuer, mon amour ? Ça ne te servira à rien. Tu n'auras jamais à travailler.

Ni à t'inquiéter de quoi que ce soit d'important... Au fil du temps, Anna avait ressassé plus d'une fois ces paroles implicites. Elle s'était consolée en se disant qu'elle était trop occupée, que son dévouement envers Félix était une sorte de profession. Quant au salaire, elle ne pouvait pas s'en plaindre. Félix ne lui refusait rien. Ses exigences étaient claires et simples : en cette époque d'émancipation féminine, Anna se devait de rester un objet décoratif. Il s'était montré si persuasif qu'elle ne s'était pas rendu compte de la situation dans laquelle elle se mettait. Elle devait être suffisamment intelligente pour animer une conversation avec les amis de son mari, mais pas assez pour l'éclipser. Elle avait su tenir son rôle à merveille. D'autant que, pour ne pas perturber son organisation, il lui avait signifié avec fermeté lors de leur voyage de noces dans les îles Vierges qu'il ne voulait pas avoir d'enfants. Jamais.

Anna avait deux passions, la photographie et le jardinage. Pour assouvir ces plaisirs, Félix l'avait autorisée à dépenser ce qu'elle voulait. Il l'avait même encouragée, à condition que ces passe-temps n'entrent jamais en conflit avec ses devoirs d'épouse. A force de travail et de volonté, Anna avait maîtrisé ces deux arts au point que ses photos de jardins lui avaient valu plusieurs prix et s'étaient même vendues, lui donnant ainsi l'illusion qu'elle participait au ménage.

Curieusement, elle avait subi ses écarts sans protester. Elle avait constaté assez vite qu'au fond, son infidélité la touchait peu : sans doute ne l'aimait-elle pas tant que cela. Ça n'avait aucune importance. Par ailleurs, aucun homme ne l'avait attirée. Etait-elle frigide, par hasard ? Elle aimait faire l'amour avec Félix, pourtant, leurs rapports s'étaient peu à peu espacés, sans qu'elle s'en plaigne. Cependant, en apprenant que la toute dernière conquête de son mari était enceinte, Anna s'était effondrée. Le mur derrière lequel elle avait dissimulé ses émotions, pendant tant d'années, avait cédé brusquement, et la jeune femme avait explosé de rage et de frustration. Félix en avait été le premier étonné. Il n'avait pas prévu un tel revirement. Il espérait continuer comme avant, rendre visite à Shirley, la distraire et l'entretenir, l'aider à élever son enfant, mais rien de plus. Son enchantement instantané et sincère à l'arrivée du bébé l'avait secoué, autant qu'il avait ravi Shirley et accablé Anna. Quelques jours à peine après la naissance, Félix avait emménagé chez la mère de son enfant, et Anna avait consulté son avocat.

Comprenant son désarroi, les amis de Félix avaient pris son parti, mais très vite, elle s'était rendu compte qu'ils n'avaient plus rien à se dire. Ils lui avaient tous téléphoné pour lui faire part de leur sollicitude, puis s'étaient réfugiés dans un silence embarrassé. Etrange coïncidence, tous lui avaient conseillé de prendre des vacances.

Et voilà que Phyllis s'y mettait aussi.

— Il faut que tu prennes l'air, Anna. A ton retour, tu vendras ta maison. Au fond, ce n'était qu'une prison dorée.

— Mais Phyllis...

— Ne discute pas, ma chérie. Félix a eu beau t'emmener partout avec lui, tu t'es toujours contentée de rester au bord de la piscine de l'hôtel. Tu devrais t'offrir un voyage en Egypte.

— Pourquoi en Egypte ?

— Parce que, petite fille, tu en parlais sans arrêt. Tu lisais des livres sur ce pays, tu dessinais des pyramides, des chameaux et des ibis. Et dès que tu me voyais, tu me suppliais de te parler de Louisa.

— C'est vrai, acquiesça Anna. Il y a des années que je n'ai plus pensé à elle.

— Il est temps d'y remédier. Il ne faut jamais oublier ses rêves d'enfance. A mon avis, tu devrais refaire le parcours de Louisa. J'en ai moi-même eu la tentation, il y a une dizaine d'années, à la parution de l'ouvrage sur ses œuvres. C'est moi qui avais aidé ton père à sélectionner les dessins, ainsi qu'à rédiger les légendes. Cela m'a donné envie d'y aller. Je le ferai peut-être un jour.

Une lueur espiègle dansa dans ses prunelles, et Anna se dit, qu'en dépit de son grand âge, elle en était bien capable.

— Ton arrière-arrière-grand-mère était une femme étonnante, enchaîna Phyllis. Originale, courageuse, et très douée.

Comme toi. Pas comme moi. Anna ne dit rien. Sourcils froncés, elle réfléchit.

— Alors ?

— C'est une idée.

— Une idée excellente, oui !

— Je l'ai suggéré une ou deux fois à Félix, mais ça ne l'intéressait pas. Après tout, pourquoi pas ? J'ai tout mon temps.

Paupières closes, Phyllis offrit son visage au soleil et sourit.

— Tant mieux ! Voilà une affaire réglée.

Elle marqua une pause avant de reprendre :

— C'est divin. L'automne est la saison la plus agréable de l'année, et octobre est mon mois préféré... As-tu parlé à ton père ?

Anna secoua la tête.

— Il ne m'a pas téléphoné depuis le divorce. Je crains qu'il ne me pardonne jamais.

— De t'être séparée de Félix ?

— Il était si fier de l'avoir pour gendre ! s'exclama-t-elle avec une pointe d'amertume. Le fils qu'il n'avait jamais eu.

— Quel idiot ! gronda Phyllis. Il ne s'arrange pas, depuis la mort de ta mère, et ça remonte à dix ans ! Ne t'en fais pas, ma chérie, il s'en remettra. Tu vaux cent fois mieux que Félix, et tôt ou tard, ton père en prendra conscience. Je te le promets.

Anna se détourna pour se concentrer sur la vigne vierge au bord de la terrasse. Elle ne pleurerait pas. Fille unique, elle avait toujours souffert du manque d'intérêt que lui portait son père. Elle ravala ses larmes et fixa les dalles de York à ses pieds, envahies de vieux lichens séchés. Soudain, elle s'aperçut que Phyllis s'était levée. La vieille dame ayant disparu par la porte-fenêtre, Anna s'empressa d'essuyer ses yeux avec son mouchoir.

Phyllis reparut quelques instants après.

– J'ai ici quelque chose qui devrait t'intéresser, annonça-t-elle en déposant un paquet devant elle. En triant les papiers et les carnets à dessins de Louisa, j'ai longtemps désespéré d'y trouver quoi que ce soit de personnel. S'il y avait des lettres, elle avait dû les détruire. Et puis, il y a quelques mois, j'ai voulu donner un bureau à restaurer. La marqueterie était en piteux état. L'artisan s'est rendu compte que l'un des tiroirs était muni d'un double fond ; il y a découvert ceci.

– Qu'est-ce que c'est ?

– Le journal intime de Louisa.

– Vraiment ? Il doit avoir une valeur inestimable !

– Probablement. C'est surtout un document fascinant.

– Tu l'as lu ?

– Je l'ai parcouru, mais l'écriture est petite, et mes yeux commencent à me lâcher. Elle y raconte son voyage en Egypte. Lis-le. Et appelle ton père. La vie est trop courte pour ce genre de bouderie. Tu peux lui dire de ma part que c'est un crétin.

Les derniers rayons du soleil zébraient le ciel de rouge, quand Anna monta dans sa voiture. Le journal intime de Louisa était sur la banquette passager.

– Merci pour tout. Je ne sais pas ce que je deviendrais sans toi.

– Tu t'en sortirais parfaitement ! répliqua Phyllis en feignant la colère. Appelle Edward dès ce soir. Tu me le promets ?

– Je te promets au moins d'y réfléchir.

Elle en eut tout le loisir dans les embouteillages londoniens provoqués par les retours de week-end et en profita pour faire un bilan. Elle avait trente-cinq ans, elle avait été mariée quatorze ans. Elle n'avait ni métier, ni enfant. L'idée que Félix en avait désormais un avec une autre femme lui était insupportable. Elle avait quelques amis, un père qui la détestait, et devant elle un vide énorme. Côté positif, elle avait Phyllis, la photo, le jardin et, quoi qu'en pense sa grand-tante, la maison.

Si Félix la lui avait laissée, c'était en partie pour cette raison, car il ne s'y était jamais intéressé, sinon pour y recevoir ses clients. Apéritifs. Barbecues. Thés... Il ne s'était guère aventuré au-delà de la terrasse bordée de jasmin et de roses.

Anna avait eu du mal à cacher sa surprise quand il en avait parlé devant les avocats. Il avait affirmé qu'elle méritait de garder ce jardin, après tous les efforts qu'elle y avait déployés. Jamais il ne l'avait gratifiée d'un tel compliment.

— Papa ? Est-ce qu'on peut parler ?

Assise sur son lit, Anna avait mis plus de dix minutes avant de se décider à décrocher l'appareil et de composer le numéro.

Il y eut un silence.

— Nous n'avons pas grand-chose à nous dire, Anna.

— Si... Je suis triste, et seule, et j'ai besoin de toi.

— Ça m'étonnerait, riposta-t-il d'un ton glacial. Après tout, tu n'as pas jugé utile de me consulter au sujet de ton divorce.

— Te consulter ? répéta-t-elle, outragée et incrédule. En quel honneur ?

— C'eût été la moindre des politesses.

Anna ferma les yeux et s'obligea à compter jusqu'à dix. Ça ne changerait jamais. D'autres auraient manifesté de la tendresse, de la compassion, voire de la colère. Son père, lui, évoquait un manque de courtoisie. Elle poussa un profond soupir.

— Je suis désolée. J'étais un peu dépassée par les événements. Tout est arrivé très vite.

— C'est regrettable, Anna. Vous auriez dû trouver un arrangement, Félix et toi. Si tu avais sollicité mon avis, je lui aurais parlé...

— Non ! Non, papa, pardonne-moi, mais nous étions dans une impasse. C'était à nous de prendre des décisions et à personne d'autre. Si tu es offusqué, j'en suis navrée, mais je te rappelle que tu étais au courant de toute l'histoire.

— Bien sûr que j'étais au courant, Anna. Mais je suis ton père et...

— Et moi, une femme adulte, papa !

— Permets-moi de te signaler que tu n'en as pas le comportement...

Anna raccrocha vivement, un sanglot dans la gorge.

Elle se leva, s'approcha de sa coiffeuse, la contempla sans la voir. C'était un petit bureau anglais d'inspiration classique, auquel on avait ajouté un miroir ovale. Anna aperçut son reflet et grimaça. Il avait raison. Elle se conduisait comme une gamine abandonnée.

Sa main s'attarda sur une fiole minuscule, en verre opaque bleu foncé, orné d'un motif en forme de plume. Le bouchon était scellé à la cire. Petite fille, elle s'était extasiée chez Phyllis devant cet objet. Sa grand-tante le lui avait donné, en lui expliquant qu'elle devait en prendre grand soin.

– Cette bouteille est très ancienne, Anna. Elle vient de l'Egypte.

L'Egypte.

Anna retourna le flacon, l'examina de plus près. Bien entendu, Félix en avait fait estimer la valeur par un antiquaire, qui avait affiché un air dédaigneux :

– Je vais vous décevoir, mais il provient sans doute d'un bazar quelconque. Les premiers touristes en Egypte se laissaient régulièrement prendre au piège en croyant acquérir des œuvres d'art. Celle-ci n'a rien d'authentique, avait-il déclaré.

On aurait dit qu'en la touchant, il avait peur de se contaminer de même que sa réputation. Anna ébaucha un sourire las en se rappelant l'incident. Désormais, au moins, elle n'avait plus à subir les discours prétentieux des soi-disant amis de Félix.

Elle posa la bouteille délicatement. Elle était fatiguée, désespérée, elle en avait assez de tout.

Phyllis avait raison. Elle avait besoin de vacances.

*
* *

– Etes-vous déjà allée en Egypte ?

Pourquoi n'avait-elle pas songé à ce problème en demandant une place du côté hublot, à l'hôtesse qui avait enregistré ses bagages ? Comment allait-elle supporter de passer cinq heures auprès de ce voisin que le destin lui avait choisi et auquel elle ne pouvait échapper ?

Quatre mois s'étaient écoulés depuis cette belle journée d'automne chez Phyllis, et le grand moment était enfin arrivé. Fouettés par un rideau de pluie verglacée, les techniciens s'affairaient sur le tarmac avant le décollage.

Anna ne leva pas les yeux de son guide touristique.

– Non, jamais, répondit-elle d'un ton qu'elle espérait peu avenant, mais poli.

– Moi non plus.

Elle sentit qu'il l'observait à la dérobée, mais il ne dit rien de plus et se pencha pour chercher de la lecture dans le sac à ses pieds.

Anna jeta un coup d'œil discret à sa gauche. La quarantaine, cheveux blonds, traits réguliers, cils interminables... Elle regretta d'avoir été aussi sèche. Cependant, elle avait tout le temps de se rattraper si elle en avait envie. Un homme âgé portant un col d'ecclésiastique prit place dans le troisième siège de la rangée. Il les salua d'un signe de tête avant de s'emparer d'une pile de journaux. Anna remarqua avec un certain amusement l'exemplaire de *Vie chrétienne* dissimulé dans les pages du *Sun*.

Ce matin-là, en attendant le taxi qui devait l'emmener à l'aéroport, elle avait failli perdre courage. Les rues tranquilles étaient blanches de givre, les lueurs de l'aube grises et déprimantes. Si le chauffeur ne s'était pas garé sous son nez à cet instant précis, elle serait rentrée chez elle pour s'enfouir sous sa couette.

A bord, l'air était chaud et étouffant. Elle avait la migraine. Elle pouvait à peine bouger sous peine de bousculer le coude de son voisin. Hormis un demi-sourire lorsqu'elle s'était redressée pour prendre son plateau, et un autre quand le steward était passé leur proposer du thé ou du café, il ne lui avait plus adressé la parole, et le silence commençait à lui peser. Elle ne se sentait pas la force d'entretenir une véritable conversation, mais une remarque nonchalante aurait allégé l'atmosphère. Fermant les yeux, elle écouta le ronronnement des moteurs, qui semblait s'intensifier de minute en minute. Elle avait refusé le casque d'écoute pour le film. Lui aussi. Apparemment, il dormait, son livre posé sur les genoux, les mains croisées sur la couverture. Anna se tourna vers le hublot : l'avion passait au-dessus de la Méditerranée. Elle décocha de nouveau un regard sur sa gauche. Endormi, il était moins beau, ses traits s'affaissaient, sa bouche tombait tristement. Elle se remit à lire tout en lui enviant sa capacité à sommeiller dans de telles conditions. Ils avaient encore deux ou trois heures de vol devant eux, et ses muscles criaient au secours.

Comme elle rajustait l'arrivée d'air au-dessus de leurs têtes, elle constata qu'il s'était réveillé et qu'il l'observait. Il lui adressa un sourire, auquel elle répondit par une grimace destinée à lui faire part à la fois de sa sympathie et de sa discrétion. Elle s'apprêtait à faire un commentaire sur le manque flagrant de confort, quand il s'assoupit de nouveau.

Tant pis ! Anna plongea une main dans son sac et en sortit le journal intime de Louisa. Elle avait décidé de le lire au cours de son voyage. Autant commencer maintenant.

Le papier du cahier recouvert de cuir était épais, non ébarbé, maculé ici et là de taches brunâtres. Anna l'ouvrit à la première page.

« Le 15 février 1866 : Le bateau a jeté l'ancre à Louxor, et c'est ici que j'abandonne mes compagnons de route pour rejoindre les Forrester. Demain matin, mes malles seront transférées sur l'*Ibis*, que j'aperçois d'ici. Les ponts sont déserts. J'aspire à un peu de paix, et ne regrette en rien d'être bientôt débarrassée d'Isabella et d'Arabella, dont les bavardages incessants me soûlent depuis notre départ du Caire, il y a trois semaines. J'envoie par leur intermédiaire une enveloppe de dessins et d'aquarelles, et j'espère entreprendre une nouvelle série d'esquisses dans la Vallée des Rois dès que possible. Le consulat britannique m'a promis un drogman – un homme du pays qui me servira de guide et d'interprète. Il paraît que les Forrester sont très gentils et heureux de m'accueillir. La chaleur est suffocante dans la journée, mais les nuits sont divinement fraîches. Je suis impatiente d'explorer les alentours, ce que je n'ai guère pu faire jusqu'ici. »

Anna releva la tête, songeuse. Elle n'avait jamais vu le désert. Elle n'était jamais allée en Afrique ou en Orient.

Elle se cala dans son siège et reprit sa lecture.

*
* *

— Louisa, ma chère ! Sir John Forrester est arrivé ! s'écria Arabella en faisant irruption dans la cabine. Il vous emmène sur son yacht.

— Ce n'est pas un yacht, Arabella. C'est une dahabiah, répliqua Louisa en ajustant son chapeau de paille noir à large bord.

— Quel courage vous avez, Louisa ! Je n'ose imaginer à quel point la suite de votre voyage va être terrifiante.

— Pas du tout ! Au contraire, ce sera extrêmement intéressant.

Maintenant d'une main ses jupes volumineuses, elle gravit l'étroite passerelle et émergea sur le pont ensoleillé.

Sir John Forrester était un sexagénaire grand et squelettique. Vêtu d'une veste en tweed, les pieds bottés, il semblait n'avoir fait qu'une seule concession au climat en se coiffant d'un casque colonial blanc.

— Madame Shelley ? Quel plaisir de vous rencontrer, déclara-t-il en s'inclinant poliment, ses yeux bleus brillant sous des sourcils broussailleux.

Il salua ses compagnes, puis ordonna aux deux Nubiens qui l'escortaient de transférer les bagages de Louisa à bord de la felouque, le long du bateau à vapeur.

Louisa se sentait un peu nerveuse. Elle fit ses adieux, remercia les membres de l'équipage, puis se détourna pour gagner la petite embarcation à voile qui la transporterait jusqu'à l'*Ibis*.

— Soyez prudente sur l'échelle, lui conseilla sir John en lui offrant sa main. Asseyez-vous où vous voulez. Là, ajouta-t-il, son doigt contredisant son invitation.

Une main noire lui agrippa la cheville pour la guider. Louisa se mordit la lèvre et se retint de repousser celui qui s'octroyait une telle liberté. Elle descendit rapidement, au son de la voile qui claquait au vent. Accueillie par les sourires et les saluts des deux marins égyptiens, elle s'installa à l'endroit que lui avait indiqué sir John. Il la rejoignit quelques secondes plus tard, et ce fut le départ.

Le bateau vers lequel ils se dirigeaient était un de ces splendides vaisseaux privés qui croisent sur le Nil. Propulsé par deux immenses voiles latines, l'*Ibis* était doté à l'arrière d'une barre énorme, qui passait au-dessus du toit de la cabine principale. L'intérieur, élégant et luxueux, comprenait une cabine pour elle, une pour les Forrester, une autre pour leur femme de chambre, un grand salon rempli de tables et de divans, ainsi que les quartiers réservés à l'équipage composé d'un commandant, ou *reis*, et de huit hommes. Sur le pont, on pouvait se reposer ou se restaurer à sa guise.

Louisa était enchantée de disposer enfin d'un coin à elle. Si l'espace était réduit, il n'en était pas moins somptueux : dessus-de-lit en tissage de couleurs vives, châles drapés en guise de rideaux, tapis moelleux, cuvette et broc en cuivre doré.

Mme Forrester ne s'était pas montrée.

– Elle est fatiguée, mais elle se joindra à nous pour le dîner, avait expliqué sir John. Nous hisserons les voiles le plus vite possible. Pas loin. Nous jetterons l'ancre de l'autre côté du fleuve, afin que vous puissiez visiter la vallée dès demain. Hassan sera votre drogman, c'est-à-dire votre guide et interprète. Un gentil garçon. Il jouit des meilleures recommandations. Fiable et pas cher, précisa le vieil homme avec un sourire entendu. Mon épouse et vous vous partagerez la femme de chambre. Elle s'appelle Jane Treece.

En robe noire et tablier blanc, les cheveux sévèrement tirés sous son bonnet, cette dernière, âgée d'environ quarante-cinq ans, fit son apparition.

– Bonsoir, madame. Sir John m'a priée de m'occuper de vous pendant la durée de votre séjour à bord.

Louisa dissimula son dépit tant bien que mal. Elle avait espéré être libérée de ce genre de formalité. Bien entendu, elle était heureuse d'avoir quelqu'un pour l'aider à ranger ses robes, ses jupons et ses affaires de toilette. Quant à son matériel de peinture, personne n'avait le droit d'y toucher : elle le posa sur la petite table devant la fenêtre dotée de jalousies.

Se détournant, elle laissa tomber son regard sur la tenue de soirée que Jane Treece venait d'étaler sur le lit. Ses rêves de laisser au placard son corset et les satins noirs exigés par son deuil s'envolèrent.

– Je ne pensais pas être obligée de me plier à tout ce protocole sur un aussi petit bateau, murmura-t-elle.

– A bord de l'*Ibis*, sir John et lady Forrester respectent les usages, madame. Je suppose qu'à terre, il vous sera plus difficile de vous y tenir. D'ailleurs, je leur ai clairement dit que je ne vous accompagnerai en aucun cas. Mais ici, Jack, le majordome, et moi-même, veillons à ce que tout se passe comme dans leur demeure de Belgravia.

Louisa se mordit la lèvre pour ne pas sourire. Affichant un air contrit, elle autorisa Jane Treece à l'assister pour sa robe et sa coiffure. Elle était ravie de savoir qu'elle ne visiterait pas la Vallée des Rois en sa compagnie.

Si le décor du salon était exotique, le couvert, lui, était typiquement anglais. Le repas, composé de plats égyptiens, se révéla exquis. Louisa mangea avec plaisir tout en essayant d'expliquer aux Forrester pourquoi elle voulait peindre les paysages d'Egypte. Augusta Forrester avait enfin daigné émerger de ses quartiers, superbe et élégante comme si elle recevait chez elle à Londres. Menue, les cheveux argent et les yeux noirs, elle était encore belle et charmante malgré ses soixante ans. En revanche, elle semblait avoir beaucoup de mal à fixer son attention sur la conversation.

– Quand M. Shelley est mort, expliqua Louisa, je me suis sentie perdue.

Comment pouvait-elle leur faire comprendre à quel point elle avait été désemparée ? Ayant contracté la même fièvre que celle qui avait tué son mari, elle s'en était sortie trop affaiblie pour continuer à s'occuper de leurs deux fils, si robustes et bruyants. La mère de Georges les avait recueillis, afin que Louisa puisse se refaire une santé grâce à quelques mois passés sous un climat chaud. Ce voyage en Egypte, elle en avait rêvé avec lui. C'était Georges qui lui avait parlé des découvertes sous les dunes, Georges qui lui avait promis de l'y emmener un jour, pour qu'elle puisse dessiner les tombes et les pyramides. La maladie et le drame en avaient décidé autrement.

Portant son regard de sir John à son épouse, Louisa s'aperçut que celle-ci ne l'écoutait plus. Cependant, lorsqu'elle évoqua David, son neveu, Augusta revint momentanément sur terre. Les yeux brillants, elle fixa Louisa, qui racontait comment David était venu à son secours, avait organisé son parcours, pris son billet pour le bateau à vapeur au Caire, puis avait convaincu son oncle et sa tante de la recevoir à bord de l'*Ibis*. Sans lui, elle n'y serait jamais parvenue.

Malheureusement, sir John et lady Forrester étaient moins fantaisistes que leur neveu. Au fil des minutes, les rêves de Louisa d'une expédition joyeuse et conviviale se volatilisaient.

*
* *

Anna leva les yeux. Son voisin semblait toujours endormi. A l'avant de la cabine, le film défilait sur l'écran. Elle essaya subrepticement de s'étirer, en se demandant combien de temps encore elle pourrait se retenir d'aller aux toilettes. Elle se retourna. La queue n'avait pas diminué. Au sol, la terre s'étendait dans un camaïeu de rouges et d'ocres. Les couleurs de l'Afrique. Un sentiment d'excitation l'envahit. Elle serait bientôt là.

Elle rouvrit le journal de Louisa, parcourut les pages noircies d'une écriture fine et nerveuse, admira les dessins qui illustraient le récit.

« Hassan a amené les mules aux premières lueurs de l'aube afin que nous puissions nous échapper avant la grosse chaleur. Il a mis mon matériel dans les paniers, sans un mot. Je crains qu'il m'en veuille encore de mon manque de tact. J'ai décidé de ne rien dire. Je l'ai laissé me hisser sur ma bête, sans prononcer un mot d'excuse ou de remontrance à la suite de son éclat. Son regard brillait de colère. Nous avons chevauché jusqu'à la vallée sans échanger une parole. »

Anna sauta quelques pages.

« Je l'ai revu aujourd'hui... une silhouette dans un miroitement de chaleur. Un homme grand, qui me guettait, mais qui a disparu presque aussitôt. J'ai appelé Hassan, mais il dormait. Quand il m'a rejointe, il était trop tard. Je commence à avoir peur. Qui est-ce ? Pourquoi ne s'approche-t-il jamais de moi ? »

Tiens ! Tiens ! Un événement à la fois excitant et mystérieux... Anna eut un frémissement. Levant la tête, elle aperçut l'hôtesse, qui proposait du café aux passagers. Son voisin, en revanche, avait les yeux rivés sur le cahier. Anna s'empressa de le fermer. Dehors, le soleil tombait à l'horizon.

Elle rouvrit le journal de Louisa.

« J'aime ce pays… »

Louisa posa sa plume et se tourna vers la fenêtre pour contempler le fleuve. Elle avait laissé les jalousies ouvertes, pour mieux savourer les odeurs, la tiédeur de la nuit, le souffle intermittent du vent en provenance du désert. Tout cela la captivait. Les passagers et les membres d'équipage s'étaient couchés. Rassemblant ses jupes, elle se dirigea vers la porte sur la pointe des pieds. Elle gravit prudemment l'étroite passerelle et émergea dans l'obscurité de la nuit. Le ciel était constellé d'étoiles.

Un léger mouvement derrière elle la fit sursauter. Elle pivota sur elle-même.

– Madame, chuchota Hassan, vous devriez rester dans votre cabine.

– Il y fait trop chaud. Et la nuit est si belle…

Il sourit.

– La nuit est pour les amants, madame.

Les joues brûlantes, elle s'écarta, se cramponna à la rambarde.

– Elle est aussi pour les poètes et les peintres, Hassan.

Son cœur battait très vite.

Son voisin avait de nouveau les yeux fixés sur le texte. Anna changea de position. Il commençait à l'irriter. Elle ferma résolument le cahier et sourit.

– Ce ne sera plus long, maintenant. Vous faites une croisière, vous aussi ?

– En effet, mais je doute que ce soit la même que vous, répliqua-t-il avec un léger accent – écossais, peut-être, ou irlandais.

Anna eut un sursaut de ressentiment. De quel droit la jugeait-il ? Elle se tourna vers le hublot. Au loin, des lumières scintillaient. Louxor...

Le *White Egret* était une petite embarcation. La brochure présentait le bateau à vapeur victorien sur une page séparée, vantant son âge, son histoire, son élégance. Il n'accueillait que dix-huit passagers à la fois.

Un coup d'œil rapide dans l'autocar lui apprit que son voisin de l'avion n'y était pas. Elle fut partagée entre le soulagement et la déception. Son insolence l'avait agacée, mais c'eût été au moins un visage connu parmi tous ces étrangers. Elle alla s'asseoir tout au fond. Apparemment, elle était la seule à voyager... seule.

Le *White Egret* était amarré à la lisière de la ville. A leur arrivée, on leur offrit des serviettes chaudes pour se nettoyer les mains et un cocktail, puis on leur donna la clé de leur cabine.

Celle d'Anna était étroite, mais confortable, et sa valise l'attendait au milieu. Elle explora son nouveau domaine avec intérêt : un petit lit, une table de chevet sur laquelle trônait un téléphone datant d'une autre ère, une coiffeuse, un placard. Elle se précipita vers le hublot et releva les jalousies. A son grand désarroi, il n'y avait rien à voir. Elle se détourna. Le dîner serait servi dans une demi-heure. Le lendemain matin ils traverseraient le Nil pour leur première visite, la Vallée des Rois. Un sentiment d'impatience submergea Anna.

En quelques minutes, elle eut défait ses bagages et disposé ses produits de beauté sur la coiffeuse. Parmi eux se dressait la petite fiole bleue. Elle avait trouvé tout naturel de la ramener dans son pays d'origine, qu'elle vienne d'un bazar ou d'une tombe ancienne.

Après une douche rapide, elle revint dans la chambre, enveloppée d'un drap de bain. La température avait baissé considérablement. Un frisson la parcourut. Elle s'habilla, enfila un chandail, puis s'arrêta, perplexe. Ce froid n'était pas normal. Pourvu qu'elle n'ait pas à s'en plaindre ! Elle était venue en Egypte pour avoir chaud !

Le moment qu'elle redoutait le plus était enfin là. L'heure était venue de rencontrer ses compagnons de route. C'était sa première sortie dans le monde depuis son divorce. Elle espérait un groupe homogène, pas une collection de couples, parmi lesquels elle se retrouverait seule.

Dans la salle à manger, on la conduisit à l'une des trois tables rondes, autour desquelles six personnes pouvaient prendre place. Très vite, l'ambiance se décontracta, tandis que les uns et les autres se présentaient. A sa gauche se trouvait un homme plutôt beau qui devait avoir à peu près son âge.

— Andy Watson, de Londres, annonça-t-il avec un large sourire, ses yeux noisette brillant d'humour. Libre, charmant, passionné par l'Egypte.

Anna ne put s'empêcher de rire. Un peu intimidée, elle lui expliqua qu'elle habitait Londres elle aussi, et qu'elle était divorcée. Puis elle se tourna pour saluer un autre homme, grand et mince, aux cheveux gris et aux yeux pâles.

— Nous sommes venus à cinq, déclara Andy en réclamant son attention. A votre droite, c'est Joe Booth, un financier de la Cité, à côté de lui, son épouse Sally. Et voici Charley, ajouta-t-il en indiquant une jolie rousse à sa gauche. Elle partage une cabine avec Serena, qui est à la table d'à côté.

Le sixième convive, qui semblait ne connaître personne à bord, était un certain Ben Forbes, médecin à la retraite. Ce sexagénaire au rire contagieux ne tarda pas à se rendre sympathique à tous.

Omar, le guide, prit la parole pendant qu'ils attendaient d'être servis.

— Je vous souhaite la bienvenue à bord. Demain, nous irons dans la Vallée des Rois. Les visites des temples de Karnak et de Louxor sont prévues pour l'avant-dernier jour de notre croisière. Lever à l'aube. Nous traverserons le fleuve en bac, puis continuerons en autocar. L'emploi du temps sera affiché chaque jour en haut de l'escalier, à l'entrée du salon-bar. Si vous avez un problème ou des questions, n'hésitez pas à vous adresser à moi.

32

Après ce bref discours, il se présenta à chacun individuelle-ment. Tout à coup, Anna reconnut derrière elle l'homme avec qui il discutait. Son voisin de l'avion ! Il adressa une remarque au guide qui fit rougir ce dernier et suscita un éclat de rire général autour de la table. De toute évidence, il persévérait dans l'impertinence.

— Vous avez repéré quelqu'un que vous connaissez ? s'enquit Andy en lui passant un panier rempli de petits pains chauds.

— Pas plus que ça. Nous étions à côté l'un de l'autre dans l'avion.

— Je vois... C'est courageux de venir jusqu'ici toute seule. Qu'est-ce qui vous a décidée ?

— Comme vous, ce pays me passionne. Mon arrière-arrière grand-mère s'appelait Louisa Shelley. Elle est venue ici vers 1860 pour peindre...

— Louisa Shelley ? L'aquarelliste ? Mais elle est très connue ! J'ai vendu une de ses œuvres il y a six mois à peine.

Anna fronça les sourcils.

— Oui, je suis antiquaire, précisa-t-il.

Charley se pencha vers lui et lui donna une tape sur le poignet.

— Andy, tu m'as promis de ne pas parler boulot. Je vous en supplie, ne l'encouragez pas !... Et vous, que faites-vous ? ajouta-t-elle avec un sourire glacial.

Andy intervint précipitamment :

— Elle dépense la fortune de son ex-mari, ma chérie. A notre retour, je me débrouillerai pour lui vendre un ou deux objets rares, mais en attendant, concentrons-nous sur tout ce qui concerne l'Egypte, à commencer par la nourriture.

Anna vit que la main de Charley restait résolument auprès de celle d'Andy. Il n'était donc pas si libre que cela. Elle avait intérêt à se méfier.

— Vous qui vous intéressez à l'art, je devrais vous montrer ma fiole de l'Egypte ancienne, dit-elle.

— Authentique ?

— On m'a assuré que non, mais c'est Louisa qui l'a rappor-tée, et à mon avis, elle en était persuadée. J'ai son journal intime avec moi. Peut-être y a-t-elle noté l'endroit où elle a trouvé ce flacon.

– Je m'y connais assez bien. J'aimerais beaucoup voir le journal de Louisa Shelley. Est-ce qu'il contient des esquisses ?

– Quelques-unes, de la taille d'un timbre. Elle dessinait dans des carnets.

Anna se rendit compte à ce moment-là que son voisin de l'avion l'observait attentivement. Elle le soupçonna d'avoir écouté sa conversation avec Andy. Elle le gratifia d'un sourire bref. Il répondit par un petit salut de la tête.

– On vous a repérée, ma chère.

– En effet.

Anna se demanda pourquoi Serena n'était pas à la table de ses compagnons. Jusqu'ici, elle semblait les ignorer carrément. En revanche, elle n'hésita pas à entamer la conversation avec l'insolent.

Anna s'empara de sa cuiller pour déguster le potage aux légumes.

– Il semblait fasciné par le journal de Louisa. Il ne le quittait pas des yeux.

– Vraiment, dit Andy. Vous en prendrez soin, n'est-ce pas ? Je suis sûr qu'il a une grande valeur.

Il la dévisagea d'un air sincère.

Pour la première fois depuis des mois, la jeune femme éprouva une sensation d'allégresse.

– Ne me dites pas qu'il pourrait avoir envie de me le voler !

– Non, non, certainement pas ! Il devait être curieux, c'est tout. Un texte manuscrit comme celui-là, c'est une lecture plutôt rare, en avion.

Anna jeta un coup d'œil derrière elle. L'insolent la surveillait avec un sourire un peu ironique. Ecarlate, elle se détourna. Le grand Nubien derrière le comptoir de service accrocha son regard et s'approcha.

– Encore un peu de soupe, madame ?

– Avec plaisir.

– Je vais en reprendre, moi aussi, déclara Andy. Ainsi, vous ne vous sentirez pas trop seule. Mais je vous signale qu'il y a une suite. D'ailleurs, je vais commander une bouteille de vin.

Levant une main, il interpella le serveur.

– J'aime beaucoup leurs djellabas, dit Anna.

– Tôt ou tard, nous en mettrons tous une, je suppose. Même à bord des bateaux les plus rustiques, les organisateurs se sentent obligés d'humilier leurs passagers en leur imposant un bal costumé.

– Si je comprends bien, ce n'est pas votre première croisière.

– Non, mais c'est la première de cette sorte... Un peu de vin ?

Charley avait engagé une discussion animée avec Ben Forbes. Ses longs cheveux roux cascadaient sur ses épaules, effleurant presque la surface de son potage. Elle ne semblait pas en avoir conscience.

– J'avais un peu peur de m'aventurer comme ça toute seule, avoua Anna. En cas de besoin, je saurai au moins à qui demander conseil.

Il lui adressa un clin d'œil.

– Certainement ! A présent, finissez votre soupe. Les hors-d'œuvre arrivent.

A la fin du repas, la plupart des passagers se rendirent au bar. Quelques-uns montèrent sur le pont. En y accédant, Anna frissonna. La brise était très fraîche. Se faufilant entre les tables et les chaises, elle s'approcha de la rambarde. Andy et Charley s'étaient arrêtés en chemin pour boire un verre, et leurs éclats de rire s'échappaient par la porte ouverte. A cet endroit, le fleuve était très large. Rien n'était visible sur la rive contre laquelle ils étaient amarrés.

– Apparemment, nous effectuons donc la même croisière. Pardonnez-moi d'avoir douté de votre bon goût.

Anna sursauta, se retourna. Chemise bleue, cheveux blonds, il s'était accoudé sur la barrière, le regard au loin. Soudain, il se redressa, lui tendit la main.

– Je me présente : Toby Hayward.

– Anna Fox.

Ils contemplèrent la nuit en silence pendant quelques instants.

– J'ai du mal à croire que je suis en Egypte, murmura Anna. Sur le Nil, tout près du tombeau de Toutankhamon.

Il rit tout bas.

– Vous êtes une romantique. J'espère que vous ne serez pas déçue.

— Non, non, vous vous trompez, répliqua-t-elle.

Soudain sur la défensive, elle pivota sur ses talons et se précipita vers le bar. Andy la remarqua immédiatement.

— Anna ! Venez ! Je vous offre un verre.

— C'est gentil, mais je crois que je vais aller me coucher. Nous partons aux aurores demain, et j'ai froid. Je m'attendais à une température plus clémente.

— C'est le vent du désert, dit Andy en lui prenant la main. En effet, vous êtes glacée. Un petit cognac vous réchaufferait, non ?

— Non, merci.

Toby était entré derrière elle. Ignorant les autres passagers, il traversa le salon en direction des cabines.

Anna emprunta le même chemin, lentement, de façon à ne pas le rattraper.

Une fois dans sa cabine, elle s'immobilisa. Le lieu ne lui paraissait plus froid et impersonnel. Au contraire, il y régnait une chaleur agréable. La lampe de chevet était allumée, le lit préparé, le drap de bain dont elle s'était servie un peu plus tôt déjà remplacé. Ses affaires étaient là, comme elle les avait posées. La fiole bleue tenait une place d'honneur sur la coiffeuse, se reflétait dans la glace. Un sentiment de bonheur intense envahit la jeune femme.

Le journal de Louisa l'attendait près du lit. Avant de s'endormir, elle en lirait quelques pages. Louisa devait y décrire ses premières impressions, lors de sa visite à la Vallée des Rois. Ainsi, Anna saurait à quoi s'attendre.

II

Délivre-moi des esprits
Qui montent la garde auprès des damnés !
En vérité, il n'est guère facile d'échapper à ces guetteurs !
Puissé-je ne pas tomber sous leurs couteaux !
Que je ne sois pas livré sans défense
A leurs caveaux de torture !
Je suis Hier, je suis Aujourd'hui ;
j'ai le pouvoir de naître une seconde fois.

THOT, maître des lois, voit les cœurs humains. Le premier est posé sur la balance, et le balancier se met à trembler.

Ammit, la dévoreuse des morts, se pourlèche les babines. Si ce cœur pèse plus lourd que la plume de Maât, il sera sa récompense. Ces hommes servaient les dieux. L'un était le prêtre d'Isis et d'Amon, l'autre, le prêtre d'Isis et de Sekhmet, la lionne guerrière qui possède aussi – suprême contradiction ! – le privilège de préserver la vie... Ils devraient vivre dans l'éternité avec les dieux qu'ils ont servis. Mais ils ont du sang sur les mains, la vengeance est dans leurs cœurs, et leur esprit est avide de trouver l'élixir de la vie.

LES LARMES D'ISIS

S'ils échouent maintenant, ils fuiront les tortures des damnés et retourneront attendre dans la chambre des morts.

★

★ ★

Louisa était prête dès l'aube. Hassan l'attendait sur la rive avec trois mules. Vivement, sans un mot, il chargea l'eau, la nourriture et son matériel de peinture dans les paniers de l'une des bêtes, l'aida à se hisser sur la seconde puis, maintenant fermement toutes les rênes, enfourcha la troisième. Derrière eux, les matelots de l'*Ibis* vaquaient à leurs tâches. Aucun signe des Forrester, ou de Jane Treece. Louisa esquissa un sourire, soulagée : ils allaient pouvoir s'échapper sans problème.

Les Forrester n'étaient pas tels qu'elle les avait imaginés : ils se révélaient même encore plus sévères qu'Isabella et Arabella. Pour eux, perdre une journée à visiter des ruines sous un soleil de plomb ne présentait aucun intérêt. De surcroît, ils paraissaient tous se sentir responsables de son moral. On avait engagé pour elle un drogman, mais il n'était pas question qu'elle se retrouve seule avec lui. Elle était venue en Egypte pour reprendre des forces, certes, mais aussi et surtout, du moins dans son esprit, pour peindre. Pourtant, ils n'avaient pas l'air de comprendre l'intérêt de son travail et le lui déconseillaient fortement. D'ailleurs, leur intention était de partir très vite, de façon à atteindre Louxor quand le bateau à vapeur y ferait escale avec le courrier en provenance d'Angleterre. Craignant de ne plus jamais avoir l'occasion de visiter la Vallée des Rois, Louisa avait dû se résoudre à des subterfuges. Elle était allée trouver Hassan sur le pont pour lui soumettre son projet. Sachant que Mme Forrester insisterait pour que Jane Treece les accompagne, Louisa leur avait assuré qu'elle ne quitterait pas le bateau avant le milieu de la matinée. Avec Hassan, elle était convenue de s'en aller au lever du soleil.

Le drogman lui avait plu tout de suite. Réservé, raffiné, très conscient de ses responsabilités, il lui avait affirmé clairement sa loyauté envers elle et elle seule. Il l'emmènerait partout où elle le désirait.

Louisa caressa le cou de son mulet.

– Il a un nom ?

– Je n'en sais rien, répondit Hassan en haussant les épaules. Je les ai loués pour la journée.

– S'il n'en a pas, je vais lui en donner un. Que pensez-vous de César ?

Hassan lui sourit, tandis qu'ils s'éloignaient rapidement de l'*Ibis*.

– Et moi, j'appellerai le mien Antoine. Quant à la bête qui transporte tout notre chargement, ce sera Cléopâtre.

Louisa rit aux éclats, enchantée. De taille moyenne, mince, vêtu d'un pantalon large et d'une tunique ample, Hassan était un bel homme. Elle l'observa à la dérobée et se demanda quel âge il pouvait avoir. Ses cheveux étaient cachés par un turban rouge. Quelques rides d'expression marquaient le coin de ses grands yeux noirs et le pourtour de sa bouche mais, hormis ces détails, son visage était lisse.

– Combien de temps nous faudra-t-il, Hassan ?

– Nous le saurons quand nous y serons. Nous avons toute la journée.

Louisa rit de nouveau. En Egypte, les choses se passaient ainsi. C'était la volonté de Dieu. Satisfaite, elle se cala sur sa selle en feutrine et tenta de s'adapter à l'allure de sa monture.

Le chemin traversait des champs d'orge et de blé ombragés par les eucalyptus et les dattiers. En peu de temps, ils eurent franchi la zone cultivée qui bordait le fleuve. Le désert s'étirait devant eux. Au loin, les collines de Thèbes se dressaient, voilées de brume.

Ils s'arrêtèrent brièvement pour savourer un petit déjeuner composé de tranches de pastèque, de pain et de fromage, puis ils reprirent leur route. Ils approchaient enfin du but.

– Nous y sommes presque, annonça Hassan. Vous allez dessiner les montagnes ?

– Oui. Je veux aussi voir les tombeaux des pharaons.

– Bien sûr, approuva-t-il en souriant. J'ai apporté des bougies et des torches pour nous éclairer.

Elle hocha la tête. Un filet de transpiration ruisselait dans son dos et entre ses seins. Ses vêtements lui paraissaient lourds, étouffants.

– Je m'attendais à croiser de nombreux visiteurs, lança-t-elle, vaguement mal à l'aise.

– Il y en a beaucoup, mais le bateau à vapeur n'est pas venu depuis plusieurs jours. A son retour, vous les rencontrerez.

– On ne voit aucune trace de pas, ajouta-t-elle avec une pointe de nervosité.

– Le vent a soufflé cette nuit. Quand vient le sable, tout disparaît.

Louisa sourit. Elle consignerait cette phrase dans son journal. « Quand vient le sable, tout disparaît. » L'épitaphe d'une civilisation.

Le sentier devenait de plus en plus abrupt au fur et à mesure qu'ils avançaient. Enfin, ils émergèrent dans la vallée cachée, d'où Louisa put nettement distinguer les ouvertures découpées dans la falaise de calcaire. Immobilisant sa monture, Hassan mit pied à terre et vint l'aider à descendre. Elle regarda autour d'elle en écoutant les gémissements du vent brûlant et les cris des rapaces dans les airs. Pendant ce temps, Hassan déchargea son matériel de peinture, ainsi qu'un tapis persan, qu'il étala non loin de là sur le sable. Il planta ensuite des poteaux au-dessus desquels il drapa une étoffe bleu et vert en guise d'abri. Lui et les mulets restèrent sous le soleil, imperturbables.

– Je m'attendais à voir des archéologues au travail. Pourquoi n'y a-t-il personne ? s'étonna-t-elle, stupéfiée par l'impression de désolation.

– Parfois, ils sont nombreux, parfois non. L'argent manque. Ils partent pour en trouver davantage, puis ils reviennent. Les indigènes restent. Nous en verrons peut-être. Ils creusent de préférence la nuit. S'ils découvrent un nouveau tombeau, ils s'y mettent tôt le matin et tout le jour, malgré la chaleur. Ils sont tenus de présenter leurs trouvailles aux autorités de Boulaq, mais...

Hassan haussa les épaules, avant de plonger la main dans un panier pour en sortir deux bougies et une petite torche. Il s'inclina solennellement.

– Souhaitez-vous visiter un tombeau tout de suite ?

Elle acquiesça. La fraîcheur y serait délicieuse, après ces heures de trajet. Elle s'empara d'une bouteille d'eau, et

Hassan se précipita vers elle pour lui remplir son gobelet. L'eau avait un goût saumâtre, mais elle la but avec plaisir, puis trempa son mouchoir pour s'essuyer la figure.

Lorsque Hassan l'entraîna vers l'une des portes, elle serrait un carnet à dessins sous son coude.

— Nous commencerons ici, déclara-t-il. C'est le tombeau de Ramsès VI. Il est ouvert depuis l'époque des anciens.

— Vous avez déjà amené des gens ici. Vous connaissez les lieux aussi bien que le guide local ?

— Bien sûr. Je les ai entendus des centaines de fois. Je n'ai plus besoin d'eux.

Pénétrant dans le passage, ils mirent plusieurs secondes à s'accoutumer à l'obscurité. La lueur vacillante de la bougie d'Hassan éclairait les murs des galeries suffisamment pour discerner une profusion de dessins et de couleurs sur une distance interminable. Puis il alluma la torche, révélant les hiéroglyphes, les dieux et les rois qui recouvraient parois et plafonds. Louisa s'émerveilla :

— C'est... c'est magnifique !

— Ça vous plaît ?

— Oh, oui ! Enormément, assura-t-elle en faisant quelques pas. Hassan, c'est encore plus extraordinaire que dans mes rêves !

Le silence était intense, pesant, et l'atmosphère, contrairement à ce qu'elle avait espéré, était suffocante. Elle s'approcha d'un mur, l'effleura d'une main.

— C'est impossible à copier, murmura-t-elle. Comment en transmettre la beauté et le mystère ? J'en serais incapable.

— Vos dessins sont très beaux, dit-il en levant la flamme pour qu'elle puisse poursuivre son examen.

— Qu'en savez-vous ? Vous n'en avez jamais vu, rétorqua-t-elle par-dessus son épaule.

— Si. Quand je déchargeais le mulet, la brise a soulevé les pages de votre carnet. Je n'ai pas pu m'empêcher de regarder. Faites attention, nous allons descendre un escalier.

Derrière eux, le petit carré de jour disparut brutalement, tandis qu'ils franchissaient les marches grossières. Ils arrivèrent dans une vaste chambre soutenue par des piliers, puis empruntèrent une nouvelle série de couloirs qui les menèrent de plus en plus profondément à l'intérieur de la montagne. Enfin, ils furent dans la chambre mortuaire. Louisa se figea en poussant un cri de surprise. Deux immenses silhouettes allongées ornaient le plafond.

— Nout, symbole de la voûte céleste, dit Hassan, à ses côtés.

Soudain, Louisa prit conscience de sa proximité. Elle jeta un coup d'œil vers lui. Il contemplait la déesse, son profil se découpant contre la lumière diffuse. Se tournant vers elle, il accrocha son regard. Elle rougit.

— Puis-je tenir le flambeau ?

— Bien sûr, sitt Louisa.

L'espace d'un éclair, leurs mains se frôlèrent. Puis, Louisa s'écarta.

— Parlez-moi de Nout.

★

★ ★

Anna se réveilla en sursaut. Sa lampe de chevet était allumée, le journal de Louisa ouvert sur sa poitrine. La lumière du jour se répandait à travers les jalousies, créant des traînées claires sur le sol et sur le mur. Bondissant de son lit, Anna ouvrit en grand la fenêtre. Le fleuve était d'un bleu éclatant. Un croiseur remontait le Nil et, sur la rive opposée, elle pouvait apercevoir les palmiers, une bande de terres cultivées et, bien au-delà, la silhouette des montagnes roses et ocre.

Elle revêtit rapidement une robe en coton et monta sur le pont. Le soleil était déjà chaud, mais à l'ombre de l'auvent, il faisait bon. Elle s'accouda sur la rambarde pour contempler la vue. A présent, le fleuve était désert, le croiseur avait disparu. Plusieurs minutes s'écoulèrent avant qu'Anna ne se résolve à tourner le dos au paysage pour gagner la salle à manger. A l'entrée, elle croisa Serena, l'amie de Charley qui, la veille, semblait faire bande à part à la table voisine. Agée d'environ quarante-cinq ans, mince, jolie, elle avait des cheveux noirs très courts et de grands yeux verts. Elle sourit à Anna avec gaieté.

— A tout à l'heure ! lança-t-elle avant de disparaître du côté des cabines.

Charley était à la même table que le soir précédent.

— Bonjour ! dit Anna en s'installant près d'elle. Avez-vous bien dormi ?

— Je n'ai pas fermé l'œil de la nuit, soupira Charley, sa tasse de café entre les mains. Je déteste l'avion et j'ai horreur des bateaux.

Anna résista à la tentation de lui demander pourquoi, dans ce cas, elle s'offrait un tel voyage.

— Puis-je vous rapporter quelque chose du buffet ?

— Non, merci. Ignorez-moi. Je serai plus agréable quand j'aurai avalé deux ou trois cafés.

— Les autres ont déjà déjeuné ?

— Ce sont des lève-tôt.

Charley observa Anna à la dérobée.

— Andy et moi sortons ensemble depuis plusieurs mois.

— C'est ce que j'avais pensé, répondit Anna avec un sourire.

Le message était clair. Pourtant, Andy n'avait-il pas affirmé qu'il était libre ? Lorsqu'elle revint à la table avec une assiette remplie de fruits frais et d'un croissant, Charley avait disparu.

De retour dans sa cabine pour prendre ses affaires, Anna marqua une pause. Elle avait laissé le journal sur sa table de nuit. Après une brève hésitation, elle descendit sa valise de l'étagère et y rangea le précieux cahier. Elle ferma le cadenas et rangea le bagage. Tandis qu'elle prenait sa brosse et un tube de crème solaire sur la coiffeuse, son regard tomba sur la fiole. Devait-elle la dissimuler, elle aussi ? Elle consulta sa montre. Le rendez-vous était prévu à six heures quarante-cinq pour un départ quinze minutes plus tard. Elle ne voulait pas rater l'autocar. Ce n'était pas compliqué : elle n'avait qu'à emporter la bouteille avec elle. Elle l'enveloppa dans l'un des foulards de soie avec lesquels elle attachait ses cheveux et fourra le baluchon improvisé dans son sac.

Un petit autocar les attendait au bord du fleuve pour les transporter jusqu'à l'embarcadère du bac à Louxor. Au grand étonnement d'Anna, qui s'était installée tout au fond pour profiter en toute tranquillité du paysage, Andy vint prendre place à côté d'elle. Son aisance était plutôt réconfortante.

— Comment allez-vous ce matin ?

Malgré elle, elle chercha Charley des yeux. Ne la voyant pas, elle répondit :

— Très bien. Je suis très excitée.

Elle reconnut les visages de Sally Booth, de Ben Forbes et de Serena, qui s'était installée près d'une dame âgée en tailleur-pantalon cerise. Il y avait deux autres couples qu'elle ne connaissait pas. Et Toby Hayward.

— Avez-vous apporté le journal ? s'enquit Andy, l'œil sur le sac de la jeune femme.

— Il est enfermé à clé dans ma valise. Je suis sûre qu'il ne craint rien, ajouta-t-elle en souriant. Qui pourrait vouloir s'en emparer ?

Il continuait de fixer son sac, et elle se demanda ce qui pouvait l'intéresser à ce point. L'écharpe avait glissé, révélant le flacon.

— Vous avez déjà acheté un souvenir ? Ne vous laissez pas duper par les vendeurs à la sauvette. Ils sont très persuasifs.

Elle secoua la tête, soudain méfiante. De toute évidence, il n'avait pas vu que c'était un objet ancien. Elle l'enveloppa et le poussa tout au fond du sac.

— Ne vous inquiétez pas. Je sais dire « non ».

Il haussa un sourcil dubitatif, expression qu'elle préféra ignorer.

L'autocar s'élança le long d'une route poussiéreuse qui se faufilait entre des maisons de briques carrées. Elles semblaient se dresser sur deux ou trois étages, puis s'arrêtaient comme si elles étaient à moitié terminées. Des mètres de tiges métalliques en jaillissaient, comme des bouquets d'antennes de télévision. Tassées les unes contre les autres, la plupart étaient d'une couleur jaune sale, mais certaines étaient peintes de motifs multicolores.

— J'ai encore du mal à croire que je suis là, avoua Anna.

— Vous l'êtes, soyez-en sûre ! Alors ? Avez-vous poursuivi votre lecture du journal hier soir ?

— Un peu. Je suis tombée sur la partie dans laquelle Louisa décrit sa visite de la Vallée des Rois. L'endroit était désert.

Elle y était seule avec son drogman, Hassan. Ils ont pique-niqué sur un tapis persan.

Andy se mit à rire.

– Pour nous, ce sera tout le contraire ! Il y aura des hordes de touristes. Il paraît que la foule gâche un peu le plaisir. L'atmosphère sera bien différente de celle qu'a connue Louisa. Quant au drogman...

– J'aurais beaucoup aimé avoir mon drogman personnel, avoua Anna en s'accrochant au dossier devant elle, tandis que le véhicule penchait dangereusement dans le virage.

– Je peux peut-être vous rendre ce service ?

– Je doute que Charley approuve. A propos, où est-elle ?

– Devant, avec Joe et Sally, je crois. Elle fait la cour à Omar. Vous avez un appareil photo ?

– Oui. C'est une de mes passions. Je ne risque pas de l'oublier.

– Tant mieux. Vous m'immortaliserez devant un grand pharaon, pour que je puisse me vanter en rentrant chez moi.

Un deuxième autocar, identique au premier mais plus vétuste, les attendait de l'autre côté du fleuve. Lorsque Andy y monta, Anna remarqua que Charley était avec lui. Pour cette seconde partie du trajet, elle décida de se placer à côté de Serena.

– C'est la première fois que je viens en Egypte, déclara celle-ci.

– Moi aussi. Si j'ai bien compris, vous êtes une amie de Charley ?

Serena rit aux éclats.

– Si l'on veut ! En fait, elle loue une chambre dans mon appartement à Londres. Quand j'ai annoncé mon intention de faire cette croisière, Charley a sauté sur l'occasion. Elle fréquente plus ou moins Andy depuis quelques mois. En entendant parler de son projet, il a dit en plaisantant qu'il viendrait bien, lui aussi. Charley était au septième ciel, et il s'est rendu compte qu'il s'était peut-être un peu trop engagé, aussi a-t-il proposé aux Booth de se joindre à nous. C'est ainsi que nous avons débarqué en troupe ! Excusez-moi, j'ai l'air de me plaindre.

– C'est plus drôle de partir à plusieurs que seul.

– Peut-être, marmonna Serena, sans conviction.

Le chauffeur apparut et fit démarrer le moteur. La voix de Serena se noya presque dans le rugissement du levier de vitesses.

– Vous êtes célibataire ?

– Récemment divorcée. Ce sont mes premiers pas en femme indépendante, répondit Anna d'un ton qu'elle espérait enjoué.

– Bravo ! approuva Serena. Mon compagnon est mort il y a quatre ans. Au début, j'ai eu la sensation de n'être plus qu'une moitié de moi-même. Nous étions si proches. Mais avec le temps, ça s'arrange. En tout cas, si vous éprouvez le besoin de vous confier, vous saurez à qui vous adresser.

Un flot de reconnaissance envahit Anna. Evidemment, sa situation était tout autre : Félix était encore vivant. Quant à ses sentiments envers lui... elle n'était même plus certaine de l'avoir vraiment aimé.

Le bruit était tel que toute discussion devenait impossible. Toutes deux se concentrèrent sur le paysage. Anna ne tarda pas à estimer qu'il n'avait pratiquement pas changé, depuis le passage de Louisa, cent quarante ans auparavant.

Ruban verdoyant de champs cultivés, irrigués par d'étroits canaux, eucalyptus et palmiers... mulets et chameaux, tout y était. Les hommes en djellaba côtoyaient les jeunes en jeans. Quelques-uns circulaient à bicyclette, mais la plupart étaient à dos d'âne.

Le groupe s'arrêta brièvement pour photographier les colosses de Memnon, deux gigantesques statues sculptées dans le quartz rose, puis ils reprirent la route. Enfin ils furent au pied des montagnes qu'Anna avait pu voir depuis le bateau. Les couleurs changeaient, se teintaient d'ocre.

L'aire de stationnement réservée aux autocars dissipa toutes les visions suscitées par le récit de Louisa. Comme l'avait prédit Andy, des centaines de touristes se pressaient autour des véhicules, assaillis comme autant de guêpes autour d'un pot de miel par des hommes bruyants en turban qui vendaient des souvenirs de pacotille.

– Ignorez-les et suivez-moi, ordonna Omar en tapant dans ses mains. Je vais prendre vos tickets d'entrée et vos autorisations de photographier. Ensuite, vous pourrez vous promener seuls ou avec moi, comme vous voulez.

Anna jeta un coup d'œil désemparé autour d'elle. Ce n'était pas du tout ce qu'elle avait imaginé. Elle resta immobile pendant un moment, puis fut entraînée malgré elle par la foule qui se dirigeait vers les falaises. Andy, Charley et Serena s'étaient volatilisés. Anna se demanda un instant si elle devait tenter de les retrouver, puis elle se ravisa. Elle accepta avec un sourire le billet que lui tendait Omar et partit seule à l'aventure.

L'étroite vallée absorbait toute la lumière du soleil. La chaleur était étouffante. De part et d'autre, les montagnes jaillissaient, immenses, rugueuses et fissurées. Les siècles n'avaient rien touché. Les entrées, semblables à des carrés noirs, étaient dispersées sur la surface. Certaines d'entre elles étaient barrées. Beaucoup d'autres étaient ouvertes.

Soudain, Ben Forbes surgit à ses côtés.

— Anna, vous semblez époustouflée. Voulez-vous m'accompagner ?

Il avait son guide à la main.

— Ramsès IX, enchaîna-t-il. Il paraît que c'est un tombeau tout à fait remarquable. Autant commencer par là.

Il la conduisit le long d'une passerelle et ils se joignirent à la queue de visiteurs.

— Andy Watson est un garçon intéressant. Nous nous y sommes pris très tard pour réserver nos places, et comme il ne restait qu'une cabine double, nous la partageons. Je ne le trouve pas irrésistible, mais je comprends que les dames soient sensibles à son charme.

Il avait ôté ses lunettes et les essuyait avec son mouchoir.

— En effet.

— Il vous apprécie beaucoup.

— Pas plus que cela. Il est gentil, c'est tout.

— Mmmm… Dans l'autocar, j'étais à côté de Charley.

— Sa petite amie ?

— D'après elle, oui. Pardonnez-moi mon indiscrétion, Anna, surtout en tout début de séjour, mais j'ai déjà effectué de nombreuses croisières, et notre bateau est particulièrement petit.

— Serait-ce une mise en garde ?

– A mon avis, la demoiselle pourrait devenir méchante.

Anna haussa les épaules.

– C'est incroyable qu'on ne puisse pas avoir une relation simple avec un membre du sexe opposé. Je ne veux nuire à personne. Il est sympathique. Je ne connais personne, un point c'est tout.

– Vous me connaissez, moi, répliqua Ben avec un sourire chaleureux. Je suis moins beau, je vous l'accorde. Moins jeune, aussi. Mais infiniment moins dangereux. Venez, ajouta-t-il en la prenant par le coude.

Ils étaient maintenant devant la barrière ouverte, mais surveillée par des gardes qui déchirèrent solennellement un coin de leurs tickets. Lentement, les visiteurs de toutes nationalités s'avancèrent dans l'obscurité. Toutes les surfaces étaient recouvertes de hiéroglyphes et de dessins de dieux et de pharaons aux couleurs vives – ocre, jaune citron, vert, bleu lapis, aigue-marine, noir et blanc – étonnamment bien conservés grâce à une protection en Plexiglas. Fascinée, Anna s'aperçut très vite qu'elle ne sentait plus les bousculades, qu'elle n'entendait plus les cris, les commentaires, les rires et les remarques désobligeantes.

Plus ils s'enfonçaient dans le tombeau, plus la chaleur s'intensifiait. Le silence aussi.

Ils franchirent trois galeries successives pour pénétrer enfin dans la chambre mortuaire. Là, il n'y avait rien, sinon un puits rectangulaire à l'endroit où aurait dû se trouver le sarcophage.

– Qu'en pensez-vous ? demanda Ben à Anna.

– Cela me laisse sans voix.

– Ce n'est pas le cas de la plupart de ces gens, ironisa-t-il, tandis qu'ils repartaient en sens inverse. Si nous visitions le tombeau de Toutankhamon ? proposa-t-il, alors qu'ils émergeaient sous le soleil. Aujourd'hui, nous avons de la chance, car je crois savoir qu'ils le ferment régulièrement pour mieux le préserver. D'après mon guide, il est plus petit et moins spectaculaire que d'autres, parce que le pharaon est mort jeune, et très brutalement. Peut-être a-t-il été assassiné.

Une fois de plus, ils firent la queue et donnèrent leurs tickets aux gardiens avant de s'enfoncer dans le noir. En effet, ici, tout était plus simple. Mais il y avait autre chose. Anna s'immobilisa pour laisser passer un groupe de visiteurs. Ben avait avancé, et pendant quelques secondes, elle se retrouva seule. Elle comprit alors ce qui la frappait : ici, il faisait froid.

Elle frissonna.

– Ben ?

Elle ne le voyait plus. Elle se retourna.

– Ben ?

Sa voix était étouffée par le silence.

Perplexe, elle porta une main à son front et se rendit compte tout à coup qu'elle était cernée par des Italiens qui s'extasiaient bruyamment. Elle se laissa entraîner malgré elle.

Elle fronça les sourcils. Elle n'avait plus froid, mais terriblement chaud, au point qu'elle avait du mal à respirer. Saisie de panique, elle se fraya un chemin vers l'avant. Ben était toujours invisible. En général, elle ne souffrait pas de claustrophobie, pourtant les murs semblaient se refermer sur elle. Les gens qui l'entouraient n'étaient que des ombres noires, anonymes et sans visage. Elle avait la gorge sèche.

Apercevant une ouverture, elle s'y précipita et se retrouva brutalement dans la chambre mortuaire, le regard dirigé sur les yeux grands ouverts du jeune roi Toutankhamon. Il gisait, dédaignant la présence des paysans qui étaient venus le contempler, dépouillé des richesses dues à son rang, mais toujours aussi impressionnant. Un frémissement parcourut la jeune femme, mais d'émotion, cette fois.

– Anna ? Il est superbe, non ?

Ben était à ses côtés, son appareil photo à la main. Elle hocha la tête. Son sac lui pesait sur l'épaule. Pourquoi n'avait-elle pas sorti sa caméra ? Posant son cabas en cuir souple par terre, elle s'apprêtait à tirer la fermeture Eclair, quand un vertige la saisit. Elle poussa un petit cri, se redressa vivement. Le sac se renversa et son contenu se répandit sur le sol.

– Ça va ?

Ben s'accroupit pour ramasser ses affaires.

– Oui, oui, bredouilla-t-elle. Je dois être fatiguée.

Elle s'obligea à sourire.

– Peut-être ferions-nous mieux d'aller prendre l'air. Ces lieux sont assez lugubres, je trouve.

Anna avait des sueurs froides.

— Il se passe quelque chose d'étrange, ici. Je n'ai jamais cru à la « malédiction de la momie », pourtant, j'avoue que je suis mal à l'aise.

Pour la contredire, un éclat de rire s'échappant d'un groupe d'Allemands et les murmures enchantés d'une dizaine de photographes japonais leur parvinrent de la salle du trésor. Mais Anna avait peur.

— Allons-nous-en. Je suis désolée.

— Mais non, ne vous inquiétez pas.

Ce fut avec un immense soulagement qu'elle ressortit. Une fois assise à l'ombre sur l'aire de repos, elle se sentit mieux. Ils burent un peu d'eau.

— Surtout, ne restez pas là pour moi. Je vais souffler ici encore quelques minutes avant de reprendre la visite.

— Vous en êtes certaine ?

— Absolument.

Elle ne retrouvait pas l'endroit où Hassan avait pique-niqué avec Louisa sur le tapis persan. Elle éprouvait le besoin irrésistible de s'éloigner de la foule et de partager les sensations qu'avait connues son ancêtre. Elle se leva, scruta les sentiers qui s'éloignaient du centre de la vallée. Etaient-ils passés par là ? Jetant un coup d'œil par-dessus son épaule, elle constata que Ben s'engouffrait dans un autre tombeau. Avec lui, elle crut reconnaître un ou deux de leurs compagnons de voyage. Elle hésita puis, leur tournant résolument le dos, emprunta un chemin désert.

Très vite, le bruit ambiant s'estompa. La chaleur et le silence étaient lourds. Anna s'immobilisa, un peu angoissée, mais le chemin était bien marqué. La lumière l'aveuglait. Jamais elle n'avait vu un ciel aussi bleu.

Elle entendit des pas non loin d'elle, et une sorte de grattement. Elle se raidit, sur ses gardes. Mais il n'y avait personne.

En dépit de la température, elle se rendit compte qu'elle frissonnait. Elle avait la sensation étrange que quelqu'un la guettait. Elle plissa les yeux pour examiner la paroi abrupte. Il y avait d'autres tombeaux, là-bas. Elle les avait vus sur le plan. Pourtant, personne ne semblait les visiter. Sans doute étaient-ils fermés. Elle repartit. Pas un souffle. L'impression de ne pas être seule fut soudain si forte qu'elle fit volte-face. Des volutes de poussière jaillirent autour de ses chevilles, puis retombèrent.

Anna poursuivit obstinément. C'était par ici qu'Hassan avait installé la tente pour Louisa. Elle en avait la certitude. Par ici qu'ils avaient déjeuné, qu'elle avait dessiné.

– Si je comprends bien, vous préférez éviter la foule.

La voix, à quelques mètres à peine, la fit sursauter. Elle se retourna. Toby Hayward posa son cartable en cuir par terre et s'essuya le visage avec sa manche.

– Excusez-moi, je ne voulais pas vous effrayer. Je ne vous ai aperçue qu'au détour du virage.

Sidérée d'éprouver un tel soulagement en découvrant enfin une personne connue, elle sourit.

– J'étais dans la lune.

– C'est le lieu idéal pour rêver. J'ai du mal, en bas, avec tous ces gens.

– J'essayais d'imaginer cet endroit il y a cent ans, avant l'invasion des touristes.

– Il y en a toujours eu... J'ai cru entendre hier soir que vous étiez une descendante de Louisa Shelley.

Anna ne put s'empêcher de remarquer qu'il ne s'excusait pas d'avoir écouté sa conversation avec Andy.

– C'est mon arrière-arrière-grand-mère.

– L'une des rares femmes de l'ère victorienne à avoir compris l'âme égyptienne, murmura-t-il.

– Qu'en savez-vous ?

– Je connais ses œuvres. Plusieurs de ses aquarelles sont exposées au Traveller's Club.

– Je n'étais pas au courant.

– Elles sont dans l'escalier. Je les regarde souvent. Elle avait un grand souci du détail, un sens inné de la couleur, elle savait mettre en valeur les ombres, les textures.

– Vous parlez comme un artiste.

– Un artiste ! grommela-t-il. C'est un mot stupide. Je suis peintre.

– Louisa adorait l'Egypte. Je suis en train de lire son journal intime, et cela apparaît à chaque page. J'envie les femmes de cette époque. En dépit des contraintes, elles persévéraient dans leurs projets. Elles allaient jusqu'au bout de leurs rêves et...

Les mots moururent sur ses lèvres.

— On dirait que vous regrettez de ne pas avoir accompli les vôtres.

— C'est possible, concéda-t-elle. Malheureusement, je ne suis pas quelqu'un d'intrépide.

— Ah, non ?

— Non. Du moins pas avant aujourd'hui. M'échapper du groupe pour m'aventurer jusqu'ici, pour moi, c'est un exploit.

Il rit, et parut soudain plus jeune.

— Dans ce cas, nous devons encourager votre intrépidité. Quels tombeaux Louisa a-t-elle visités ? Pas celui de Toutankhamon, apparemment.

Le sourire d'Anna s'estompa.

— Non.

— Qu'est-ce que j'ai encore dit de mal ?

— Rien… J'en viens. Il s'y est passé quelque chose de très étrange. Ce n'est sans doute pas grave, une crise de claustrophobie. En tout cas, c'est ce qui m'a fait fuir jusqu'ici.

— Et moi, je vous ai dérangée. Je suis navré.

— Pas du tout ! protesta-t-elle. Le problème, c'est que ça n'a rien arrangé. La sensation de malaise m'a poursuivie.

Il la dévisagea longuement. Sans la juger. Sans se moquer. Au contraire, il semblait réfléchir, chercher des indices.

— Ce doit être la vallée, dit-il enfin. Il y règne une atmosphère extraordinaire. Avez-vous rencontré Serena Canfield ? J'étais à côté d'elle à table, hier soir. Vous qui êtes sensible, vous devriez discuter avec elle. Elle est passionnée par la magie dans l'ancienne Egypte. Elle a tout lu sur ce sujet… J'espère qu'elle ne va pas aborder notre guide, qui est un musulman dévoué. Il a déjà suffisamment de problèmes avec les « légendes des pharaons ». L'avez-vous remarqué ?

Anna secoua la tête en riant.

— Je ne m'imaginais pas qu'il y avait autant de conflits idéologiques à bord. Ce voyage risque d'être intéressant. En ce qui me concerne, mes connaissances sur ce pays sont plus classiques. J'ai lu quelques ouvrages sur l'archéologie.

— Et le journal de Louisa.

— Et le journal de Louisa.

— Pourrais-je le voir un jour ?

– Bien sûr.

– Maintenant ?

– Je suis désolée, mais je l'ai laissé dans ma cabine.

– Naturellement ! Que je suis bête. Bien… je vais redescendre à la recherche d'Omar, histoire de l'agacer avec quelques questions philosophiques. Je peux vous laisser seule ?

Anna ne savait pas s'il lui posait cette question parce qu'il s'inquiétait pour elle, ou parce qu'il préférait repartir sans elle. Il tourna les talons et disparut.

Le silence et la chaleur l'enveloppèrent de nouveau. Anna se retint de le rappeler. C'était absurde. Qu'avait-elle à craindre ? Soudain, elle décida de le rattraper. Elle accéléra le pas, et bientôt, elle se rendit compte qu'elle courait. Peu importait la façon dont Toby réagirait, elle ne voulait plus être seule.

Cependant, il était invisible. Elle se dirigea vers la terrasse où les visiteurs s'affalaient, épuisés. Paupières closes, elle reprit son souffle. Son cœur battait à toute allure. Toby n'était nulle part.

Ce fut Andy qui la découvrit. Il se laissa choir à côté d'elle sur le banc et s'éventa le visage avec son chapeau.

– Quelle chaleur !

– Oui. Je croyais qu'à l'intérieur des tombeaux, il ferait plus frais.

– On se croirait dans un four, décréta-t-il en riant. Vous me semblez bien triste. Je vous croyais avec Ben.

– Je n'ai besoin de personne, merci ! Mais oui, je suis restée un moment avec lui. C'est un homme charmant.

– Moi aussi ! Puis-je vous accompagner dans un autre caveau ? Le pique-nique est prévu dans une heure. Et cet après-midi, nous visitons le Ramesseum et le temple d'Hathor. Ce voyage est une course contre la montre !

Une ombre tomba sur son visage. Charley le toisait.

– Anna n'a pas besoin de toi. Si elle a peur dans le noir, elle n'a qu'à s'adresser à Omar. Après tout, c'est son boulot.

Anna se leva prestement.

– Ne vous faites pas de souci pour moi. A tout à l'heure !

Elle se dirigea à vive allure vers l'une des nombreuses queues. Elle s'était plongée dans la lecture de son guide, quand elle s'aperçut qu'Andy l'avait suivie.

— Je suis désolé.

— Il n'y a pas de quoi. Charley a raison, je suis assez grande pour me débrouiller toute seule. Au fait, où est-elle ?

— Là-bas, à l'ombre... L'égyptologie, ce n'est pas son truc. Elle en a assez pour aujourd'hui.

— Je vois, murmura Anna, ne sachant trop si la jolie rousse lui inspirait de la pitié ou de l'agacement.

Elle aimait bien Andy. Il avait su la mettre à l'aise tout de suite parmi tous ces inconnus.

— Coucou !

Devant eux, Ben émergea de l'entrée, la figure écarlate, le sourire aux lèvres.

— Vous verrez, c'est magnifique ! Quand on pense à tout ce travail, aux centaines d'artisans qui y ont participé... Tiens ! Charley ! Vous y allez aussi ?

Elle surgit de nulle part, l'air tendu, le regard luisant de colère.

— Oui, j'y vais aussi. Charley l'écervelée s'intéresse aussi aux hiéroglyphes.

— Ne bougez pas, ordonna Andy, alors qu'Anna se détournait.

— Andy, je vous en prie.

— Non. Je vous ai proposé de visiter ce tombeau avec moi. Si Charley veut se joindre à nous, c'est son problème. Elle a un ticket comme nous.

— Parfaitement ! Je vous accompagne.

— Je t'en prie, ma chère, ironisa Andy.

Lorsque Anna chercha Ben des yeux, il avait disparu.

Une fois à l'intérieur, un peu plus loin, elle reconnut Omar avec la demi-douzaine des passagers du bateau qui avaient préféré le suivre. Soulagée, elle se joignit au groupe, talonnée de près par Andy. Pendant une vingtaine de minutes, Omar leur parla des chambres mortuaires, des cartouches, du *Livre des Morts* et du *Livre des Portes*, des dieux et des prisonniers. Petit à petit, Anna parvint à se distancer d'Andy et de Charley. Lorsqu'ils atteignirent la chambre à piliers, elle les avait complètement perdus de vue.

Elle revenait sur ses pas, le regard rivé sur les motifs du plafond, quand une main s'abattit brutalement sur son bras.

– A quoi jouez-vous ? Vous le connaissez à peine ! persifla Charley. Pourquoi ? Pourquoi faites-vous cela ?

Anna pivota vers elle, ébahie.

– Qu'est-ce que je fais ? Ecoutez, Charley, c'est un malentendu. Je ne cherche rien, je vous assure.

– Vous l'encouragez !

– Pas du tout. Andy est gentil. Ben aussi. De même que Toby, et votre amie Serena. Il n'y a rien à craindre. Ces gens sont sympathiques et je les apprécie, point final.

Elle jeta un coup d'œil autour d'elle dans l'espoir de repérer Andy, mais il n'était pas là. Plusieurs personnes les croisèrent, en file indienne. L'une d'entre elles la bouscula.

– Nous sommes en plein milieu du chemin, Charley. Nous devrions suivre le mouvement.

– Je vais continuer. Quant à vous, allez vous faire voir !

L'agressivité de Charley laissa Anna sans voix. Pendant un bref instant, elle fut incapable de réagir. Charley en profita pour s'éclipser. Anna frissonna. Cet assaut aussi violent qu'inattendu l'avait déstabilisée, elle ne savait plus quoi faire. Elle aurait voulu la poursuivre, discuter, se défendre, mais en même temps, elle se dit qu'il valait mieux faire comme si de rien n'était.

III

Que mon ombre ne soit pas capturée par vous !
Que mon âme ne soit pas emprisonnée par vous !
Que la voie soit ouverte pour mon âme et pour mon ombre !
Afin que toutes deux puissent contempler,
Au jour du jugement, le dieu grand dans son sanctuaire.

REJETÉS par leurs dieux et fuyant la rétribution, les deux prêtres reposent dans l'obscurité du tombeau. Le parfum d'huile de cèdre, de myrrhe et de cannelle imprègne l'air sec. Il n'y a pas un bruit. Loin au-dessus, la falaise accueille les rapaces. Le cri du chacal résonne tandis que les étoiles s'estompent et que le disque du soleil remonte de son voyage sous la terre, pour inonder le désert de sa lumière. Dans l'ombre, le temps n'a ni sens, ni forme.

Sur l'étagère entre le pilier et le mur, la petite fiole scellée de sang reste cachée. A l'intérieur, l'élixir de la vie dédié aux dieux, rendu sacré par le soleil, s'épaissit et noircit.

★
★ ★

56

Fatigués et poussiéreux, ils regagnèrent le bateau tard dans la soirée. A la réception, on leur donna des serviettes chaudes parfumées, puis un cocktail de fruits et, enfin, les clés de leurs cabines. Anna gagna la sienne sans se soucier de savoir où étaient Andy et Charley. Dans l'autocar, elle s'était assise auprès de Joe, qui lui avait épargné l'obligation de bavarder en s'assoupissant presque instantanément. Elle jeta son sac sur le lit, ôta ses chaussures et entreprit de se déshabiller.

Subitement, elle eut la chair de poule. La température avait chuté, et le temps d'un éclair, elle avait eu l'impression que quelqu'un la guettait.

– C'est absurde ! s'exclama-t-elle en se regardant dans la glace.

L'espace était minuscule. La douche contenait péniblement une personne. D'un pied, elle poussa la porte du cabinet de toilette. Rien.

Elle jeta un coup d'œil sur sa valise. L'avait-on bougée ? Elle ne le pensait pas. Elle secoua la tête. Ce devait être l'épuisement. Son imagination. Il ne faisait pas froid du tout. Au contraire, elle était brûlante, collante après cette longue journée au soleil. Elle secoua sa robe, dénoua ses cheveux et se mit sous le jet d'eau délicieusement frais.

Lorsqu'elle arriva pour le dîner, la seule place libre se trouvait entre Ben et Joe. Elle s'y glissa en souriant. Charley s'empressa de prendre Andy par le bras.

– Alors ? Cette première excursion ? s'enquit Ben en lui versant du vin.

– Merveilleuse.

– Et ce n'est pas fini. Avez-vous remarqué l'affiche, à l'entrée ? Omar donne une conférence après le repas. Le bateau larguera les amarres vers vingt-trois heures et, demain au réveil, nous voguerons sur le Nil.

Un éclat de rire tonitruant jaillit des autres tables. Anna se retourna, et Toby accrocha son regard. Il lui adressa un clin d'œil ironique en lui portant de loin un toast, mais dans le brouhaha, elle n'entendit rien. Cependant, elle répondit à son geste. Andy fronça les sourcils en la voyant faire. Il se pencha vers elle.

– Votre visite fut-elle comparable à celle de Louisa ? La vallée a-t-elle beaucoup changé ?

– Sous certains aspects, énormément, sous d'autres, pas du tout, répondit-elle en observant Charley à la dérobée. Ici, le temps semble ne pas avoir de prise.

– C'est le cas partout en Egypte, intervint Ben.

– Louisa était toute seule. Ce doit être extraordinaire, sans touristes. C'est le problème, de nos jours, on a du mal à échapper aux autres.

– Le cri du cœur d'une vraie misanthrope ! lança Andy en riant.

– Non, j'aime être entourée, rétorqua-t-elle, écarlate, mais j'apprécie parfois une certaine solitude, surtout en des lieux aussi sacrés, comme les cathédrales.

– Anna a raison, déclara Ben.

Il y eut un silence. Anna se rendit compte qu'à côté, Toby avait pivoté sur sa chaise pour l'écouter. Elle fixa son potage, mal à l'aise. Elle n'avait pas l'habitude d'être le centre d'attention.

Ereintée, elle décida de se coucher tôt. De retour dans sa cabine, elle s'approcha de la fenêtre. Le *White Egret* n'avait pas encore quitté l'embarcadère. Elle se prépara pour la nuit, puis descendit sa valise pour en sortir le journal. Elle était impatiente d'en lire une partie avant de s'endormir.

– Sitt Louisa ?

L'ombre d'Hassan tomba sur son carnet à dessins. Louisa leva les yeux vers lui. Sous un parasol, elle avait installé son chevalet à la proue de la dahabiah, qui naviguait paisiblement vers le sud. Succombant à la chaleur après le repas de midi, les autres faisaient la sieste. Jusqu'ici, seul le timonier, à l'autre bout, lui avait tenu compagnie.

– Avant de quitter Louxor, je suis allé au bazar, dit le drogman. J'ai un cadeau pour vous.

Elle se mordit la lèvre.

- Vous n'auriez pas dû...

– Cela me fait plaisir. Je vous en prie. Je sais que vous aviez envie de visiter le souk et de vous y acheter un souvenir.

En apprenant que Louisa voulait de nouveau explorer Louxor, sir John et lady Forrester avaient décrété qu'il était temps de poursuivre la croisière. Louisa prit le paquet que lui tendit Hassan et le contempla quelques instants.

– Ouvrez-le, encouragea-t-il.

Elle déballa le papier pour découvrir une minuscule fiole bleue, accompagnée d'un papier fragilisé par l'âge et noirci d'un texte en arabe.

– Elle est très ancienne, expliqua Hassan. Elle a trois mille ans. C'est du verre. A l'intérieur, il y a une goutte de l'élixir de la vie.

Il pointa le doigt sur le parchemin.

– C'est expliqué là. Je n'ai pas pu tout déchiffrer, mais ce texte raconte l'histoire d'un pharaon qui devait vivre pour l'éternité. Les prêtres d'Amon lui ont préparé une potion spéciale qui devait le ressusciter. Apparemment, pour protéger le secret du mauvais génie, le prêtre l'a dissimulée dans ce flacon. A sa mort, le récipient a disparu pendant des milliers d'années.

– Et c'est celui-ci ? s'écria Louisa, enchantée.

– C'est celui-ci.

– C'est un trésor que je chérirai toujours. Merci.

Elle le dévisagea, leurs regards se rencontrèrent. Le silence se prolongea un moment puis, brusquement, Hassan s'écarta. Il la salua et se détourna.

– Hassan...

La voix de Louisa était rauque. Il n'entendit pas son chuchotement.

Elle resta là, immobile, la fiole sur ses genoux, pendant de longues minutes. Puis elle la ramassa. A peine plus grande que son index, elle était en verre opaque bleu décoré d'un motif blanc en forme de plume. Le bouchon était scellé à la résine. Elle la mit dans sa boîte de peintures, entre les pinceaux et le pot à eau. Plus tard, dans sa cabine, elle la rangerait sous le double fond de sa mallette de toilette.

Elle voulut se remettre à peindre, mais s'aperçut qu'elle n'arrivait plus à se concentrer.

Ses pensées la ramenaient inexorablement à Hassan.

LES LARMES D'ISIS

★
★ ★

Anna posa le journal et fixa les jalousies fermées. Le bateau avait frémi. Les moteurs étaient en marche. Elle se leva, alla se planter devant son hublot. Ils s'éloignaient de la rive. Ils étaient en route pour l'aventure. Elle contempla un instant la nuit puis, laissant la fenêtre ouverte, retourna sur son lit. Ainsi, le flacon qu'elle recelait au fond de son sac était un cadeau d'Hassan. Et quel cadeau ! Une fiole sacrée datant de l'époque de Toutankhamon, dont le tombeau n'était pas encore ouvert, à l'époque de Louisa, et qui ne contenait rien de moins que l'élixir de la vie !

Elle frissonna. Un instant, elle se revit dans la chambre mortuaire, devant le sarcophage du jeune roi. Dans son émotion, son sac s'était renversé, et le précieux flacon avait roulé à ses pieds.

Elle remonta le drap sous son menton. Bercée par le ronronnement des machines, elle reprit sa lecture.

★
★ ★

Cette nuit-là, vêtue de mousseline, Louisa traîna à table après qu'Augusta se fut retirée. Sir John haussa un sourcil.

— Dès que le vent se lèvera, nous partirons.

Il ouvrit une boîte en argent contenant des cigares et en offrit un à Louisa. Elle l'accepta. Elle n'avait jamais fumé avant de venir en Egypte. Sa belle-mère aurait été outrée. Lady Forrester n'aurait pas non plus caché son indignation.

— Pourriez-vous me traduire ceci ? demanda-t-elle en lui présentant le parchemin qui avait entouré le petit flacon.

Sir John inhala une bouffée de fumée.

— Voyons… ce sont des caractères arabes, mais à en juger par l'état du papier, il est très ancien. Où l'avez-vous trouvé ?

— Ce n'est pas moi. C'est un des serviteurs qui me l'a rapporté avec un souvenir qu'il m'a acheté au souk.

— Je vois.

Sir John fronça les sourcils, posa la feuille, la défroissa soigneusement, l'examina pendant plusieurs minutes. Louisa attendit, sur ses gardes. Il paraissait soucieux.

– Ce doit être une blague. Une bêtise pour effrayer et amuser les gens trop crédules.

– Effrayer ? répéta Louisa. Je vous en prie, dites-moi de quoi il s'agit.

– C'est assez difficile à déchiffrer. Sachez simplement que cela ressemble à un avertissement. L'objet qu'il accompagne... Vous l'avez en votre possession ?

– Oui, c'est une minuscule bouteille.

– Elle est maudite. Elle a appartenu à un prêtre qui servait le pharaon. Un esprit malfaisant a tenté de la voler. Il semble que les deux adversaires continuent de se la disputer. Remarquez, c'est une histoire merveilleuse pour un étranger naïf. Vous pourrez montrer ça à vos amis quand vous rentrerez à Londres. Vous aurez de quoi animer de nombreux dîners.

– Ce n'est donc pas sérieux, selon vous ?

Il sourit.

– Absolument pas, ma chère Louisa ! Cependant, si vous apercevez un grand prêtre ou un mauvais génie à bord, prévenez-moi. Je serais enchanté de les connaître.

Il rapprocha son siège de celui de la jeune femme.

– Si vous le souhaitez, vous pouvez acquérir de véritables objets antiques. Inutile d'envoyer les serviteurs au bazar, je ferai venir quelqu'un de compétent quand nous aurons regagné Louxor.

– Mais je n'ai pas...

Elle se tut brusquement : il n'était pas prudent d'avouer à sir John que cette fiole était un cadeau de son drogman.

– J'ai regardé quelques-unes de vos aquarelles, déclara-t-il en indiquant d'un signe de la tête le coin de la pièce où elle avait posé son portfolio. Elles sont remarquables.

Il faisait terriblement chaud. Sir John exhalait une odeur de sueur désagréable. Elle s'écarta légèrement.

– Merci.

Tout à coup, il posa une main sur la sienne. Louisa l'arracha aussitôt, partagée entre la crainte de l'offenser et le désir de s'enfuir à toutes jambes.

Soudain, un bruit sur le seuil les fit se retourner. Jane Treece avait les yeux rivés sur la table, là où, un instant auparavant, leurs mains s'étaient posées brièvement.

– Lady Forrester se demandait si Mme Shelley avait besoin de moi pour l'aider à se coucher, annonça-t-elle d'une voix glaciale.

Louisa se leva avec soulagement.

– Volontiers ! Pardonnez-moi, sir John, mais cette journée m'a épuisée.

– N'oubliez pas votre parchemin, ma chère ! Mettez-le à l'abri. Vos petits-enfants riront bien de cette affaire.

★
★ ★

Anna interrompit sa lecture. Elle sentait les mouvements du bateau, qui voguait vers le sud. Dans son journal, Louisa effectuait précisément ce parcours, en direction d'Esna et d'Edfou. Avec sa fiole. Un flacon maudit, hanté par un mauvais esprit. En dépit de la chaleur étouffante, Anna frissonna.

Couchée sur le dos, le cahier relié de cuir ouvert sur sa poitrine, elle porta son regard sur la coiffeuse. Dans la pénombre, elle ne distinguait que la découpe du miroir. Soudain, elle resta aux aguets. Avait-elle vu quelque chose bouger, dans les profondeurs de la glace ? Elle retint son souffle, paniquée. Elle se cramponna à son drap et ferma les yeux en s'obligeant à respirer calmement. C'était grotesque. Elle se laissait emporter par son imagination. Elle se redressa, appuya sur l'interrupteur commandant la lumière principale de la cabine. Le journal tomba avec bruit. Dans la lumière crue, elle constata qu'il n'y avait rien d'anormal. Sa clé était dans la serrure. Personne n'avait pu entrer. Son sac gisait là où elle l'avait laissé… à moins que… ? Tremblante, elle se dirigea vers la coiffeuse. Le sac était ouvert, le flacon couché sur ses lunettes de soleil. Elle effleura prudemment le foulard. Elle était pourtant persuadée d'avoir enveloppé la bouteille dedans et d'avoir fourré le tout dans le fond. A présent, le satin rouge était étalé sur la coiffeuse. Anna fronça les sourcils. L'étoffe était saupoudrée d'une sorte de poussière brune. Curieuse, elle en ramassa un peu et la frotta entre deux doigts. Puis elle balaya le tout. Sous l'écharpe, elle découvrit sa brosse. Celle dont elle s'était servie avant de se coucher, et qu'elle avait mise dans le sac, fermé, sur l'étagère. De cela aussi, elle était certaine.

Elle scruta la pièce. Il n'y avait aucun endroit où se cacher. Elle vérifia la douche, encore humide, regarda sous le lit, secoua la poignée de la porte. Elle était fermée à clé.

Très ébranlée, elle alla ramasser le journal. Il était tombé à plat, ouvert, et le dos s'était craquelé. Oubliant le foulard, elle effleura tristement le cuir abîmé. Quel dommage ! Après tout ce temps sans une écorchure... Soudain, elle s'aperçut que la bande de papier collant du fond s'était détachée. Elle retourna le livre et sourit. La feuille pliée en deux portait un sceau en forme d'arbre surmonté d'une couronne. Forrester ? Oubliant ses frayeurs, elle l'ouvrit. Comme elle s'y attendait, elle y trouva le message en arabe dont parlait Louisa.

Si vous apercevez un grand prêtre ou un mauvais génie à bord, prévenez-moi. Je serais enchanté de les connaître... Les mots du journal de Louisa lui revinrent.

Un prêtre qui servait le pharaon... un mauvais esprit... Les deux adversaires continuent de se la disputer...

Les mains d'Anna se mirent à trembler. Retenant son souffle, elle remit le parchemin dans le livre et rangea le tout dans le tiroir de sa table de chevet.

Enfin, elle se recoucha. Elle avait très froid. Elle resta immobile un long moment, le regard sur son sac. Enfin, n'y tenant plus, elle bondit du lit pour récupérer la fiole. Elle l'examina attentivement avant de la remballer dans l'écharpe et de fourrer le tout dans une pochette de sa valise.

Elle but un grand verre d'eau, éteignit et s'endormit.

*
* *

Louisa ne savait pas ce qui l'avait réveillée. Le cœur battant la chamade, elle contempla le plafond. Il y avait quelqu'un dans sa cabine. Elle sentait sa présence, tout près d'elle.

– Qui est là ? chuchota-t-elle.

Elle se redressa et, d'une main tremblante, alluma sa bougie. Il n'y avait personne. Scrutant les ombres, elle retint son souffle, l'oreille attentive. Sa porte était fermée. Le silence régnait. Ils s'étaient amarrés à la tombée de la nuit auprès d'un escalier en marbre bordé d'eucalyptus et de palmiers.

Un craquement, suivi d'une sorte de tintement, la fit sursauter. Le bruit provenait de la table devant la fenêtre, comme si un objet était tombé par terre. Elle se leva à contrecœur. Un de ses tubes de peinture avait chuté. Le mouvement du bateau, sans doute... Malgré elle, elle posa le regard sur la fiole. Elle n'avait pas vu Hassan de l'après-midi. Elle avait glissé le message en arabe dans une feuille de papier à lettres et rangé le tout à la fin de son journal. Blague ou pas, ce bout de parchemin la mettait mal à l'aise.

Le flacon se dressait parmi son matériel, sur la table. Il lui semblait pourtant l'avoir mis sur sa coiffeuse, juste avant d'aller dîner. Peut-être Jane Treece l'avait-elle déplacé lorsqu'elle était venue ranger la robe en mousseline ? Louisa allait s'en emparer mais, à la dernière minute, elle se ravisa. Et si tout cela était vrai ? Si ce récipient avait bien trois ou quatre mille ans ? S'il avait appartenu à un prêtre à l'époque des pharaons ?

Retenant son souffle, elle le ramassa et l'emporta avec elle sur son lit. Pourquoi Hassan lui avait-il offert ce cadeau ? Elle pensa à son visage, à son ossature solide, à ses grands yeux bruns, à ses dents d'une blancheur immaculée. Soudain, elle pensa à la chaleur de sa main lorsqu'ils s'étaient effleurés dans le tombeau. Malgré elle, elle frémit. A cet instant-là, elle avait éprouvé une sensation qu'elle pensait ne plus jamais ressentir. Mais Hassan était pratiquement un inconnu et, de surcroît, un homme d'une autre race, son employé ! Elle rougit. Le choc était tel qu'elle hésitait à confier ses impressions à son journal.

★
★ ★

Le soleil inondait sa cabine quand Anna se réveilla. Le bateau naviguait toujours et, lorsqu'elle se planta devant la fenêtre, elle put voir défiler un paysage exceptionnel de palmiers et de plantations. Elle savoura ce spectacle quelques instants avant de se diriger vers la douche.

Toby était déjà attablé quand elle pénétra dans la salle à manger.

– Encore une arrivée tardive ? Les autres ont déjà terminé. Je vous en prie, venez vous joindre à moi... Tout à l'heure, nous visitons le temple d'Edfou. Nous y serons bientôt... Vous avez l'air fatigué. L'expédition dans la Vallée des Rois vous a à ce point éprouvée ?

– J'ai à peine fermé l'œil, avoua-t-elle.

– Vous ne souffrez pas du mal de mer, j'espère ?

Elle ne put s'empêcher de rire.

– Non, mais il est vrai que j'ai senti le tangage. En fait, j'ai lu le journal de Louisa, et cela m'a donné des cauchemars.

– Que raconte-t-elle de si effrayant ?

– Elle parlait d'une fiole que son drogman lui avait achetée dans un bazar. Il semble que celle-ci soit maudite. Je sais que cela paraît ridicule, mais elle fait allusion à un mauvais esprit.

– Comme c'est curieux ! Mais vous avez tort de vous laisser impressionner par ce genre d'histoire... Qu'est-ce que je vous rapporte du buffet ?

Elle le regarda s'éloigner vers la table croulant sous les gourmandises. Il prit deux assiettes, sélectionna des croissants, puis revint.

– Nous sommes presque à quai, annonça-t-il. Nous avons juste le temps de manger avant d'aller réclamer nos places dans la calèche.

Un cortège de calèches tirées par des équipages de chevaux abominablement maigres les attendait près de l'embarcadère. Chacune était conduite par un Egyptien en djellaba colorée et turban.

Dans le rassemblement, Anna se retrouva aux côtés de Serena. Elle découvrit avec un certain soulagement qu'elles seraient à bord du même véhicule. Malgré elle, elle scruta le groupe en quête d'Andy et de Charley, mais ils étaient invisibles. Anna et Serena s'installèrent sur leur banquette en face de Joe et de Sally Booth. Abdullah, leur cocher, avait l'air d'un pirate. Ils partirent au trot en direction du centre de la ville. Lors d'une embardée, Anna fut précipitée contre Serena. Cette dernière se mit à rire.

– C'est pittoresque, non ? Je suis impatiente de visiter le temple. Il est beaucoup moins ancien que celui de Karnak, mais il est connu pour ses inscriptions et ses bas-reliefs.

Anna regretta soudain de ne pas s'être penchée davantage sur les passages du journal concernant la visite de Louisa en ce lieu. Elle l'imagina en compagnie d'Hassan, fonçant sur les routes avec le même moyen de transport. Un cri s'éleva derrière eux. Elle se retourna juste à temps pour voir une autre calèche, menée par un cheval gris, les dépasser.

– Les derniers arrivés paient la tournée ! hurla Andy en agitant les bras.

Serena eut un rire nerveux.

– Il se comporte comme un enfant.

– Je suppose que vous le voyez souvent, s'il sort avec Charley.

– Pas tant que cela. En tout cas, moins que ne le souhaiterait Charley.

Elle se tut, tandis qu'Abdullah faisait claquer son fouet, effrayant sur son passage une jeune femme qui portait une pastèque sur sa tête.

Un adolescent les croisa, une dinde ligotée sous son bras. Les yeux de l'oiseau étaient globuleux. Anna arma son appareil photo. Serena poussa un soupir.

– J'ai du mal à supporter toute cette cruauté. Cette dinde, ces chevaux malingres...

– Pourtant, ils les nourrissent, signala Anna en désignant les sacs de foin accrochés à chacune des carrioles.

Ils s'arrêtèrent à l'ombre derrière le temple et accomplirent la fin du trajet à pied. Anna arrondit les yeux, émerveillée devant le pylône monumental, haut d'une quarantaine de mètres et orné de dessins représentant les victoires de Ptolémée. Le groupe s'attarda là un moment pendant qu'Omar leur résumait deux mille ans d'histoire et la place qu'y avait tenue ce haut lieu sacré.

Un homme se tenait près de l'entrée, auprès d'une statue d'Horus. Anna le fixa. Une ligne d'ombre transperçait la blancheur de sa djellaba, tandis qu'il s'adossait contre le mur, les bras croisés. Elle eut l'impression qu'il la guettait, et un sentiment de nervosité la submergea.

– Qu'y a-t-il ? Vous ne vous sentez pas bien ? lui demanda Serena.

– Non, ce n'est rien. J'ai la sensation étrange que quelqu'un m'observe...

Derrière elles, Omar poursuivait son discours. Aucune des deux jeunes femmes ne l'écoutait.

– D'après votre réaction, ce n'est pas une personne sympathique.

– Non, marmonna Anna avec un petit rire. Ce doit être ce pays. Si nous buvions un verre ensemble ce soir avant le dîner, je pourrais vous expliquer...

Lui expliquer quoi ? Un cauchemar ? Le sentiment qu'un inconnu s'était immiscé dans sa cabine en pleine nuit pour changer la fiole de place ? Une fiole maudite. C'était absurde. Pourtant, la veille, Toby lui avait suggéré de confier ses inquiétudes à Serena. D'après lui, elle seule pouvait comprendre.

Ils regagnèrent le *White Egret*, harassés et trempés de sueur. On leur servit un citron pressé tiède avant le déjeuner puis, alors que le bateau larguait les amarres pour reprendre son trajet, les passagers se retirèrent pour se reposer.

Ce fut sur le pont qu'Andy découvrit Anna quelques heures plus tard. Il portait deux verres dans ses mains. Il s'assit dans le fauteuil à côté d'elle et lui en tendit un.

– J'espère que vous ne vous êtes pas assoupie sans votre chapeau.

– Non, regardez, il est là, répondit-elle en le lui montrant... Merci, c'était délicieux, ajouta-t-elle après avoir bu son jus de fruits frais... Quelle heure est-il ?

– En Egypte, la notion de l'heure n'existe pas. Cependant, le disque du soleil tombe à l'ouest. Ce qui signifie qu'il sera bientôt temps de passer de nouveau à table, précisa-t-il en se tapotant le ventre avec satisfaction... Vous pourriez peut-être me montrer le journal ?

Surprise par ce brutal changement de sujet, elle se rendit compte qu'il avait les yeux rivés sur son sac.

— Il est dans ma cabine. Plus tard, si ça ne vous ennuie pas.

— Entendu. Rien ne presse. Quelqu'un d'autre l'a vu ?

— A bord, vous voulez dire ? Non. Le seul qui en ait eu un aperçu, c'est Toby. Dans l'avion.

— Toby Hayward ? s'enquit Andy en se mordillant la lèvre. J'ai réfléchi, ce nom me dit quelque chose. Apparemment, c'est plutôt un solitaire.

— Comme moi, répliqua-t-elle. Du moins pendant cette croisière. Il est peintre.

— Pas possible ! Il est connu ?

— Je n'en ai pas la moindre idée. Peut-être est-ce par votre métier que vous en avez entendu parler.

— Sans vouloir être indiscret, je vous conseille de prendre soin de ce document, Anna. Il a sûrement une grande valeur.

— C'est la raison pour laquelle je l'ai enfermé à clé, riposta-t-elle d'un ton ferme.

Il commençait à l'irriter. Il se comportait un peu comme Félix, autrefois. Elle ne supportait pas son côté paternaliste.

Andy rit, ce qui l'agaça encore plus.

— D'accord, d'accord ! s'écria-t-il. Pardon ! Je me rends ! Je sais bien que vous saurez veiller dessus. Après tout, vous êtes une descendante de Louisa Shelley !

Elle se rappela ce fait plus tard, lorsqu'elle s'installa avec Serena dans un coin du bar. A l'extérieur, il faisait noir. Ils avaient jeté l'ancre au bord du fleuve, non loin du temple de Kôm Ombo. Andy était perché sur un tabouret au comptoir, Charley à ses côtés.

— Dites-moi ce qui vous tracasse, attaqua Serena en se calant dans les coussins.

— A froid, cela paraît idiot, murmura Anna en haussant les épaules. Mais quelqu'un m'a dit que vous vous intéressiez plus ou moins aux phénomènes paranormaux.

Serena sourit.

— Plus ou moins, si l'on veut. Si je comprends bien, il s'agit de cet homme que nous avons aperçu à Edfou ce matin.

— Pas forcément lui, puisqu'il existait bel et bien. Mais il m'a donné la chair de poule. Il nous observait, et c'est une impression que j'ai souvent. C'est difficile à expliquer, mais je...

— Si vous commenciez par le commencement, proposa Serena, parfaitement attentive. Quelque chose vous tracasse. Ce serait bête de gâcher vos vacances.

— Vous ne lisez pas l'arabe, je suppose ?

— Je crains que non.

— Dans ma cabine, j'ai un journal intime.

— Celui de Louisa Shelley, je suis au courant... Ne prenez pas cet air ahuri, ma chère. Ce bateau est petit, et nous sommes peu nombreux. Vous ne vous attendiez tout de même pas à ce que le secret soit gardé ?

— Sans doute pas, bougonna Anna, abasourdie, en repensant à la mise en garde d'Andy. Bref, dans ce journal, Louisa décrit une fiole que lui a offerte son drogman. J'en ai hérité. Elle était accompagnée d'un parchemin, que j'ai aussi, dans lequel il est écrit que ce récipient, datant de l'ère des pharaons, est maudit. Je sais combien cela peut sembler absurde, mais je ne peux pas m'empêcher d'être inquiète...

Les mots moururent sur ses lèvres. Elle rougit, embarrassée.

— Vous avez ce flacon avec vous ?

— Oui, répondit-elle, soulagée que Serena la prenne au sérieux. Je regrette de l'avoir emporté avec moi, à présent. Je le possède depuis des années. J'ai toujours pensé que c'était un objet de pacotille. Un ami de mon ex-mari, qui est antiquaire, m'a assuré que c'était un faux. Andy en est convaincu, lui aussi.

— Andy Watson ? s'exclama Serena, sur le qui-vive. Qu'en sait-il ? Vous le lui avez montré ?

— Il l'a vu hier. D'après lui, ce n'est qu'un vulgaire souvenir destiné aux touristes trop crédules.

— Il n'a peut-être pas tort. Cependant, vous n'êtes pas naïve ; Louisa ne l'était sans doute pas non plus, pas plus que son drogman... Et vous avez peur, conclut-elle.

Anna ne réagit pas tout de suite.

— A vrai dire, ce n'est qu'hier soir que j'ai appris son histoire. Pour être franche, oui, cela m'angoisse. Car même avant de lire ces passages, j'ai eu l'impression d'être surveillée. Je suis sur les nerfs depuis que j'ai atterri en Egypte. J'ai beau me convaincre que c'est mon imagination ou la fatigue...

Une fois de plus, elle laissa sa phrase inachevée.

— Procédons par étapes. Que dit le parchemin ? Vous en avez une traduction ?

Anna lui répéta ce qu'elle savait. Serena resta plongée dans ses réflexions un long moment, le regard sur son verre.

— Si Louisa pensait qu'un mauvais esprit veillait sur cette fiole, nous devons en déduire qu'elle est authentique, déclara-t-elle enfin. Voyons… Quand vous vous êtes crue observée, vous ne dormiez pas, du moins la première fois, lorsque vous sortiez de la douche. Vous étiez sobre. Vous saviez où vous aviez laissé votre sac.

— Mais si on l'a bougé, si le flacon en a été retiré… Je ne crois pas aux fantômes. Je ne suis pas télépathe. Non, c'est impossible.

— Voulez-vous me montrer cet objet ?

— Avec plaisir. Venez me trouver dans ma cabine après le dîner. Pour tout vous avouer, j'ose à peine y retourner maintenant. Je me demande bien ce que je vais y trouver !

— Si cela vous ennuie à ce point, mettez-le au coffre avec votre passeport et vos bijoux, suggéra Serena.

Le gong résonna des profondeurs du bateau. Elles se levèrent et se dirigèrent vers l'escalier qui menait au pont inférieur. Anna haussa les épaules.

— C'est une bonne idée… Ce qui m'étonne, c'est qu'il ne se soit jamais rien passé de tel à Londres.

— C'est normal, ma chère. Vous l'avez rapporté en Egypte, dans son pays d'origine.

Anna appuya sur l'interrupteur. La cabine était vide. D'un geste de la main, elle invita Serena à la suivre. Elles avaient traîné à table avec les autres puis, d'un accord tacite, avaient évité le salon où l'on servait le café. Ce soir, la conférence d'Omar portait sur l'histoire de l'Egypte depuis les pharaons.

A deux, l'espace était minuscule. Serena s'assit sur le lit, tandis qu'Anna descendait sa valise de l'étagère et la posait par terre. Elle brandit le paquet de satin rouge.

— Tenez, regardez…

Les autres passagers s'étaient tous rassemblés autour d'Omar, et les membres d'équipage dînaient. Dehors, la rive était déserte. Seul, le clapotis de l'eau sur la coque et le bruissement des roseaux troublaient le silence.

– Il est plus petit que je ne le pensais.

– Il est minuscule, gloussa Anna, mais il me cause bien des soucis.

– Chut !

Serena laissa tomber l'écharpe sur ses genoux et fixa le flacon dans la paume de sa main. Elle ferma les yeux, le caressa délicatement.

– C'est un objet ancien. Très ancien. Le verre est irrégulier. Il contient des siècles de souvenirs… Il est authentique, Anna… Je vois un personnage. Il est grand. Son regard transperce tout, comme une lame de couteau. Il a énormément de pouvoir, mais je sens aussi la trahison. Il a des ennemis. Il se croit invincible, mais il est cerné par la haine et l'avidité. Quelqu'un qu'il croyait être un ami tourne autour de lui. Ils servent des dieux différents, mais il ne le sait pas. Pas encore… Il y a du sang, Anna. Beaucoup de sang et de haine.

Anna s'écarta, effrayée.

– Vous me faites peur ! s'écria-t-elle, tremblante.

Serena releva la tête, mais ses yeux étaient voilés, ses pupilles, dilatées.

– Serena ? chuchota Anna. Serena, répondez-moi, je vous en prie !

Il y eut un long silence puis, tout à coup, Serena se frotta le visage. Elle ébaucha un sourire.

– Qu'est-ce que j'ai raconté ?

– Vous ne le savez pas ? s'étonna Anna, clouée sur place contre la porte.

Avec un frémissement, Serena contempla la fiole dans sa main.

– C'est un objet très ancien, insista-t-elle d'une voix monocorde.

– Ça, vous l'avez dit, mais tout le reste… vous avez parlé de sang…

– Du sang ? répéta Serena, avant de se détourner. Pardonnez-moi, je n'aurais pas dû me laisser aller. J'ai tendance à sombrer dans le mélodrame, ajouta-t-elle en se mettant debout. Surtout, n'y prenez pas garde.

– J'ai peur.

Serena la dévisagea un instant comme si elle tentait de déchiffrer ses pensées, puis elle haussa les épaules.

– La conférence doit être terminée. Si nous montions boire un verre ?

Elle se pencha, hésita imperceptiblement, puis s'empara de la fiole, l'enveloppa dans le foulard et tendit le tout à Anna.

– Demandez donc à Omar de vous la mettre au coffre. D'après moi, c'est un objet de grande valeur.

– Plus tard… Demain… Allons-nous-en d'ici ! déclara brusquement Anna en saisissant son sac.

Leurs boissons à la main, elles se faufilèrent entre les tables du bar pour monter sur le pont désert.

– Le vent est glacial, constata Anna.

– C'est agréable après la chaleur de la journée. Si nous allions à la proue ?

Elle conduisit Anna à l'endroit où cette dernière avait fait la sieste un peu plus tôt. Les étoiles étincelaient sur un ciel de velours noir. Elles restèrent un moment à contempler le fleuve. Curieusement, le silence était intense malgré les éclats de rire qui fusaient d'en bas.

– Comment avez-vous fait ? murmura Anna.

Serena ne fit pas semblant de ne pas comprendre.

– On appelle ça la psychométrie. C'est une sorte de clairvoyance, je suppose. L'objet nous inspire des visions. J'ai ce don depuis l'enfance ; à l'époque, on me reprochait d'avoir une imagination débordante. Aujourd'hui, on me considère comme une excentrique, voire une schizophrène, précisa-t-elle avec une pointe d'amertume. Ce n'est pas un talent qu'il faut prendre à la légère, comme vous pouvez vous en douter, mais il me sert parfois.

– Qu'en pensait votre mari ?

Serena eut un sourire triste.

– Il ne savait pas si j'étais juste farfelue ou franchement folle. Nous étions très heureux. Je l'aimais. Tant qu'il était en vie, je me suis efforcée de maîtriser mes pulsions, mais quand il est mort, je m'y suis mise à fond. J'ai rencontré d'autres personnes comme moi. J'ai étudié. Discuté. Ecrit. Charley me trouve complètement cinglée, mais elle n'est pas souvent là et, d'ailleurs, je me fiche de ce qu'elle pense. J'ai commencé à me passionner pour le mysticisme égyptien il y a deux ans. J'ai eu envie de venir sur place goûter l'atmosphère.

Anna avait les yeux rivés sur la rive, où les palmiers se dressaient en silhouette sombre. Un frémissement la parcourut.

— Revenons à ma fiole.

— Je ne me souviens plus de ce que j'ai dit. C'est la vérité, je vous assure, ajouta-t-elle en voyant l'air stupéfait d'Anna. La plupart du temps, j'entre dans une sorte de transe. Je suis désolée, Anna, mais c'est ainsi. C'est à vous de me répéter mes paroles.

— Vous avez évoqué la haine, la trahison et le sang. Vous avez décrit un homme. Un prêtre. Vous avez dit qu'il était grand et qu'il avait un regard perçant.

Elle sursauta en entendant un bruit de pas derrière elles.

— Ce doit être moi ! Grand, au regard perçant ! lança Andy en riant. Alors, les filles, on s'isole ? Serena, ma chère, je t'interdis d'accaparer la plus jolie femme à bord. Surtout si c'est pour discuter d'autres hommes.

Serena et Anna échangèrent un regard.

— Nous te rejoindrons dans une minute, Andy, décréta Serena... Allez, dégage ! Sois gentil.

Anna dissimula un sourire devant la déconfiture d'Andy. Mais celle-ci fut de brève durée. Il haussa les épaules et leva les mains.

— D'accord ! D'accord ! Ne tirez pas ! Je vous retrouverai au bar.

Elles attendirent qu'il ait disparu, puis Serena prit la parole.

— Andy est un railleur né. Il vaudrait mieux éviter de lui parler de tout ça.

— Je suis d'accord... Bon, que dois-je faire ?

— Vous pourriez jeter le flacon dans le Nil. Ce serait une façon comme une autre de vous débarrasser du problème.

Anna réfléchit un instant.

— C'est Hassan qui l'a offert à Louisa.

— Que sont-ils devenus ?

— Je n'ai pas encore tout lu, mais je sais qu'elle est rentrée saine et sauve en Angleterre.

— C'est à vous de décider.

— Vous dites que vous avez étudié le mysticisme égyptien, reprit Anna. Vous pourriez peut-être essayer d'entrer en contact avec ce personnage ?

— Oh, non ! Cette affaire est grave. Un prêtre de l'ancienne Egypte, c'est au-dessus de mes capacités. Ces gens-là ont pratiquement inventé la magie. Vous avez entendu parler du dieu Thot ?

Anna se mordit la lèvre.

— Je ne veux pas détruire cette fiole.

— Très bien, répliqua Serena en se redressant. Voici ce que je vous propose : laissez-moi jeter un coup d'œil sur le journal. Après tout, peut-être qu'il n'est rien arrivé de spécial à Louisa. Laissez-moi y songer cette nuit. Demain, nous visitons le temple de Kôm Ombo. On pourrait peut-être essayer d'apaiser le gardien de ce récipient en faisant une offrande à ses dieux.

Il était très tard quand Anna pénétra dans sa cabine. Elle s'arrêta net, la main sur l'interrupteur, le regard sur sa valise au milieu du tapis. Derrière elle, la coursive était déserte. Serena était logée un pont en dessous.

Anna hésita. Une heure de conversation animée avec Ben, Joe et Sally l'avait décontractée, mais elle n'avait pas oublié le flacon. Laissant la porte ouverte, elle alla s'agenouiller devant son bagage. Retenant son souffle, elle en sortit le paquet de satin rouge. Puis, sans hésiter davantage, elle se précipita au bureau de réception, en face de l'entrée de la salle à manger. Là se trouvait le coffre-fort, où l'on enfermait les passeports et les objets de valeur. Il n'y avait personne. Elle hésita brièvement, pressa la clochette. En vain. Tout le monde dormait, à cette heure-ci. Le seul qu'elle pouvait risquer de déranger était Omar. Mais elle n'osait pas le tirer de son lit pour si peu. A moins que… ?

Elle repartit en sens inverse. La cabine d'Omar était située au même niveau que la sienne, près de l'escalier.

Elle s'immobilisa devant la porte, tergiversa longuement, puis finit par se détourner.

Sur le seuil de sa chambre, elle marqua une pause. Elle ne s'était absentée que quelques minutes, pourtant, quelque chose avait changé. Malgré elle, elle resserra les doigts autour du petit baluchon. La valise était telle qu'elle l'avait laissée, à une différence près. La lumière de la lampe de chevet l'éclairait de biais, jetant une ombre dessus. Elle s'approcha d'un pas. A l'intérieur de l'ombre était éparpillée une poignée de poussière. Elle s'accroupit, tendit la main, l'effleura, en frotta un peu entre ses doigts, puis les porta à son nez. Un léger parfum s'en dégageait. Un peu épicé. Exotique. Anna eut un haut-le-cœur. Elle s'essuya les mains et referma brusquement la valise. Après l'avoir rangée, elle se frotta de nouveau les mains avec une serviette, puis tourna la clé dans sa serrure.

Elle se déshabilla et se doucha en toute hâte, le regard partout à la fois. Elle glissa le flacon enrobé dans un petit sac contenant ses pellicules, fourra le tout dans sa trousse et tira la fermeture Eclair. Puis elle poussa le battant du cabinet de toilette.

Tendue, elle se planta au milieu de la cabine. Par la fenêtre entrouverte, elle percevait le bruissement des roseaux. Au loin, un rapace cria, puis ce fut le silence. Anna éteignit la lumière centrale et se coucha. Elle n'avait absolument pas sommeil. Elle décida de reprendre le journal de Louisa. Le feuilletant, elle tomba sur une esquisse de la taille d'un timbre-poste, intitulée « Edfou ». C'était la représentation d'une des colonnes qu'elle avait admirées le matin même.

« Une fois de plus, les Forrester ont décrété qu'il faisait trop chaud pour bouger. Hassan a donc trouvé des mulets pour m'emmener au temple d'Edfou... »

Anna leva les yeux. Tout était paisible. Elle se cala contre ses oreillers et tourna la page.

★
★ ★

L'adolescent qui les avait conduits à l'entrée du temple se retira à l'ombre des palmiers. Hassan avait pris la relève, avec l'aide de deux petits garçons chargés de porter le matériel de peinture, le pique-nique et le parasol. Ils s'étaient installés près d'un mur. Après avoir étalé le tapis persan pour Louisa, les garçonnets s'étaient éclipsés.

75

– Venez près de moi, dit Louisa. Je veux que vous me racontiez l'histoire de ce lieu avant que nous ne l'explorions.

Il s'assit en tailleur, le dos très droit, les yeux plissés contre la lumière aveuglante.

– Vous en savez sans doute plus que moi, sitt Louisa.

– C'est faux. Et puis, j'aime bien vous entendre parler pendant que je dessine.

Elle voulait saisir l'élégance et la puissance de l'endroit avant que les ombres ne raccourcissent, capter la majesté des bas-reliefs, dont la délicatesse contrastait violemment avec la rudesse des pierres dans lesquelles ils étaient sculptés. Elle voulait aussi immortaliser la statue d'Horus sous forme de faucon. Elle versa un peu d'eau dans son pot et s'empara d'un pinceau.

– Ce temple a été dégagé récemment par M. Mariette. Avant, le sable montait jusque-là, expliqua Hassan en désignant un point à mi-hauteur des colonnes. Il y avait des maisons tout autour, mais elles ont disparu… Voyez comme c'est grand, magnifique. La construction date des rois Ptolémée. Elle a été bâtie en l'honneur du dieu Horus.

D'une voix grave, Hassan poursuivit sa narration. Louisa cessa un instant de travailler pour l'observer. Il avait un visage très expressif. Elle l'écouta, rêveuse, se noyant dans les images qu'il évoquait. Elle était tellement loin qu'elle ne s'aperçut pas tout de suite qu'il s'était tu. Il la dévisageait avec un demi-sourire.

– Je vous ennuie, sitt Louisa.

– Au contraire, c'est fascinant. Je suis sous le charme, je n'arrive même plus à peindre.

– Dans ce cas, j'ai échoué dans ma tâche. J'espérais guider votre inspiration.

Elle le fixa, incapable de détacher son regard. Ce fut lui qui brisa le silence.

– Voulez-vous déjeuner, sitt Louisa ? Ensuite, vous pourrez dormir un peu si vous le souhaitez, avant de visiter le temple.

D'un mouvement gracieux, il saisit le panier, en sortit une nappe blanche, des assiettes, des verres, des couverts en argent. Puis vinrent les fruits, les fromages, le pain et les viandes séchées.

– Je meurs de faim, en dépit de la chaleur ! s'exclama-t-elle en séchant son pinceau.

Elle eut un rire coquet, puis s'interrompit, interdite. Elle devait faire attention de ne pas se lier d'amitié avec cet homme qui n'était, après tout, que son employé. Un vulgaire serviteur, aux yeux des Forrester.

Elle gonfla ses jupes, accepta l'assiette bien garnie qu'il lui tendait. Ses yeux foncés s'attardèrent un bref instant sur elle, et il sourit.

– Vous me gâtez, Hassan.

– Bien sûr.

Ils mangèrent tranquillement au son du babillage des hirondelles qui s'étaient nichées dans les murs. Au loin apparut un groupe de visiteurs. Louisa se précipita sur son carnet pour esquisser la silhouette d'une jeune femme en robe vert pâle à la dernière mode.

– Nos tenues sont ridicules, dans ce climat, constata-t-elle.

– A Louxor, certaines s'habillent à l'égyptienne. Elles ont moins chaud, elles sont plus à l'aise.

– J'aimerais tant pouvoir le faire ! s'écria Louisa avec enthousiasme. Mais lady Forrester ne le tolérerait pas. Je possède des robes plus agréables à porter que celle-ci, malheureusement, elles sont de couleurs vives, ce qui choquerait les Forrester. Je ne veux pas risquer de les offenser.

– Peut-être pourrions-nous nous arranger pour que vous vous changiez après avoir quitté le bateau, suggéra Hassan, une lueur espiègle dans les prunelles. Je peux m'en occuper, sitt Louisa.

Elle eut l'impression que, sous le satin bleu marine, il voyait en transparence son corset serré, sa culotte longue et ses deux jupons, dont un était amidonné, de même que les bas retenus par des jarretières et les bottines.

– Je n'en peux plus, avoua-t-elle. Pouvons-nous acheter des vêtements sur le chemin du retour ?

– Non. Il faut être très discret. Je m'en occuperai avant que nous n'atteignions notre prochaine destination. N'ayez crainte, vous serez bientôt à l'aise.

Il appela l'un des jeunes garçons pour surveiller leurs affaires pendant qu'ils se promenaient dans le temple hypostyle.

– On sent tout le poids des siècles, chuchota-t-il.

– C'est colossal, murmura Louisa, enchantée.

– Pour inspirer les hommes et les dieux, dit Hassan en croisant les bras. Les dieux sont encore là. Ne les sentez-vous pas ?

Louisa secoua la tête. Ils avancèrent jusqu'à la deuxième salle hypostyle et, soudain, Hassan fut happé par l'ombre d'un pilier. Louisa s'immobilisa, le guettant, mais il ne reparut pas. Le silence semblait s'être soudain alourdi. Les oiseaux s'étaient tus.

– Hassan ? Hassan, attendez-moi !

Les talons de ses bottines résonnèrent sur les dalles, tandis qu'elle se précipitait vers l'entrée dans laquelle elle l'avait vu s'engouffrer.

– Hassan ? Hassan, où êtes-vous ?

– Sitt Louisa ? Que se passe-t-il ?

Elle fit volte-face.

Il était derrière elle, à plusieurs mètres, dans un rayon de lumière provenant d'une porte dérobée.

– Excusez-moi, je croyais que vous m'aviez suivi.

– Justement ! Je vous ai vu passer par là…

– Non. Je vous ai dit que nous allions voir la salle du Nil, où l'on apportait chaque jour de l'eau du fleuve pour les libations des prêtres.

– Mais je vous ai vu, Hassan ! Vous êtes entré là !

– Non, madame. Je vous l'assure, dit-il en posant brièvement la main sur son bras. Attendez, je vais vérifier. Il y a peut-être quelqu'un d'autre… *Mi ?* Qui est là ?… Il n'y a personne.

– Mais je vous ai vu. *Vous !*

Elle s'adossa contre le mur, son épaule frôlant celle du drogman. Il avait la peau brûlante et sentait bon la cannelle.

– Voyez, il n'y a rien… Je vais aller chercher une bougie dans le panier.

– Non, décréta-t-elle en le retenant. Non, Hassan, il n'y a rien à voir.

Elle eut un frémissement. Il la dévisageait avec tant d'amour et d'angoisse qu'un instant, elle en eut le souffle coupé. La magie ne dura pas.

– Hassan…

– Pardonnez-moi, sitt Louisa. Notre visite est loin d'être terminée. Je vous en prie, restez ici, je vais chercher la bougie.

Il s'éloigna, de nouveau impassible. Elle scruta l'obscurité derrière elle. Elle avait trop chaud, son cœur battait trop fort. Pivotant lentement pour le suivre, elle s'aperçut qu'elle se cramponnait à ses jupes. Elle s'obligea à se décontracter. Tout cela était absurde. D'abord elle avait des hallucinations, ensuite elle s'accrochait à Hassan comme si... comme si... Mais non, c'était impensable.

Il revint très vite. Cette fois, il s'arrangea pour ne pas la quitter d'une semelle. Le groupe de visiteurs avait resurgi non loin d'eux. Le guide leur montrait une corniche. La jeune femme en vert s'ennuyait terriblement, c'était visible. Elle était engoncée dans ses dentelles. Louisa songea qu'elle était impatiente de revêtir la robe promise par Hassan. N'était-ce pas la raison de son voyage en Egypte ? Connaître la liberté. Prendre en charge son destin. Compter sur elle et sur personne d'autre, ni la famille de son mari défunt, ni les Forrester, ni leur femme de chambre. Soudain, un sentiment d'excitation s'empara de tout son être. Elle se mit à courir derrière le drogman.

– Hassan, attendez-moi !

En passant, elle adressa un sourire apitoyé à sa compatriote en se demandant ce que cette dernière pensait de cette furie vulgaire qui émergeait du saint des saints à la poursuite d'un bel Egyptien.

IV

Je suis ton serviteur et je pourvois à tes besoins.
En vérité, les puissants tremblent,
Devant le glaive du sacrifice.
Je regarde autour de moi, j'existe.
J'ai accompli ce qui m'avait été ordonné par les dieux,
Car la torpeur et la somnolence me font horreur.
Et Seth, le seigneur des tempêtes, m'a dressé tout debout.

*D*ANS *le silence survient un faible bruit de frottement. Intrusion, sacrilège, dans la chaleur épaisse de l'obscurité où ne résonnent ni chuchotement ni souffle à l'intérieur provenant des bandelettes qui enferment les corps.*

Sur les murs, les textes sacrés racontent leurs légendes. Pour ces deux hommes, on a récité les prières et on les a recopiées à la hâte. Ces prières doivent les mettre sur la voie, protéger leurs âmes, diriger leurs esprits : elles sont peintes au pigment et non sculptées dans la pierre. Cachée dans un coin, cachée une prière unique rédigée par un scribe exige que leurs esprits, s'ils sont tourmentés, reviennent au monde qu'ils ont quitté si brusquement. « Car la torpeur et la somnolence me font horreur… »

★
★ ★

On frappait à sa porte. Anna se réveilla en sursaut, contempla un instant le plafond, puis consulta sa montre. Il était huit heures trente.

— Qui est-ce ? Une petite minute ! s'écria-t-elle en bondissant de son lit. Serena ? Je suis désolée, j'aurais dû mettre mon réveil.

Elle tourna la clé dans la serrure et ouvrit. Vêtu d'un bermuda et chemise ouverte, Andy se tenait sur le seuil. Il lui adressa un sourire charmeur.

— Excusez-moi, je croyais vous avoir ratée au petit déjeuner parce que vous étiez une lève-tôt... Vous avez bien l'intention de venir à Kôm Ombo ? ajouta-t-il en s'attardant sur ses cheveux en bataille, sa nuisette et ses longues jambes nues.

— Oui, bien sûr ! Mon Dieu ! A quelle heure est le départ ?

— Dans dix minutes. Je peux aller vous chercher un café pendant que vous vous préparez.

— Ce serait vraiment gentil.

Elle se rua sous la douche, s'empara au vol d'une robe et d'une veste, enfila ses sandales. Elle s'apprêtait à mettre ses pellicules et son appareil photo dans son sac, quand Andy reparut avec une tasse fumante et un croissant emballé dans une serviette en papier.

— Ali vous l'a tartiné de confiture de fraises, précisa-t-il. On dirait qu'il vous aime bien. Inutile de vous étouffer : Omar m'a dit que nous pouvions les rejoindre sur le chemin du temple. Il est à une trentaine de minutes de marche.

— Vous me sauvez la vie ! s'exclama-t-elle en avalant une gorgée de café.

Tout à coup, son regard la mit mal à l'aise. L'incongruité de la situation venait de la frapper, et elle rit.

— Excusez-moi, je n'ai pas l'habitude de recevoir des hommes dans ma cabine. Asseyez-vous, je vous en prie. J'en ai pour deux minutes.

Il s'installa, une lueur espiègle dans les prunelles.

Après avoir avalé son petit déjeuner, elle pénétra dans le cabinet de toilette. Sa trousse était par terre, là où elle l'avait posée lorsqu'elle s'était lavée. Dans cet espace minuscule, il n'y avait nul autre endroit disponible. Elle l'avait fermée. Elle en était certaine. Quelques minutes auparavant, elle l'avait ouverte et fouillée en quête d'un baume pour les lèvres, sans penser à la fiole. Quand sa main l'avait effleurée, elle l'avait remise bien au fond, sous ses cosmétiques. A présent, la trousse était ouverte, et quelques fils échappés du sachet à pellicules en sortaient. Paralysée de terreur, elle le contempla. Puis sa raison lui revint : elle s'était dépêchée, Andy l'attendait. Le plastique avait dû se prendre dans la fermeture Eclair. Rien de plus. Le petit paquet de satin rouge était toujours là. S'efforçant de se calmer, elle s'aspergea le visage d'eau froide.

Un matelot souriant leur indiqua le chemin. Au loin, ils pouvaient voir leurs compagnons regroupés autour d'Omar, qui gesticulait avec fougue.

– On les rattrape ? demanda Andy.

– Au pas de course, vous voulez dire ?

– C'est le seul moyen.

– Non, murmura-t-elle. Allez-y si vous voulez, je préfère explorer les lieux toute seule.

Il secoua la tête.

– Je déteste courir. Surtout par cette chaleur. J'ai lu un texte sur Kôm Ombo hier soir. Je peux vous en parler, si vous voulez.

Quand ils atteignirent les échoppes bariolées qui se serraient près de l'entrée du temple, Andy avait parcouru plusieurs milliers d'années d'histoire.

– Ce temple est presque aussi ancien que celui d'Edfou. Il est divisé en deux en son milieu. Une moitié est dédiée à Horus, l'autre à Sobek, le dieu crocodile. Les gens affluaient de partout pour consulter les prêtres guérisseurs. Construit tout près de l'eau, il a été très abîmé. De plus, il y a eu un tremblement de terre dans la région, il n'y a pas si longtemps.

Comme ils pouvaient s'y attendre, le lieu était envahi par les touristes et, une fois de plus, ils se retrouvèrent dans une longue queue pour présenter leurs tickets.

– Je croyais que vous aviez renoncé à cette visite.

Toby avait surgi tout à coup à côté d'Anna, alors qu'Andy, un instant distrait, s'était légèrement écarté.

— Je vois que vous fricotez avec notre antiquaire, ironisa Toby. A propos, Serena vous cherche. Si j'ai bien compris, vous vous êtes adressée à elle comme je vous l'avais conseillé ?

Anna acquiesça.

— Elle m'a été d'une aide précieuse. Vous aviez raison, c'est une érudite en matière d'histoire et de mysticisme égyptiens.

— A-t-elle au moins réussi à vous rassurer ?

Il l'observa à la dérobée. Ils traversaient une vaste cour cernée de piliers amputés et se dirigeaient vers la façade de la salle hypostyle.

— Vous rassurer ? intervint Andy en les rejoignant. A quel sujet ? Qu'est-ce qui vous tracasse, Anna ?

Elle haussa les épaules.

— Rien de grave.

Omar était juste devant eux. Il expliquait la situation du temple, au carrefour des pistes en provenance de Nubie et de celles du désert. C'était par ces routes qu'on apportait l'or, ajouta-t-il en montrant deux disques solaires au-dessus des portes. Anna s'approcha. Omar était un garçon cultivé. Ses conférences étaient intéressantes. C'était absurde de ne pas en profiter. S'efforçant de se concentrer sur ses paroles, elle suivit des yeux sa main désignant les bas-reliefs, mais très vite, son attention se dissipa. Elle essayait de s'imaginer ce temple au temps de sa splendeur. D'en ressentir l'atmosphère.

Même dans son enfance, elle agissait de cette façon. Il lui fallait se mettre en retrait pour s'imprégner de l'essence du lieu. Il serait toujours temps de s'informer après. L'important était de capter les sensations car, plus tard, c'est d'elles seules qu'elle conserverait le souvenir. Beaucoup plus que de connaître les dates de construction des murs, c'était ce qui comptait.

— Il me semblait vous avoir dit d'éviter Andy, persifla une voix.

Surprise, elle fit volte-face. Charley n'était qu'à un mètre d'elle, les yeux masqués par d'énormes lunettes noires.

— Je parlais sérieusement, ajouta-t-elle... A votre place, je jetterais mon dévolu sur quelqu'un d'autre, conclut-elle en retenant Anna par le bras, alors que les autres s'engouffraient dans la salle hypostyle derrière leur guide.

83

– Je discute avec qui je veux, cela ne vous regarde pas ! rétorqua Anna. Franchement, vous exagérez. Je n'ai nullement l'intention de vous piquer votre petit ami, si c'est ce qu'il est. Après tout, je le connais à peine. Cependant, si nous avons envie de parler, comme deux adultes normaux, rien ne nous en empêche.

Elle crut tout d'abord que Charley allait la frapper. Cramoisie de rage, la jeune rousse avait crispé les poings. Elle reprit son souffle, parvint à se maîtriser, puis brutalement, tourna les talons.

– Bravo ! approuva Toby, qui avait tout écouté sans le moindre scrupule.

Anna rougit. Elle aurait préféré qu'il n'assiste pas à cet échange. Elle chercha Charley du regard, mais celle-ci s'était volatilisée pour reparaître peu après auprès d'Andy, dont elle serrait le bras d'un air possessif.

– Je m'étonne qu'elle ne le promène pas en laisse, commenta Anna d'un ton acerbe.

Toby grimaça.

– Je connais bien des femmes qui le feraient si c'était en leur pouvoir.

Il ne chercha pas à radoucir ses paroles par un sourire.

– Vous êtes bien amer, répondit Anna. Vous faites allusion à votre expérience personnelle ?

Il s'assombrit.

– Comme la plupart des hommes, sans doute ; il suffit de leur poser la question. Mais si cela ne vous ennuie pas, j'aimerais autant changer de sujet. Excusez-moi, je n'aurais pas dû vous interrompre. Rapprochons-nous d'Omar.

Il l'abandonna. Un autre groupe arriva, dans lequel elle se trouva rapidement engloutie. Leur guide parlait français.

– Anna, vous êtes là ! s'exclama Serena en se frayant un chemin jusqu'à elle. Ça va ?

– Oui, bien sûr.

– Vous êtes un peu pâle. J'ai vu Charley vous sauter dessus. J'étais trop loin pour intervenir, mais quelqu'un est venu à votre secours, je crois ?

Anna fronça les sourcils, irritée.

– Si l'on veut. Dites-moi, personne ici ne s'intéresse à

l'histoire de l'Egypte ? J'ai l'impression que chacun préfère régler ses comptes plutôt que d'écouter Omar.

Elle marqua une pause avant d'enchaîner :

– Sans vous offenser, j'ai du mal à comprendre comment vous supportez Charley. Elle est odieuse. Je ne cours pas après son jules !

Serena rit avec bonne humeur.

– Je ne la supporte pas ; elle n'est que ma locataire, pas mon amie. D'ailleurs, elle ne me considère pas comme une menace. Je crains qu'elle n'ait été sensible à l'intérêt que vous porte Andy beaucoup plus que vous-même. Vous êtes séduisante, Anna, vous lui plaisez. C'est sa façon d'être. S'il ne vous intéresse vraiment pas plus que cela, Charley finira par s'en rendre compte... En attendant, vous et moi avons une tâche à accomplir.

– Pardon ? s'enquit Anna, sans comprendre.

– Vous n'avez pas déjà oublié ce qui s'est passé hier ? Nous allons présenter une offrande aux dieux, ma chère. Rappelez-vous... Anna, si vous pouviez vous voir ! Je ne vous propose pas de pousser Andy ou Charley du sommet d'une colonne. Nous allons agir plus subtilement. En finesse. Comme il n'y a pas de fleurs ici, nous nous contenterons d'une libation. J'ai apporté avec moi quelque chose qui devrait convenir, ajouta-t-elle en tapotant son grand sac beige. Nous allons nous réfugier dans un petit coin tranquille. Le jeu en vaut la chandelle, Anna.

Elles se faufilèrent entre les Français, vers le cœur du temple. Leur propre groupe avait disparu.

– Ce matin, j'ai cru que quelqu'un avait essayé de voler la fiole, dit Anna, sur les talons de Serena. Je suis retournée dans le cabinet de toilette où j'avais laissé ma trousse fermée. Elle était ouverte, et le sachet en plastique dans lequel j'avais mis le flacon était déchiré. C'est sûrement moi, dans ma hâte de me préparer. J'ai dû le coincer dans la fermeture Eclair, mais cela m'a fait peur, avoua-t-elle.

Pourtant, une voix insidieuse lui répétait sans cesse qu'elle avait bien mis le paquet tout au fond, et que la fermeture Eclair n'avait pas accroché... Elle chassa cette pensée de son esprit, car Serena lui parlait.

– Ne vous inquiétez pas pour cela. Pas maintenant. Avez-vous poursuivi votre lecture du journal ?

– Oui, mais je me suis surtout intéressée à la visite de Louisa à Edfou en compagnie d'Hassan. Je le consulterai à nouveau cet après-midi.

– Hormis ce léger incident, vous n'avez rien remarqué d'inhabituel cette nuit ?

Anna hésita. De la poussière aux senteurs d'épices. Etait-elle en train de perdre la tête ?

– Non, non. J'ai lu très tard.

– Il était déjà très tard quand vous vous êtes couchée, gloussa Serena… Cherchons un coin tranquille, si c'est possible avec cette foule.

– A quoi bon ?

– Si nous honorons les dieux, les siens, ça ne fera aucun mal. Et peut-être… peut-être que ça le maintiendra à distance, quel qu'il soit. Venez !

Elle attira Anna à l'écart de la cohue.

– Omar a dit que l'autel des offrandes se trouvait par là, protesta Anna.

– C'est exact, mais il y en avait un autre, où les prêtres servaient Horus. Là, dissimulé dans le mur. C'est plus propice à notre projet, non ?

Elles s'engouffrèrent dans une salle sombre, où deux hommes photographiaient les bas-reliefs. Ils n'eurent aucune réaction quand Serena invita Anna à se diriger vers le fond.

– Attendez…

Elle sortit de sa poche une lampe électrique miniature. L'étroit faisceau éclaira un groupe de personnages.

– … Oui ! chuchota-t-elle, triomphante, c'est bien là. Horus avec Thot et Isis. J'ai fait des recherches. C'est ici que nous devons soumettre notre requête.

Elle observa les deux inconnus à la dérobée. L'un tripotait son objectif à quelques centimètres des sculptures, l'autre prenait des notes à la lueur d'une petite lampe.

– C'est le dernier, annonça-t-il.

Serena haussa un sourcil.

– Attendez que nous soyons seules… Tenez…

Elle fouilla dans son sac.

– ... Il fallait un minimum de cérémonie pour traiter avec ces gens-là. J'espère que notre bonne foi et notre sincérité les rendront indulgents.

– S'ils sont à notre écoute, marmonna Anna. Je ne pense pas que, ces temps-ci, on s'adresse souvent à eux.

– Vous seriez étonnée ! murmura Serena.

Tout en rangeant ses affaires dans son sac, le plus grand des deux hommes se dirigea vers elles.

– Fabuleux ! Je vois que vous avez trouvé Isis. Peu de personnes sont au courant, proclama-t-il avec un accent qui pouvait être suisse ou allemand. C'est magnifique, non ? Nous l'avons déjà photographiée.

Son compagnon le rejoignit.

– On dirait que les dieux sont encore là, n'est-ce pas ? Ils ont fui les grands temples et se cachent désormais dans de petites chapelles comme celle-ci. Bonne chasse, mesdames !

Sur ce, ils partirent.

– Comment le savaient-ils ? souffla Anna.

– Peut-être ont-ils la même passion que moi, répliqua Serena, en brandissant un flacon en plastique. Profitons de notre tranquillité. Versez un peu de ce liquide dans votre paume. Offrez-le aux dieux, puis répandez-en par terre devant eux. C'est du vin rouge. Je n'ai rien de mieux pour le moment. Je l'ai volé hier au dîner.

Anna hésita.

– Je me demande si c'est bien.

– Croyez-moi, c'est ce qu'il faut faire. Ce que nous ne savons pas, c'est s'ils l'accepteront ou non.

Elle ôta le bouchon, et Anna tendit ses mains.

– Je me sens ridicule...

Serena la regarda droit dans les yeux.

– Mais non ! Dépêchez-vous, j'entends des voix. Faites votre offrande.

A l'extérieur, un rire fusa, suivi d'un éclat de conversation animée en arabe.

– Vite ! Rassemblez vos mains.

Anna s'exécuta et laissa le vin couler dans ses paumes.

– Répétez après moi : aux grandes divinités d'Egypte : Horus, Thot et Isis, déesse de la lune.

Anna obéit, puis, pour plus de sécurité, conclut :

— Protégez-nous.

Elle écarta lentement les mains et laissa dégouliner le vin à ses pieds. Elle n'avait plus du tout envie de rire. L'atmosphère s'était soudain chargée d'électricité. Retenant son souffle, elle guetta Serena, qui fixait le mur, en transe. Elle suivit la direction de son regard et poussa un cri. Etait-ce l'ombre d'un homme superposée sur le bas-relief ? Elle resta un moment clouée sur place, puis Serena plaça les bras en croix sur sa poitrine. Elle fit une profonde révérence. Anna hésita brièvement avant de l'imiter.

A peine avaient-elles terminé, que deux personnes surgirent à l'entrée.

— Il me semblait bien vous avoir vues passer par là. Qu'est-ce que vous faites ?

Ben retira son chapeau et s'essuya le front avec sa manche de chemise.

— Avez-vous découvert quelque chose d'intéressant ? Des dents de crocodiles ?

Joe l'avait suivi. Tous deux tenaient leur appareil photo à la main. Anna essuya ses paumes subrepticement avec un mouchoir en papier. L'odeur du vin lui chatouillait les narines, et elle s'attendait à ce que les nouveaux venus fassent une réflexion, mais ils ne se rendirent compte de rien. Serena avait rebouché le flacon et l'avait glissé dans son sac. En quelques secondes, ils se retrouvèrent dehors, en plein soleil. Ils se dirigèrent tous les quatre vers le cœur du temple.

— L'avez-vous vu ? demanda Anna à Serena.

Cette dernière opina et mit un doigt sur ses lèvres.

— Nous en parlerons plus tard, à bord. Soyez vigilante. Les dieux sont bel et bien dans les parages.

Avec un large sourire, elle prit Ben par le coude.

— Nous avons encore beaucoup de merveilles à découvrir, et Omar nous a conseillé de nous acheter des souvenirs à la sortie. A condition de négocier.

Pour la deuxième fois, Anna monta sur le pont après le déjeuner. Elle choisit un fauteuil à la proue du bateau. Munie de son chapeau et du sac contenant sa crème solaire et le journal de Louisa, elle se faufila entre les fous du bronzage qui bravaient la chaleur de l'après-midi et s'installa. L'air était brûlant. De nombreux passagers avaient préféré se retirer dans leur cabine pour la sieste.

Percevant un bruit de pas, elle feignit d'être assoupie derrière ses lunettes noires. Elle n'avait aucune envie de bavarder avec Andy ou Charley. Au cours du repas, la jolie rousse s'était cramponnée au bras de son ami en adressant une moue à Anna. Ces démonstrations avaient laissé Anna de glace. Andy, lui aussi, paraissait fatigué de tous ces caprices.

Entrouvrant un œil, elle vit Toby grimper sur le pont. Il s'approcha de la rambarde et se pencha. Il tenait un carnet à dessins, mais il ne l'avait pas ouvert. Il ne semblait pas l'avoir remarquée et concentrait toute son attention sur le fleuve, où une felouque voguait gracieusement.

Anna demeura immobile. Elle n'avait pas sorti le journal de Louisa. Difficile de rester éveillé par cette chaleur. Elle avait les paupières lourdes. Elle sentit que Toby posait un pied sur la rampe du bas. Puis il se mit à dessiner.

Bientôt, le *White Egret* quitterait Kôm Ombo pour Assouan. Dès qu'ils seraient en mouvement, la brise viendrait les rafraîchir. Anna s'étira et bâilla.

Elle se réveilla en sursaut quand les machines se mirent à rugir dans les entrailles du bateau.

– Nous partons, déclara Toby, qui n'avait pas bougé.

Il ne se retourna pas, mais elle supposa qu'il s'adressait à elle, car il n'y avait personne d'autre aux alentours. Ses coups de crayon étaient vifs et fluides. Il était en train de dessiner un homme en turban qui ramait à bord d'une embarcation chargée de bersim, du fourrage pour les animaux. Anna se leva et le rejoignit.

– Vous êtes doué.

Elle avait jeté un coup d'œil sur la page remplie d'esquisses. Il en avait fait plusieurs du bateau, et une autre des rames, qui ne ressemblaient en rien à celles utilisées en Angleterre – le bout étroit dans l'eau, la partie élargie dans les mains du rameur.

– Merci.

Il continua encore quelques secondes.

– Voici l'île où les crocodiles prenaient le soleil. Les sujets de Sobek..., ajouta-t-il en indiquant une dune, au loin.

– J'aurais aimé en apercevoir quelques-uns, avoua Anna en offrant son visage au vent.

– Il n'y en a plus. Ils ont disparu après la construction du barrage d'Assouan.

Il acheva son œuvre et ferma son carnet, puis se tourna vers elle.

– Est-ce que votre voyage vous plaît ?

– Enormément.

– Quand me montrerez-vous le journal ?

Il ne la regardait pas : il avait les yeux fixés sur le cahier en cuir usé qui dépassait de son sac. Elle ne savait pas pourquoi, mais elle hésitait à le lui sortir. Mais Toby se dirigeait déjà vers le siège. Il saisit le journal et l'ouvrit.

– Les esquisses sont peu nombreuses, déclara-t-elle d'un ton vaguement accusateur.

– En effet.

L'intérêt qu'il portait à son bien l'agaçait, et elle était indignée qu'il s'en soit emparé sans sa permission.

– Je regrette, mais je ne peux pas vous le prêter. Je suis en train de le lire.

– Et vous n'avez aucune confiance en moi, compléta-t-il en plissant les yeux.

– Je n'ai confiance en personne, répliqua-t-elle aussi calmement que possible. C'est un document personnel qui appartient à ma famille.

– Il a certainement une grande valeur.

Toby feuilletait les pages avec avidité. Il marqua une pause lorsqu'il tomba sur une minuscule aquarelle et inclina le livre pour l'examiner de près.

– Elle avait du talent. Quelle délicatesse ! Quel œil ! Et son sens de la couleur ! Regardez, elle n'hésite jamais. Vous ne devriez pas mettre ça au soleil, vous savez. Ce n'est pas un livre de poche qu'on peut trimbaler partout. C'est un véritable trésor !

– C'est vous qui l'avez mis au soleil, gronda-t-elle, les joues écarlates. Auriez-vous l'amabilité de me le rendre, s'il vous plaît ?

L'espace d'un éclair, elle crut qu'il allait refuser. Il fixait le dessin comme s'il voulait l'imprégner dans sa mémoire. Il le lui rendit à contrecœur.

— Excusez-moi, je ne cherchais pas à vous irriter. Me croirez-vous si je vous affirme que la valeur de cet objet ne m'intéresse pas ? Ce sont les esquisses qui me fascinent. Elles sont uniques. Jamais je ne parviendrai, comme elle, à rendre à ce point l'atmosphère.

L'espace d'un instant, Anna devina l'angoisse et la frustration qu'il dissimulait derrière ses grands airs. Il ouvrit la bouche comme s'il s'apprêtait à parler, puis se ravisa et disparut.

Anna n'eut guère le loisir de s'attarder sur l'événement. Quelques secondes plus tard, ce fut Andy qui surgit. Elle s'empressa de fourrer le journal dans son sac.

— Vous discutiez avec Toby Hayward ? s'enquit-il, d'un ton nonchalant.

— En effet.

— Mais vous n'en aviez pas vraiment envie.

— Pas spécialement, non. J'espérais me reposer en paix.

— Alors vous m'envoyez balader, moi aussi ?

Elle poussa un soupir. Elle appréciait la compagnie d'Andy, elle ne pouvait le nier, mais là, tout de suite, elle aurait préféré être seule.

— Ne le prenez pas mal, Andy, mais la matinée m'a fatiguée.

Elle crut qu'il allait s'en aller, mais il changea d'avis. Il s'arrêta et se retourna vers elle.

— Il vous a posé des questions au sujet du journal ?

— Oui.

Décidément, il commençait à l'agacer sérieusement. Quand donc cesseraient tous ces interrogatoires ? D'abord Toby, ensuite Andy.

— Pardonnez-moi, mais je crois que je vais rentrer. Il fait terriblement chaud, et je voudrais dormir un moment avant le dîner.

Sur ce, elle le planta là.

La cabine, dont elle avait abaissé les jalousies pour conserver une relative fraîcheur, était dans la pénombre. Soudain, un haut-le-cœur la saisit. Une odeur capiteuse, semblable à celle qui s'était échappée de la poussière retrouvée dans sa valise, emplissait l'air. Elle se précipita en toussotant vers la fenêtre et l'ouvrit en grand. La lumière du soleil inonda la pièce minuscule. Anna fit volte-face, l'œil aux aguets. Puis son regard tomba sur un saupoudrage de fragments bruns et résineux, près du cabinet de toilette. Elle frissonna.

A l'intérieur, sa trousse gisait dans le lavabo, son contenu répandu sur le sol. La fiole n'était plus dans le sac en plastique. Avec un cri de désarroi, elle s'accroupit pour ramasser ses affaires, puis inspecta le carrelage. Le flacon n'avait pu rouler sous un meuble, puisqu'il n'y en avait pas. Elle passa dans la cabine et vida sa trousse sur le lit. Elle avait la chair de poule. Elle s'empara d'un chandail et l'enfila, puis se concentra sur sa collection de rouges à lèvres, de fards à paupières et de produits démaquillants. Curieusement, elle se demanda pourquoi elle avait emporté tout ça : elle ne s'en était pratiquement pas servie depuis son arrivée. Mais l'objet qu'elle cherchait, le seul qui comptait, demeurait invisible.

Elle s'assit, sa main effleurant les cosmétiques comme pour s'assurer qu'ils ne bougeraient pas de là.

Paupières closes, elle reprit sa respiration, puis se releva et regagna le cabinet de toilette. Les fragments n'étaient pas poudreux comme les précédents. Ils étaient gluants. Elle contempla ses doigts avec un frémissement d'horreur. Elle n'arrivait pas à s'en débarrasser. Le produit lui collait à la peau, imbibant ses mains d'un parfum de cèdre, de myrrhe et de cannelle. Elle se redressa vivement et se rua vers le lavabo, où elle les frotta vigoureusement avec du savon. Quand elle eut terminé, elle saisit sa clé et se jeta sur la porte. Une fois dans la coursive, elle se mit à courir à toutes jambes.

Il y avait six cabines à l'étage du restaurant, trois de part et d'autre d'un couloir semblable au sien. Toutes étaient numérotées, toutes étaient fermées. Laquelle était celle de Serena ? Anna stoppa, paniquée. Serena lui avait-elle indiqué la sienne ? Elle ne s'en souvenait plus.

Tout à coup, l'une des portes s'ouvrit et Toby fut devant elle. Elle s'arma d'un sourire.

– Ah ! Enfin un visage connu, bredouilla-t-elle. Savez-vous quelle est la cabine de Serena ?

Il haussa les épaules.

– Navré. Il me semble qu'elle est au bout, mais je ne sais pas où.

Sur ces mots, il tourna la clé dans sa serrure, la gratifia d'un signe de tête et se dirigea vers l'escalier.

Anna le regarda s'éloigner, consciente qu'il lui en voulait de son attitude précédente et qu'elle aurait sans doute à faire le premier pas. Elle poursuivit son chemin, s'arrêta en percevant le murmure d'une voix féminine. Elle frappa. Ce fut Charley qui apparut.

– Tiens ! Tiens ! railla-t-elle en la dévisageant d'un regard méprisant. A quoi devons-nous ce plaisir ?

– Serena est-elle avec vous ?

Charley s'effaça et alla se planter devant la coiffeuse, laissant Anna sur le seuil.

– C'est pour toi ! lança-t-elle.

Serena émergea du cabinet de toilette, enveloppée dans un drap de bain. Ses cheveux étaient mouillés, et des gouttes d'eau étincelaient sur ses épaules.

– Désolée, j'étais sous la douche. Qu'y a-t-il, Anna ?

– Il s'est passé quelque chose. J'avais besoin d'en parler à quelqu'un...

Charley se tourna vers elle, intriguée.

– Quelqu'un comme le petit ami d'une autre, par exemple ?

– Charley ! protesta Serena d'un ton sec. Ne sois pas stupide... Accordez-moi cinq minutes, Anna, je vous rejoins au salon.

Anna acquiesça et tourna les talons.

Le salon était désert. Il s'ouvrait sur une terrasse ombragée équipée de tables et de chaises. Il devait y faire bon. Le pasteur et sa femme buvaient des cocktails de jus de fruits. Non loin d'eux se trouvait un couple qui venait d'Aberdeen. Ben était dans un coin, apparemment endormi. Toby s'était installé près de la porte avec une bière et son carnet à dessins. Il travaillait, le dos tourné à la jeune femme.

Elle l'observa un moment, étudia son profil lorsqu'il se pencha pour prendre son verre. D'après la direction de son regard, il était sûrement en train de reproduire le gracieux minaret qu'elle apercevait au-delà des palmiers sur la rive opposée.

Un énorme bateau de touristes passa. La musique était si forte qu'elle noyait le bruit des machines. A en juger par le nombre de ces bateaux « musicaux », une vaste proportion des gens qui visitaient l'Egypte devait être allergique au silence. Un flot de ressentiment l'envahit.

– Pourquoi ne pas vous joindre à moi ?

Toby avait posé son crayon et se balançait dans son siège. Elle s'approcha sans enthousiasme.

– Merci.

Il fit mine de se lever.

– Une bière ?

Probablement était-ce un geste de paix.

– Non, c'est gentil, je veux juste prendre un peu l'air.

– Ils sont bruyants, n'est-ce pas ? murmura-t-il, comme s'il avait déchiffré ses pensées.

– Terriblement.

– C'est leur façon à eux de s'amuser. Nous n'avons pas à en juger, je suppose. Les oiseaux, eux, les ignorent. Voyez ces aigrettes, dans les arbres au bord de l'eau. Elles restent là, sans bouger, impassibles.

– Elles sont habituées. Il passe des centaines de bateaux par jour, dont les passagers ne descendent jamais. Du moins, pas ici.

Anna prit une chaise et s'assit. Comme elle l'avait deviné, il avait dessiné le minaret et les palmiers, ainsi qu'un groupe de maisons aux toits plats. Le paysage avait beaucoup changé, depuis qu'ils avaient quitté Kôm Ombo.

– Vous avez de la chance de pouvoir ramener ce genre de souvenir de votre expédition. Moi, je dois me contenter de mon appareil photo.

– Vous n'êtes donc pas douée pour la photographie ?

Elle eut un sursaut de colère.

– Qu'est-ce qui vous pousse à le croire ?

– Rien. Votre ton. Ce pays est particulièrement photogénique. Il faut vraiment être maladroit pour rater ses clichés dans ce pays.

– Que vous êtes présomptueux ! explosa-t-elle.

– Vous trouvez ? Excusez-moi... Je vois que vous ne traînez plus tous vos trésors avec vous, ajouta-t-il en haussant un sourcil.

94

— Mes trésors ? Vous faites allusion au journal ?

— Où qu'elles aillent, les femmes sont toujours affublées de sacs énormes.

— Contrairement aux hommes, nous ne disposons pas de poches volumineuses, riposta-t-elle.

— Non, concéda-t-il.

— Anna ? Pardonnez-moi, je ne voulais pas vous déranger, dit Serena, qui venait d'arriver.

— Pas du tout ! répliqua Anna en se levant précipitamment. Je vous laisse à votre créativité, lança-t-elle à Toby avec une pointe d'ironie.

Les deux jeunes femmes montèrent sur le pont supérieur et s'accoudèrent sur la rambarde. Après un silence, Serena prit la parole.

— Alors, dites-moi… Qu'est-ce qui vous tracasse ?

— Pensez-vous que je sois folle ?

— Sûrement pas. A moins que Toby Hayward ne vous ait poussée à bout. Il ne vous plaît pas, semble-t-il.

Anna réfléchit longuement.

— Il est trop acerbe. Je n'ai pas envie de gâcher mes vacances en querelles. Il est d'une prétention !… Serena, ajouta-t-elle, changeant brutalement de sujet, il y a quelque chose de bizarre dans ma cabine. C'est horrible. J'aimerais que vous veniez voir. Et la fiole a disparu.

— Vous en êtes certaine ?

— Absolument. Je l'avais laissée dans ma trousse de toilette. Je l'ai trouvée ouverte, tout le contenu répandu par terre.

— Dans ce cas, le flacon a été volé. Peut-être est-ce un membre de l'équipage ?

— Non. Je crois que c'est quelque chose… quelqu'un d'autre.

Serena scruta son regard.

— Vous savez Anna, parfois, quand on est surmené, on se laisse emporter par son imagination.

— Ce n'est pas ça. Je vous en prie, venez voir. Je ne suis pas surmenée. Je ne souffre pas d'insolation. Ce ne sont pas des hallucinations.

— D'accord, d'accord ! Je suis là, la rassura Serena en posant une main sur son bras… Expliquez-moi de façon précise ce que vous avez vu.

— Notre offrande aux dieux n'a pas marché, murmura Anna.

— Il semble que non. Mais qu'avez-vous vu ?

Anna se mordit la lèvre, haussa les épaules.

— De la poussière. De l'encens, par terre dans mon cabinet de toilette. Je ne sais pas ce que c'est, ni comment c'est arrivé là. Ils sont tout près, Serena. Le bon prêtre et le mauvais génie de Louisa. Je les sens. J'ai très peur… J'éprouve un besoin puéril de prier : Mon Dieu, faites que tout s'arrange, je vous en supplie. Chassez les méchants.

— En quoi est-ce si puéril ?

— Parce que ça ne sert à rien ! décréta Anna en allant s'asseoir sur une chaise longue. Au bout du compte, on est toujours seul. Non ?

Serena la dévisagea avec une infinie tristesse.

— Je ne le crois pas.

— C'est évident, sans quoi vous ne vous amuseriez pas à faire des offrandes à Thot et à Isis ! rétorqua Anna. Remarquez, je me suis demandé si vous n'aviez pas agi ainsi simplement pour me réconforter.

Serena secoua la tête.

— J'essaie de ne pas me livrer à des gestes inutiles, Anna. Nous nous connaissons à peine, mais je pensais que vous en aviez conscience.

— C'est vrai, acquiesça Anna. Pardonnez-moi.

— Je suis profondément convaincue que la prière, ça marche.

— Pour vous, peut-être.

Anna se leva pour regagner la rambarde. Après un nouveau passage de bateau assourdissant, le Nil retrouvait son calme. Au loin, une felouque fonçait vers la rive. Elle se rappelait avoir prié, autrefois. Prié pour que son père l'aime et approuve, ne serait-ce qu'une seule fois, ses initiatives. Prié pour que Félix soit réellement en voyage d'affaires comme il le prétendait. Prié pour que ses soupçons ne soient pas justifiés. Prié pour que sa mère ne meure pas. Aucune de ses prières n'avait été exaucée. Pas une seule.

— Peut-être avez-vous été entendue, mais la réponse, pour des raisons qui vous échappaient, était « non ». Ce qui est puéril, pour employer votre expression, c'est de s'imaginer

96

que la réponse doit forcément être « oui ». Si vous priez pour quelque chose de juste, on vous entendra. Il ne faut jamais cesser, Anna.

– Mais à qui dois-je m'adresser ?

Un héron survola le fleuve, mêlant le lent battement de ses ailes au rythme des rames d'une embarcation qui les suivait.

– Isis ? Thot ? enchaîna-t-elle. Jésus ? Je regrette, mais pour moi, ce n'est pas le moment de discuter philosophie.

– Si, au contraire. C'est révélateur. J'ai peut-être une réponse peu orthodoxe à votre question. En harmonie avec le contexte égyptien. Selon moi, ils ne sont qu'un : Isis, Thot, Jésus représentent un Dieu unique. Sollicitez celui que vous voulez, mais priez.

Elle ébaucha un sourire.

– Si mes idées se répandaient, on me jetterait probablement sur le bûcher. Il n'y a pas un intégriste, de quelque religion que ce soit, qui les accepterait. Il vaudrait sans doute mieux pour vous de ne pas m'écouter.

– C'est réconfortant, avoua Anna. Cette manière de se couvrir.

– Réfléchissez-y, Anna. Depuis la nuit des temps, l'homme a honoré ses dieux. En Europe et au Moyen-Orient, notre culture et notre éducation nous ont apporté la parole du Christ, un guérisseur, un idéaliste. Depuis deux mille ans, si certains ont cru en Jésus, d'autres ont préféré vénérer les dieux du passé ; d'autres encore révèrent les divinités de lointaines contrées.

– Vous avez probablement raison. Les fondamentalistes auraient du mal à accepter votre discours. Cela étant, le fait est que nous avons offert du vin à des dieux vieux de plus de deux mille ans, dans l'espoir qu'ils nous protègent d'un mauvais esprit. Ils nous ont ignorées. Que dois-je faire maintenant ?

– D'accord. Descendons dans votre cabine.

L'étrange substance s'était volatilisée, ainsi que l'odeur.

Elles ne mirent pas longtemps à fouiller la cabine et le cabinet de toilette. Elles regardèrent partout, puis s'assirent, Anna sur le lit et Serena sur le tabouret de la coiffeuse.

– Vous allez m'accuser d'avoir cédé à mon imagination.

– Non, Anna. Je vous crois.

– L'odeur est partie.

– Je vous crois toujours.

– Quelqu'un a pris la fiole. Vous savez, au fond, j'en suis presque soulagée.

– Mais pas entièrement.

– Je l'avais avec moi depuis longtemps. J'y tenais. Et je ne suis pas convaincue qu'un fantôme, fût-il rusé et égyptien, soit venu ici me la prendre.

– Pourquoi vous l'aurait-on volée ?

– C'est une pièce de musée.

Elles échangèrent un regard, puis Serena secoua la tête vigoureusement.

– Non, non. Pas Andy. Impossible. Il a dit que c'était un faux. Qui d'autre est au courant ?

– Personne.

Toby l'avait-il aperçue dans son sac ? Elle fronça les sourcils. C'était possible, mais de là à s'en emparer, non.

– Vous pensez à quelqu'un ?

– Non, non. En revanche, le journal de Louisa a de la valeur. Andy et Toby m'ont tous deux mise en garde, mais qui voudrait du flacon ?

Le gong résonna des profondeurs du bateau.

– C'est l'heure du dîner, dit Serena.

– Devons-nous en parler ? Demander si quelqu'un l'a trouvée ?

Serena grimaça.

– A mon avis, non. Mieux vaut se taire pour l'instant.

Anna ne dit rien. Le repas se déroula dans une ambiance bruyante et joyeuse. Omar devait leur montrer ensuite un film dans le salon-bar. Petit à petit, les passagers s'y rendirent pour boire le café ou le digestif en écoutant la conférence du soir.

Anna resta où elle était. Ben s'arrêta sur son passage.

– Vous venez, ma chère Anna ?

– A vrai dire, je suis épuisée.

– Très bien.

Il lui sourit et rejoignit Andy et Charley. Celle-ci lança un coup d'œil triomphant à Anna avant de quitter le restaurant.

Elle était maintenant seule. Ali et Ibrahim débarrassaient les couverts. Lorsqu'ils eurent terminé, Ibrahim s'approcha d'elle.

Vous êtes triste, mademoiselle ? Voulez-vous une bière ? Ou un café ? Je peux aller vous en chercher.

Il avait un visage doux, marqué de rides profondes, et un regard empli de bonté.

– Avec plaisir, Ibrahim. Merci. Je boirais volontiers un café.

Ali avait achevé son travail. L'air satisfait, il éteignit toutes les lampes sauf celle de la table d'Anna.

– Je suis désolée, je vous encombre en m'attardant ici.

Mais Ali avait déjà disparu dans les cuisines. Ce fut Ibrahim qui lui répondit en revenant avec son café.

– Ce n'est pas un problème, mademoiselle. Restez autant que vous voudrez.

Il s'inclina, ouvrit la bouche comme s'il allait parler puis, se ravisant, tourna les talons et partit.

L'atmosphère était étrange, dans la salle à manger vide, à peine éclairée. Seul, le ronronnement des machines troublait le silence. Anna but son café, songeuse, partagée entre l'envie de regagner sa cabine pour continuer sa lecture du journal de Louisa, et celle de rester ici, où elle ne craignait rien.

Elle s'attarda un long moment devant sa tasse vide, le menton en appui sur ses mains. Perdue dans ses pensées, elle n'entendit pas le faible grincement de la porte qui s'ouvrait.

– Aha ! C'est donc là que vous vous cachez ! s'exclama Andy. J'espère que ce n'est pas moi que vous fuyez.

Il s'approcha, deux verres dans les mains. Anna leva la tête et lui adressa un sourire las. Elle ne put s'empêcher de jeter un coup d'œil derrière lui pour vérifier que Charley ne l'avait pas suivi.

– Comme si c'était possible ! répliqua-t-elle.

Il s'installa en face d'elle.

– Tenez. Un petit digestif.

– Merci.

– Puis-je savoir ce qui vous tracasse ?

Comme toujours, en sa présence, elle se détendit immédiatement.

– J'ai perdu ma fiole. D'après vous, elle n'a aucune valeur, mais j'y tenais énormément.

– L'auriez-vous fait tomber quelque part ? A Kôm Ombo, par exemple, quand vous exploriez les ruines ?

99

— Non. On l'a prise dans ma cabine.

— Volée ? Vous avez dû l'égarer. Oublier où vous l'aviez rangée.

— J'aimerais que ce soit le cas, mais je l'ai cherchée partout en vain. Serena était là avec moi.

— Avez-vous signalé l'incident à Omar ?

Elle fit signe que non. Comment pouvait-elle lui dire que lui, Andy, était le premier suspect sur sa liste ?

— Je préfère vérifier une fois de plus avant d'en parler. Ce n'est pas la peine de semer la zizanie à bord.

— A votre place, je m'interrogerais sur ce type, Hayward. Il semble s'intéresser particulièrement au journal, et on ne sait rien de lui.

— Ça ne l'intéresse pas plus que vous, Andy, riposta-t-elle. Non, il est fasciné par les dessins de Louisa. Il est assez arrogant, je vous l'accorde, mais il n'est pas malhonnête.

Elle consulta sa montre et soupira.

— Moi qui voulais me coucher tôt... Le film est terminé ?

Il acquiesça.

— On nous a expliqué comment être un bon musulman dans l'Egypte moderne. Personnellement, quitte à me cultiver, j'aime autant connaître l'histoire ancienne du pays.

Anna gloussa.

— Je n'ai assisté à aucune des conférences. Elles ne sont pas obligatoires.

— Elles le deviennent si l'on se rend au bar, répondit-il en croisant les bras. Alors, que pensez-vous de cette croisière ? Je vous sens assez tendue.

Elle marqua une pause.

— Vous n'avez pas tort. J'ai emporté trop de bagages. Pas seulement Louisa Shelley, son journal et sa fiole, mais mon divorce et mes propres soucis concernant mon avenir... Andy, puis-je vous poser une question ?

Elle hésita. Elle voulait savoir s'il était tombé sur les œuvres de Louisa dans le cadre de son métier, s'il avait rencontré Félix, si celui-ci avait cherché à en vendre. En effet, à plusieurs reprises, certains tableaux avaient disparu de la maison pendant une ou deux semaines. Félix avait beau lui assurer qu'il les faisait nettoyer, elle était convaincue qu'il les avait soumis à évaluation. Peut-être même, lorsqu'il avait rencontré des difficultés dans ses affaires, avait-il envisagé d'en vendre un ou deux. Aujourd'hui, ça n'avait plus aucune importance. Il était parti en lui laissant pratiquement tout. Cependant, Anna cherchait encore à comprendre comment elle avait pu être à ce point dupe de son mari. Elle se demandait comment formuler sa requête, quand Charley fit irruption dans la pièce.

— Ah, te voilà, toi ! Pourquoi ne suis-je pas étonnée de te découvrir en compagnie d'Anna ? Dis-moi, Andy, est-ce fini entre nous ?

Anna intervint.

— Je n'y suis pour rien...

— Bien sûr que si ! coupa Charley.

— Non, Charley, protesta Andy en se levant. J'en ai eu assez de tes gémissements bien avant ce voyage. Et depuis que nous sommes montés à bord, tu es d'une humeur massacrante. Je ne sais pas ce qui te prend. Je suis navré, je ne veux pas te faire de la peine, mais je n'ai guère le choix. Tu es à la recherche d'un certain style de vie, Charley. Auprès d'un homme qui te donnera de l'argent, une maison, une jolie bague et des vêtements de couturier. Ce n'est pas moi. Il est temps que tu te prennes en charge, ou alors, trouve-toi une autre victime. Quant à Anna, fiche-lui la paix. Elle a raison. Elle n'y est pour rien. Nous buvions un verre en bavardant. C'est tout. Ni plus, ni moins... Ecoute, ce bateau est petit, évitons de gâcher le plaisir des autres passagers. Personne n'a besoin d'être au courant. Je sais qu'Anna sera discrète. Soyons amis. Quand nous serons à Assouan, demain, tâchons simplement de profiter de notre journée. D'accord ?

Il lui tendit la main.

— Amis ? persifla-t-elle. Oh, non. Sais-tu ce que tu es, Andy ? Un crétin égoïste et prétentieux. Tu es prêt à tout pour mettre tes sales pattes sur le journal de Louisa Shelley. Je te connais comme ma poche. Quand tu auras obtenu ce que tu veux, tu laisseras tomber Anna comme une vieille chaussette. Vous vous valez bien, tous les deux !

Cette dernière remarque fut crachée à la figure d'Anna, avant que Charley ne reparte au pas de charge en claquant la porte derrière elle.

101

Anna dévisagea Andy, ébahie. Il soupira.

— Je suis désolé. J'aurais voulu éviter ça, mais... Cette femme est stupide. Ne prêtez aucune attention à ses paroles. Avec un peu de chance, l'abcès étant crevé, elle se calmera.

— Je commence à croire que cette croisière est maudite, murmura Anna.

— Quoi, parce que nous avons visité la tombe de Toutankhamon ? Non... Allez, souriez ! J'ai encore un peu de ce délicieux breuvage dans ma cabine. Si nous remplissions nos...

Il s'apprêtait à ramasser le verre d'Anna, quand un cri perçant leur parvint de la coursive. Choqués, ils restèrent figés un bref instant, puis se ruèrent hors du restaurant.

Un petit groupe se rassemblait déjà devant la porte ouverte d'une cabine au bout du couloir. C'était celle de Charley.

— Qu'est-ce que c'est ? Que s'est-il passé ? Où est Serena ? aboya Andy en se frayant un chemin parmi les curieux.

Charley se tenait au milieu de la cabine, le visage ruisselant de larmes.

— Un serpent ! Là-dedans ! précisa-t-elle en désignant l'un des tiroirs de la coiffeuse, renversé par terre. Il était là, il me guettait !

Elle se mit à trembler violemment.

— Est-ce qu'il vous a mordue, Charley ? s'enquit Ben, en se précipitant vers elle avec une mallette de secourisme.

Omar surgit derrière lui, l'air effaré. Secouée de sanglots, Charley frisait la crise d'hystérie.

— Je vous en prie, mademoiselle, taisez-vous, que nous puissions nous entendre. Dites-nous ce qui vous est arrivé. Etes-vous blessée ?

— Un serpent ! répéta-t-elle. Il était enroulé dans ce tiroir.

Omar blêmit.

— Il vous a mordue ?

Elle secoua la tête. Le soulagement d'Omar fut visible.

— Je ne vois pas comment c'est possible, marmonna-t-il en reculant d'un pas. Comment un serpent a-t-il pu parvenir jusqu'ici ?

Serena apparut sur le seuil.

— Qu'y a-t-il ?

– Où étais-tu ? hurla Charley en fondant de nouveau en larmes.

– Sur le pont, j'admirais les étoiles... Qu'est-ce que tu as, Charley ?

– Il y avait un serpent dans ce tiroir, déclara Omar. C'est très étrange. Je ne comprends pas...

– Si nous nous posions plutôt la question de savoir où il est passé ? suggéra Ben.

Derrière eux, la foule s'était dispersée, les uns et les autres regagnant nerveusement leurs propres cabines. La coursive était bien éclairée. Le serpent n'avait nulle part où se cacher.

– Il doit être encore là, sinon nous l'aurions vu passer, dit Andy. Nous allons vérifier sous le lit, dans les placards, partout. Serena, si tu emmenais Charley au bar pendant qu'Omar, Ben et moi inspectons les lieux ?

– Nous ne le trouverons pas, décréta Omar. Les serpents savent se rendre invisibles. Je vais chercher Ibrahim. Il est chasseur de serpents. Quand il les appelle, ils viennent à lui.

Ben haussa un sourcil dubitatif.

– Il les appelle ?

– Son père et son grand-père le faisaient avant lui. Ils ont un pouvoir sur les serpents. S'il y en a un ici, Ibrahim le sentira. Il l'attrapera et l'emportera.

– Vous plaisantez ! s'exclama Ben. Autrement dit, c'est un charmeur de serpents ?

– Pas comme ceux des bazars : ceux-là n'ont plus de venin. Ibrahim ne leur fait aucun mal, et réciproquement. Je vais le chercher tout de suite.

Il sortit avec Charley et Serena. Celle-ci adressa un sourire à Anna en passant.

– Nous discuterons demain. Ça va ?

Anna opina. Il ne restait plus qu'elle, Ben et Andy. Elle aurait dû s'en aller, elle aussi, mais quelque chose la retenait à la porte. Elle s'avança d'un pas.

– Attention, Anna. Ce pourrait être un cobra, prévint Ben. Ils sont encore nombreux dans les champs qui bordent le Nil.

Mais le regard d'Anna était tombé sur le tiroir. A travers les sous-vêtements en dentelle – sans doute ceux de Charley –, elle avait aperçu un collier et, niché en son milieu...

— Ma fiole ! s'écria-t-elle. C'est le flacon qu'on m'avait volé !

Andy eut l'air dubitatif.

— Vous en avez parlé à Serena. Peut-être qu'elle...

— Non ! Non, Andy. C'est Charley. Vous le savez aussi bien que moi.

Elle était indignée, mais cette fois, elle savait que ce n'était pas un fantôme qui avait pénétré dans sa cabine. Omar reparut derrière eux, suivi d'Ibrahim, équipé d'un panier à couvercle.

— S'il vous plaît, sortez.

Se rassemblant sur le seuil, ils laissèrent Ibrahim agir à sa guise. Il resta immobile plusieurs secondes, la tête inclinée. Il se tourna lentement, à l'écoute. Ses narines frémissaient. Il s'approcha de la fenêtre, l'effleura d'une main. Elle était fermée. Il revint sur ses pas, de plus en plus perplexe. Enfin, il secoua la tête.

— Il n'y a pas de serpent ici.

— En es-tu sûr ? insista Omar.

— Ibrahim est sûr. Mais il y a quelque chose d'étrange ici. En tout cas, s'il y a eu un serpent, il devait être minuscule. Le cobra peut mesurer deux mètres de long.

Il s'accroupit, plongea la main dans le tiroir, la retira aussitôt avec un air de dégoût. Il se redressa et regarda Anna dans les yeux.

— Mademoiselle possède un objet... un objet sur lequel veille le roi des serpents... Il a peur que vous ne donniez cet objet à un homme.

Les doigts d'Anna se resserrèrent autour du minuscule flacon. Un flot de panique l'envahit.

— Je ne comprends pas.

— Il est parti, à présent. Vous n'avez plus rien à craindre de lui, mais je sens une ombre... Il est fâché, et c'est mauvais signe.

— Nous ne pouvons pas garder un serpent à bord, Ibrahim. Nous devrons appeler quelqu'un à Assouan, dit Omar avant de se lancer dans une brève tirade en arabe.

Ibrahim s'assombrit.

— Vous n'avez pas confiance en moi ?

104

– Bien sûr que si ! Mais le représentant de l'agence doit passer lors de l'escale d'Assouan et...

Il haussa les épaules.

– Tout ira bien, *Inch'Allah* ! conclut Ibrahim. Vous pouvez aller vous coucher. Le roi-serpent n'est plus là.

– Vous en êtes certain ? demanda Andy.

– Je vous le dis.

Refusant l'assistance de Ben et d'Andy, Anna remonta en direction du bureau de réception. Serena et Charley étaient assises sur un divan dans le salon-bar, serrées l'une contre l'autre dans la lumière diffuse. On leur avait apporté du thé. Anna se dirigea vers elles.

– Tout va bien. Il est parti.

– Ils l'ont tué ? hoqueta Charley, les joues maculées de mascara.

– Non, il a disparu. Ibrahim s'y connaît en la matière. Il est certain qu'il n'y a plus rien à craindre.

Elle s'installa en face des deux jeunes femmes.

– Dites-moi, Charley, comment ma fiole est-elle parvenue dans votre tiroir ?

Serena se raidit, stupéfaite. Charley contempla ses mains.

– C'était une blague. Je n'avais pas l'intention de la garder.

– Ah, non ? Saviez-vous qu'elle a une grande valeur ?

– C'est faux. D'après Andy, c'est de la pacotille. Je le répète, je vous l'aurais rendue.

– Comment êtes-vous entrée chez moi ?

– La porte était grande ouverte. Le flacon était sur votre lit, recouvert d'une espèce de poussière collante. Je me suis dit « pourquoi pas ? ».

– Sur mon lit ?

– Oui. Je n'ai pas fouillé dans vos affaires.

Anna n'en revenait pas. Elle savait qu'elle avait laissé le flacon enveloppé dans son foulard rouge, au fond du sachet à pellicules, dans sa trousse de toilette.

– Que veniez-vous faire dans ma cabine ?

– Je voulais vous parler. Vous dire de laisser Andy tranquille. Ecoutez, je suis désolée. Je n'aurais pas dû la prendre. Mais il n'y a pas de mal. Elle est intacte... Je vais me coucher. Tu viens, Serena ?

— Dans un instant.

— Mais j'ai peur d'y aller toute seule.

— Vous n'avez plus rien à craindre, assura Anna. Dites-moi, comment était-il, précisément ?

— Comme tous les serpents. Long. Brun. Plein d'écailles.

— Etait-ce un cobra ?

— Je suppose que oui. Il s'est dressé en dardant la langue.

Charley eut un frémissement d'horreur rétrospective. Après une légère hésitation, elle les abandonna.

— Ibrahim est une sorte de charmeur de serpents, expliqua Anna à Serena. Il a dit que c'était le roi-serpent sans même l'avoir vu, et qu'il veillait sur un objet m'appartenant... Et s'il revenait ?

— Qu'a-t-il dit d'autre ?

— Qu'il n'y avait plus de danger, mais qu'il sentait une ombre. Et que le serpent était fâché.

Serena ferma les yeux.

— Tout cela me dépasse.

— Dès demain, je mettrai la fiole au coffre, mais en attendant, je n'ose pas la rapporter dans ma cabine.

— Le cobra est un symbole puissant de l'Egypte ancienne.

— Pensez-vous qu'il ait réellement été là ?

— Charley en semble persuadée. Quoi qu'il en soit, Anna, méfiez-vous. Mon Dieu, que je suis perturbée ! Il est tard, nous devrions dormir. Si vous me permettez un conseil, cachez donc ce flacon, sur le pont supérieur, par exemple. Jusqu'à ce que vous puissiez le mettre au coffre. Ne le gardez pas avec vous.

Anna ne discuta pas. Elles montèrent aussitôt à l'étage.

— On pourrait l'enfoncer dans le terreau d'une de ces plantes, chuchota Anna.

— Vite. Je crois que nous approchons d'Assouan, répondit Serena en remarquant les nombreuses illuminations sur la rive. Il paraît que le port est si encombré qu'on doit s'amarrer coque contre coque. Tenez ! ajouta-t-elle en s'emparant d'un peigne qui traînait sur une table. Servez-vous de ça pour creuser un trou.

– J'espère que personne n'aura l'idée saugrenue de voler cette plante.

Le *White Egret* avait ralenti son allure. La ville était encore assez loin.

– C'est superbe, fit remarquer Serena. J'ai l'impression que nous allons jeter l'ancre ici pour la nuit. Il fait trop sombre pour pénétrer dans le port. Vous n'avez pas trop peur, Anna ? Ça va aller ?

– Ne vous inquiétez pas pour moi. Bonne nuit.

Cependant, devant sa cabine, Anna marqua une hésitation. La porte était entrouverte, les lumières allumées. Elle fouilla de fond en comble trois fois de suite avant de se décider à s'enfermer. Elle prit une longue douche, puis se coucha.

Un tout petit bruit en provenance du cabinet de toilette suffit à la faire sursauter. Elle se releva, l'inspecta de nouveau, serra le robinet, retourna dans son lit.

Dans le noir, elle sentait une odeur capiteuse. D'où cette mystérieuse substance provenait-elle ? Elle ralluma et s'empara du journal. Elle n'avait plus aucune envie de dormir.

V

Salut, ô dieu à la tête de lion !
Puisse mon cœur ne pas être arraché de mes entrailles !

*T*ROIS *cents ans ont passé. Dans le désert lumineux, la façade argent de la roche prend une couleur de velours sombre, là où le clair de lune ne l'atteint pas. Trois ombres gravissent la falaise. Les sandales ne font aucun bruit, aussi le choc du pic de métal dans la roche résonne-t-il dans le silence.*

Les hommes travaillent sans parler, rapidement, avec la certitude d'avoir enfin trouvé ce qu'ils cherchaient depuis si longtemps. Ils ont guetté les signes, pris leurs repères à la lumière du jour. Mais le viol du site doit se faire vite et en secret, à l'abri du regard des gardiens du pharaon qui poursuivent les pilleurs de tombes depuis des millénaires.

Le son du pic sur le rocher change. Les trois hommes s'arrêtent, retiennent leur souffle, tendent l'oreille. Puis, prudemment, ils se rapprochent, les mains tendues devant eux pour tâter les gravats tombés devant l'entrée.

LES LARMES D'ISIS

D'après la légende, des milliers d'années auparavant, le pharaon a ordonné que cette tombe soit murée après le meurtre d'un grand prêtre.

★

★ ★

Dès le premier jour de leur escale à Assouan, Louisa abandonna les Forrester à la compagnie des passagers d'une autre embarcation. Elle avait prétexté une forte migraine due à l'intense chaleur et les avait convaincus, sans grande difficulté, de la laisser partir avec Hassan visiter l'île d'Eléphantine.

Poussant la petite barque sur l'étroite plage de sable, il aida Louisa à en descendre. Emerveillée, elle contempla les arbres et les fleurs, hibiscus, poinsettias, bougainvillées, mimosas et acacias. Après les collines arides précédant Assouan, c'était un véritable paradis.

Sans le moindre scrupule, elle prit des mains du drogman le sac contenant une ample robe verte et des babouches, puis se dissimula derrière des buissons pour se changer. Tous deux étaient désormais habitués à ce rituel. A l'abri des regards indiscrets, elle se débarrassait de ses jupons, de ses bas et de son corset, pour savourer un instant la caresse de la brise sur sa peau. Ensuite, elle enfilait la robe, légère comme une plume, et rejoignait Hassan qui en avait profité pour dérouler le tapis et installer son matériel de peinture, ainsi que leur pique-nique.

Ce jour-là, elle traîna plus longtemps que de coutume. Seuls, les cris des oiseaux et le clapotis de l'eau sur la rive troublaient le silence. Les villages nubiens étaient rassemblés plus au nord, lui avait expliqué Hassan, et les bateaux passaient rarement par là.

Le soleil était déjà haut. En se redressant, elle apercevait le fleuve et l'*Ibis*, ancré à une certaine distance. Elle sourit en dénouant ses cheveux. Quel bonheur de se sentir aussi libre.

– Sitt Louisa, il y a des gens qui arrivent ! annonça soudain Hassan, visiblement très agité.

109

Elle poussa une exclamation de désarroi et se rhabilla prestement. Ramassant les vêtements rejetés en toute hâte, elle émergea du bosquet, hors d'haleine.

Hassan les lui prit aussitôt et lui donna un crayon. Il se pencha pour sortir quelque chose du panier.

— Tenez, sitt Louisa, couvrez votre tête.

Après une hésitation imperceptible, il déplia lui-même le carré de satin et le drapa sur elle.

Quand le groupe surgit sur le chemin en bavardant gaiement, Hassan avait repris son rôle de serviteur respectueux déballant la nourriture au bord du tapis, et Louisa était à peu près présentable. Elle s'empressa de cacher ses pieds nus sous ses jupons.

Les visiteurs étaient des Anglais du Hampshire. Ils profitaient de leur dernière journée à Assouan, avant d'entreprendre le long voyage du retour jusqu'à Alexandrie. Pendant un moment atroce, elle crut qu'ils allaient s'incruster, mais après s'être arrêtés pour reprendre leur respiration et échanger quelques mots, ils s'étaient retirés.

Louisa laissa tomber son crayon et rejeta la tête en arrière. Le voile glissa de ses cheveux.

— Si vous ne m'aviez pas prévenue à temps, ils m'auraient surprise en tenue d'Eve !

Hassan baissa les yeux.

— Je suis sûr que vous n'auriez rien eu à vous reprocher, sitt Louisa.

Elle sourit.

— En tout cas, je n'avais rien entendu.

Il rencontra son regard.

— Vous paraissez heureuse, parmi toutes ces fleurs.

— Je le suis, avoua-t-elle en s'appuyant sur ses coudes, le visage offert au ciel. Cet endroit est superbe, Hassan.

Une huppe allait et venait d'un arbre à l'autre, son joli plumage rose et noir contrastant avec le vert luxuriant des feuillages.

— La huppe est un oiseau qui porte chance, déclara Hassan en s'adossant contre le tronc d'un acacia. Pourriez-vous en dessiner une pour moi ?

Elle se redressa, stupéfaite.

– Vous le voulez vraiment ?

Il acquiesça.

– Dans ce cas, avec plaisir !

Une fois de plus, ils se dévisagèrent. Cette fois, Hassan ne se détourna pas, et Louisa éprouva un sentiment étrange, qui lui coupa le souffle.

Elle se maîtrisa. Il ne fallait pas. Elle ne devait pas se laisser aller. Elle devait mettre un terme à cette histoire tant que c'était encore possible. Mais elle était hypnotisée.

Ce fut Hassan qui brisa le charme. D'un mouvement preste, il se leva et alla se planter au bord de l'eau, les poings serrés. Lorsqu'il se retourna, il s'était calmé.

– Avec votre permission, je vais servir le repas.

Incapable de s'exprimer à haute voix, elle hocha la tête.

Elle mangea à peine, les yeux sur le Nil où se croisaient les felouques. Perdue dans ses pensées, elle ne se rendit pas compte que l'heure passait.

– Sitt Louisa ? Puis-je ranger ? Les mouches...

Elle opina, et il s'inclina. Silencieusement, il remplit le panier. Quand il eut terminé, il disparut un moment dans les arbres. A son retour, il brandissait une botte de fleurs écarlates. Il les lui présenta, comme si c'était un cadeau précieux.

Elle les prit sans un mot. Elle les examina attentivement, fascinée par la perfection des pétales, puis leva les yeux vers lui. Il l'observait. Elle lui adressa un sourire timide, puis porta le bouquet à ses lèvres.

Ils ne parlèrent ni l'un ni l'autre. Ce n'était pas nécessaire. Ils savaient tous deux que leur relation avait changé pour toujours.

– Voulez-vous retourner au bateau à présent ? s'enquit-il avec une pointe de regret.

– Oui. Demain est un autre jour, Hassan.

– Si c'est la volonté d'Allah ! Je vous emmènerai voir l'obélisque inachevé. Nous irons à dos de chameau.

Il esquissa un sourire espiègle.

– Dans ce cas, les Forrester refuseront sûrement de nous accompagner ! Ce sera avec plaisir, Hassan. Il y a tant de choses à voir, la cataracte, Philae, le souk.

– Vous feriez mieux de vous recoiffer, dit-il.

– Je déteste tout ça ! gémit-elle. Je veux être libre.

C'était un vœu pieux. Elle savait qu'il ne se réaliserait jamais. Du moins, pas tant que ses deux fils l'attendraient en Angleterre.

– Nous vous attendions, ma chère.

Sir John Forrester la guettait sur le pont. Il lui tendit la main pour l'aider à monter dans la dahabiah.

– Je tiens à vous présenter nos amis avant leur départ, ajouta-t-il en l'entraînant vers le salon... Je pense que votre migraine est passée ?

– Oui, merci.

Elle s'obligea à sourire en se reprochant de n'avoir pas répondu, au contraire, qu'elle souffrait abominablement. Hassan arriva derrière elle avec leur chargement. Louisa se demanda où il cachait la robe et les babouches. Comme s'il avait déchiffré ses pensées, il la salua en annonçant qu'il allait porter son matériel de peinture dans sa cabine. Puis il disparut. L'espace d'un instant, elle sentit un vide.

Se détournant, elle suivit sir John, qui la conduisit devant Augusta et leurs invités. Deux gentlemen se levèrent à son arrivée.

– Lord Carstairs, M. et Mme David Fielding, Mlle Fielding, annonça sir John. Ma chère, nous avons une faveur à vous demander.

Louisa repoussa une mèche de cheveux tombée sur son front. Elle avait les joues rouges, la robe pleine de poussière. Elle n'échappa pas aux regards critiques de Venetia Fielding. Ce devait être la sœur de David, plutôt que sa fille, songea Louisa. La jeune femme était habillée à la dernière mode parisienne. En dépit de savants drapés destinés à masquer son état, Mme Fielding attendait de toute évidence un heureux événement. Elle paraissait épuisée.

Ils voulaient un portrait, bien sûr. Devant un temple égyptien, probablement...

– Sir John nous a parlé de votre petite fiole et du message qui l'accompagnait. Auriez-vous la bonté de me les montrer ? s'enquit lord Carstairs.

Il avait les cheveux roux foncé, un visage tanné par le soleil, aux pommettes saillantes et aux yeux enfoncés, un nez mince et plutôt long qui lui donnait l'air d'un aigle. L'effet n'était pas désagréable. C'était un homme beau, imposant.

– Je vais vous la chercher, répondit-elle, soulagée de pouvoir s'échapper quelques minutes.

Elle en profiterait pour se rafraîchir et rajuster sa tenue. Lorsqu'elle revint, elle constata qu'on avait servi le thé. Augusta et les dames Fielding riaient gaiement, tandis que les trois hommes s'étaient rassemblés autour de la table. Ne sachant trop où se mettre, Louisa hésita sur le seuil. Les hommes l'invitèrent à les rejoindre. Les femmes continuèrent de bavarder, mais Louisa sentit dans son dos un regard hostile. Celui de Venetia Fielding.

Elle déposa la fiole devant elle et poussa le papier en direction de lord Carstairs.

– Lisez-vous l'arabe, monsieur ?

– Absolument, madame.

Il y eut un silence, puis il prit la parole. Sa traduction était sensiblement la même que celle de sir John. Lorsqu'il eut terminé, il laissa retomber la feuille sur la table.

Il se pencha en avant, le regard rivé sur le flacon. Au bout d'un long moment, il s'adressa à Louisa.

– Avez-vous vu les esprits qui veillent dessus ?

Il était très grave, parfaitement sérieux. Louisa eut une légère hésitation. Il plissa les yeux.

– Oui ? chuchota-t-il.

Elle haussa les épaules, un peu gênée.

– J'ai une imagination plutôt débridée, lord Carstairs, et ce pays se prête aux fantasmes.

– Répondez-moi.

Elle changea de position, mal à l'aise.

– Une ou deux fois, j'ai eu la sensation qu'on m'observait. Dans le temple d'Edfou, j'ai cru apercevoir quelqu'un. Je me suis dit que c'était Hassan, mon drogman.

– Mais ce n'était pas lui ?

– Non, ce n'était pas lui.

– Comment était ce personnage ?

Derrière son air impassible, il avait visiblement du mal à

contenir son excitation. Sir John et David Fielding paraissaient nerveux.

— C'était un homme grand, en djellaba blanche. Mais ce n'était guère plus qu'une vision dans les ombres du temple.

— Vous avez vérifié qu'il n'y avait personne d'autre ?

— Bien entendu !

— Oui ! siffla-t-il, triomphant.

Il approcha sa main du flacon, s'obligea à respirer calmement puis, enfin, le ramassa. Il le tint longuement, sans quitter Louisa des yeux puis, très lentement, ses paupières s'abaissèrent et il parut se retrancher complètement. Il y eut un silence pesant, troublé seulement par un trille de rires féminins à l'autre bout de la salle.

Carstairs eut soudain un frémissement.

— Oui ! prononça-t-il pour la troisième fois.

Louisa n'en pouvait plus. Il lui semblait important de rappeler à ce monsieur que cet objet lui appartenait.

— Vous semblez très intrigué par ma fiole, lord Carstairs.

Il retomba brutalement sur terre et la lâcha, mais à contre-cœur.

— Où l'avez-vous eue ?

— C'est mon drogman qui me l'a achetée dans un souk de Louxor.

— Je vois. Puis-je savoir combien vous l'avez payée ?

Cette question la prit de court. Elle ne pouvait pas leur avouer que c'était un cadeau.

— Je lui avais donné de l'argent pour plusieurs achats. Je ne connais pas leur prix individuel. Pourquoi ?

— Je souhaite l'acquérir.

— Je suis désolée, lord Carstairs, mais elle n'est pas à vendre. D'ailleurs, selon sir John, c'est de la pacotille.

— Certainement pas ! explosa Carstairs avec dédain. Elle est authentique. Elle date de la XVIIIe dynastie. C'est vrai qu'elle n'a guère de valeur marchande : ce genre de récipient est assez commun, à Louxor. Grâce aux pilleurs de tombeaux... Mais elle me plaît. Mme Shelley, vous me rendriez un immense service en me la cédant. Elle n'est pas irremplaçable. Votre drogman pourrait vous en trouver plusieurs du même genre à votre retour à Louxor.

— Dans ce cas pourquoi ne pas opter vous-même pour cette solution, lord Carstairs ? Pourquoi jeter votre dévolu sur la mienne ?

Une fois de plus, il la fixa. Son visage s'était empourpré.

— J'ai mes raisons.

Devant l'attitude sceptique de ses voisins, il fronça les sourcils, agité.

— C'est la légende qui me plaît, bredouilla-t-il. Vraiment, madame, vous me feriez une faveur inestimable.

Il lui sourit. Sa figure s'éclaira, irradiant un charme fou. L'espace d'un instant, elle faillit craquer, puis, brusquement, elle se rendit compte qu'il la manipulait.

— Je regrette, mais je veux la garder.

Sur ce, elle la ramassa vivement, ainsi que la feuille de papier, et se leva.

— Lord Carstairs, messieurs, je vous prie de m'excuser. Mon excursion à l'île d'Eléphantine m'a fatiguée. Je vais me reposer dans ma cabine.

Elle se laissa choir sur son lit avec un soupir. Le cadeau d'Hassan. Elle y tenait d'autant plus, depuis ces quelques minutes si particulières qu'ils avaient partagées ce jour-là. Elle porta la fiole à ses lèvres.

Lorsqu'on frappa à sa porte, elle grimaça. Etait-ce déjà Jane Treece, venue l'aider à s'apprêter pour le dîner ? A son grand étonnement, c'était Augusta Forrester.

— J'aimerais que vous repensiez à l'offre de Roger Carstairs, ma chère. Vous nous rendriez service, à John et à moi-même. Je conçois que ce souvenir vous soit précieux, mais ne soyez pas inflexible !

Elle s'assit sur le tabouret de la coiffeuse, étalant autour d'elle le volumineux satin magenta de ses jupes.

— Je suis navrée. Je ne veux pas le fâcher, mais je refuse de la vendre.

— Pourquoi ? Qu'a-t-elle de si spécial ?

— Son histoire, d'une part. C'est d'ailleurs probablement ce qui excite lord Carstairs. En ce qui me concerne, il n'y a pas que cela. Non, pour moi, l'affaire est close. Si c'est un gentleman, il n'insistera pas.

Augusta pinça les lèvres.

— Vous savez qui il est, j'imagine ?

— Je ne m'en soucie guère ! répliqua Louisa en crispant les poings. A présent, si cela ne vous ennuie pas, j'aimerais me préparer.

— Roger dîne avec nous. Si vous refusez, ce sera gênant pour tout le monde.

— Dans ce cas, je ne me présenterai pas à table. Je ne changerai pas d'avis, Augusta.

— Très bien, pesta-t-elle. Je le lui expliquerai. Mais je vous en prie, joignez-vous à nous. Votre absence nous vexerait, John et moi.

Elle se leva dans un froufrou d'étoffes soyeuses. Quelle que soit la température à l'extérieur, elle était toujours fraîche et élégante. Elle esquissa un sourire glacial.

— Je vous envoie Jane Treece.

Louisa fixa la porte un long moment après son départ. Puis elle se leva, rangea la fiole dans sa mallette de toilette et enfila la clé minuscule sur la chaîne qu'elle portait autour du cou. Quand Jane Treece arriva, elle s'était déjà déshabillée et avait commencé à se coiffer.

★
★ ★

Anna posa le journal et scruta sa propre cabine. Emergeant brutalement de l'univers de Louisa, elle se redressa.

— Qui est là ?

Elle avait senti plutôt qu'entendu un mouvement dans le cabinet de toilette. Dehors, il faisait nuit. Elle consulta sa montre. Deux heures quarante-cinq. Elle lisait depuis des heures. Tout était silencieux. Se forçant à se lever, elle se dirigea sur la pointe des pieds dans la direction d'où lui était parvenu le bruit et alluma.

La douche était encore humide. Elle l'inspecta à deux reprises, mais n'y remarqua rien d'anormal. Elle éteignit et se recoucha. Elle était épuisée, mais son esprit la ramenait sans cesse à Louisa et à la fiole dans la mallette, à lord Carstairs et à l'étrange personnage en blanc qui avait surgi des ombres.

Elle frissonna. Le sommeil ne viendrait pas. A quoi bon essayer ? Elle se replongea dans sa lecture.

★

★ ★

Apparemment, les Fielding, qui avaient rencontré les Forrester plusieurs années auparavant à Brighton, avaient loué leur bateau à Louxor deux mois plus tôt. Louisa ne tarda pas à comprendre qu'entre la santé délicate de son épouse et la mauvaise humeur de sa sœur, David Fielding était à bout de nerfs. Homme affable et généreux, il n'avait pas les moyens d'agir en arbitre, entre ces deux femmes singulièrement acerbes. La raison pour laquelle ils avaient prolongé leur séjour était claire : ils avaient pris cette décision, après avoir rencontré Roger Carstairs au nord de Louxor. Il était riche, titré et veuf depuis peu. On ne pouvait laisser s'échapper un tel parti. Aussi, les deux dahabiah avaient-elles entrepris ensemble leur croisière vers le sud. Carstairs ne semblait pas avoir découragé les projets prédateurs de Venetia et de Katherine Fielding.

— Dans votre état, vous prenez des risques à prolonger votre séjour, déclara un peu sèchement Augusta Forrester, alors que la conversation s'étiolait.

Katherine devint écarlate. Son mari vint à son secours.

— Ce n'était pas notre intention au départ, chère madame, je vous l'assure. J'avais l'espoir de regagner Londres bien plus tôt. Maintenant, nous allons devoir attendre la naissance en Egypte. Katherine est trop fragile pour un tel voyage.

— Lord Carstairs a deux enfants exquis, intervint aimablement Katherine. Hélas, les pauvres sont désormais orphelins de mère !

Elle gratifia Venetia d'un sourire pincé.

— Ils n'ont rien d'exquis, répliqua Carstairs. Ce sont de véritables diables. J'ai déjà perdu trois nurses et un tuteur, et j'envisage de les expédier dans une cage, au jardin zoologique !

Louisa réprima un sourire.

— Sont-ils à ce point terribles ? Quel âge ont-ils ?

– Six et huit ans. Ils sont impossibles.

– Mes fils ont le même âge exactement ! s'exclama-t-elle. Ils me manquent tellement. Les avez-vous amenés avec vous en Egypte, lord Carstairs ?

– Certainement pas ! Je les ai laissés en Ecosse. J'espère ne pas les revoir, tant qu'ils n'auront pas appris les bonnes manières. Vous qui êtes mère, madame Shelley, vous ne les considérez sans doute pas de la même façon qu'une femme n'ayant jamais eu d'enfants.

Cette remarque était destinée à blesser, et le but fut atteint. Katherine tressaillit, tandis que les deux autres prenaient tour à tour un air accablé, puis indigné.

– Vous êtes un peu dur. Certains enfants sont adorables. Les miens, par exemple.

Il ne la quittait pas des yeux depuis qu'elle avait reparu dans le salon mais, à son grand soulagement, il ne lui parla pas de la fiole. Au contraire, il s'était efforcé de la divertir. Il s'inclina, affable.

– Les vôtres ne peuvent être qu'adorables, j'en suis sûr. Peut-être à l'occasion vous demanderai-je des conseils.

Sur ce, il entreprit avec beaucoup d'habileté de se faire pardonner par Katherine. Il ne prêta aucune attention à Venetia.

Ce ne fut qu'au moment de partir qu'il lâcha sa bombe.

– Madame Shelley, je vous propose de venir avec nous aux carrières, demain, pour voir l'obélisque inachevé. C'est une excursion fascinante, et j'ai promis d'y emmener David et Venetia.

Comment aurait-elle pu refuser ? Comment pouvait-elle leur dire qu'elle préférait y aller avec Hassan ?

Sir John scella son destin :

– Excellente idée ! Elle souhaitait y aller de toute façon. J'ai entendu le drogman ordonner au cuisinier de préparer un pique-nique. Il pourra rester ici avec moi, j'ai quelques courses à faire à Assouan.

★
★ ★

Anna secoua la tête. Pauvre Louisa ! Quel mauvais coup du sort ! A moins qu'elle ne se fût laissé séduire par l'obséquiosité de Carstairs et ait oublié son amour bourgeonnant pour le drogman ? Malgré sa fatigue, elle se remit à feuilleter le journal. Un message gribouillé à la hâte, sous l'esquisse d'une femme voilée de noir, accrocha son regard.

« Donc, je suis allée à dos de chameau voir l'obélisque inachevé. Mais j'ai peur. A mon retour hier soir, la serrure de ma mallette de toilette avait été forcée, et la fiole avait disparu. Les Forrester étaient furieux, Roger, désespéré. On a interrogé tous les membres d'équipage, même Hassan. C'est alors que je l'ai vu. Le grand homme en blanc. Il était là, dans ma cabine, à deux mètres à peine, et il tenait la bouteille à la main. Son regard était des plus étranges, vif-argent, sans pupilles. J'ai hurlé. Le *reis* est arrivé, puis Hassan et enfin sir John. Ils ont découvert le flacon sous mon lit. Selon eux, un pirate avait dû monter à bord et ils remercient le ciel que je sois encore en vie. Il était sans doute armé d'un couteau et voulait emporter mes bijoux. Dans ce cas, pourquoi ne s'y était-il pas pris plus tôt ? Ce que je ne pouvais pas leur expliquer, c'était qu'en voulant le repousser, ma main était passée à travers lui comme s'il n'était qu'une silhouette de brume. »

Vêtue d'un jean blanc et d'un chemisier bleu marine, Anna monta sur le pont supérieur et s'accouda à la rambarde, la tête dans les mains. Le fleuve était tranquille, le ciel s'éclaircissait à l'horizon. L'air était doux et, petit à petit, la jeune femme se détendit, prit de la distance par rapport à l'horrible récit de Louisa. Sur la rive opposée, au sommet d'une colline, elle distingua le contour d'un petit temple.

— Vous ne dormez pas, vous non plus ?

Elle fit volte-face, terrifiée, et découvrit Toby tout près d'elle.

— Je ne vous avais pas entendu !

— Excusez-moi. J'avais très chaud en bas. J'ai eu envie d'admirer le lever du soleil. C'est magnifique, non ? murmura-t-il d'une voix rêveuse. Regardez !

Du bout du doigt, il désigna trois aigrettes qui venaient vers eux. Ils contemplèrent le spectacle en silence.

– Vous avez entendu parler du serpent, hier soir ? demanda soudain Anna.

Perdu dans ses songes, il revint brusquement à la réalité.

– Un serpent, dites-vous ?

– Dans la cabine de Charley. Caché dans un tiroir.

– Mon Dieu ! Comment est-il parvenu jusque-là ?

Elle haussa les épaules. Par magie. Par le mauvais esprit. Par un sort jeté des milliers d'années auparavant...

– Omar pense que quelqu'un a dû monter à bord. Heureusement, Ibrahim, qui nous sert à table, est charmeur de serpents. Il nous a convaincus que le reptile avait disparu, aussi sommes-nous partis nous coucher.

– Mais vous n'avez pas trouvé le sommeil.

– Non, avoua-t-elle.

– Ça ne m'étonne pas.

Ils se réfugièrent dans un silence amical. Au loin, les silhouettes des palmiers émergeaient sur un fond de montagnes.

– Quand j'étais enfant, j'étais fasciné par les serpents, déclara tout à coup Toby. J'avais une couleuvre. Une espèce moins menaçante que le cobra, je vous l'accorde, pourtant, elle effrayait mes grand-tantes.

Anna l'observa à la dérobée. Il semblait être reparti dans son monde.

– Le soleil va bientôt apparaître. Aussitôt, la vie reprendra. Nous allons nous amarrer le long d'un de ces énormes bateaux de croisière. Ensuite, nous aurons trois journées entières pour profiter des lieux.

Il s'étira, bâilla.

– Ah, le voilà ! Le soleil !

Immédiatement, ils entendirent un bruit de pas, et deux membres de l'équipage surgirent. Ils levèrent l'ancre, tandis que les machines se mettaient en branle. Toby jeta un coup d'œil à sa montre et adressa à la jeune femme un sourire de conspirateur.

– Si je ne me trompe pas, le petit déjeuner sera servi un peu plus tôt ce matin. Vous m'accompagnez ?

A son étonnement, Anna accepta avec plaisir. Pour une fois, il se montrait aimable et décontracté.

Anna n'eut pas le loisir de parler avec Serena avant le départ pour l'obélisque inachevé, dont Louisa avait résumé la visite en deux lignes à peine. Elles s'installèrent côte à côte à l'arrière du car qui cahotait le long des rues défoncées d'Assouan.

Charley et Andy se tenaient à plusieurs rangs de distance. Toby, muni de ses carnets à dessins et de son appareil photo, accaparait deux sièges devant eux.

— Louisa a revu l'homme en blanc. Dans sa cabine ! Il correspond exactement à celui que vous avez décrit dans votre transe. Et il a essayé de lui prendre la fiole. J'ai lu ce passage cette nuit. Elle avait rencontré un certain lord Carstairs qui voulait à tout prix la lui acheter...

— Roger Carstairs ? interrompit Serena. Il est célèbre, bien que dans le mauvais sens du terme. C'était un antiquaire, mais il touchait aussi à la magie noire. Louisa n'a pas cédé, je suppose ?

— Non.

— Mais il était intéressé.

— Très. Sans doute était-il aussi intrigué par le papier qui l'accompagnait. Je poursuivrai ma lecture cet après-midi.

— Avez-vous confié le flacon à Omar pour qu'il le mette au coffre-fort ?

Anna secoua la tête.

— Nous n'avions que quelques minutes après le petit déjeuner. Je n'ai pas eu le temps de m'en occuper. D'ailleurs, il y avait trop de monde autour de nous. Je pense qu'il est en sécurité. Personne ne va s'amuser à dépoter les plantes.

Le groupe traversa docilement la carrière et gravit un sentier, pour admirer depuis les hauteurs l'obélisque qui gisait, tel qu'il avait été sculpté trois mille ans plus tôt. Presque achevé, mais encore prisonnier du granit, il avait l'air d'un gigantesque guerrier tombé sous les flèches. Les travaux avaient été abandonnés quand on avait repéré un défaut dans la pierre. Emue, Anna sortit sa caméra.

— C'est magnifique, n'est-ce pas ? murmura Toby à ses côtés.

Son carnet à la main, il reproduisait le monument à grands coups de crayon.

— Sentez-vous l'angoisse, la frustration qu'ils ont dû éprouver en se rendant compte qu'ils devaient tout arrêter ?

Elle opina.

— Si près du but.

Elle arma son appareil.

— Le soleil est trop fort. Il n'y a pas assez d'ombres pour mettre en valeur les imperfections.

— Louisa est-elle venue ici ? demanda-t-il, toujours concentré sur son dessin. C'est difficile d'exprimer tant de grandeur. Savez-vous que c'est probablement l'un des plus grands obélisques jamais sculptés ? Il mesure quarante-deux mètres de long. Imaginez-le dressé vers les cieux.

Il leva brièvement les yeux vers Anna.

— Alors ?

— Alors quoi ?

— Louisa est-elle venue ici ? A-t-elle peint ce site ?

— Elle l'a visité, mais elle en parle à peine dans son journal, sinon pour préciser qu'elle est arrivée à dos de chameau. Elle était perturbée, je crois. Elle était avec des amis, ou plutôt, des relations qu'elle semblait peu apprécier. L'un d'entre eux était un dénommé lord Carstairs.

Elle se demandait comment il allait réagir en entendant ce nom. En effet, il le connaissait. Il émit un sifflement.

— Je me rappelle que ma grand-mère m'a raconté une histoire à son sujet, quand j'étais petit. Grand-père s'est fâché en lui disant qu'elle n'avait pas à évoquer ce personnage. A l'époque, je n'ai pas compris pourquoi. Mais il était petit-fils de vicaire, peut-être est-ce la raison de sa colère. Comment a-t-elle fait la connaissance d'un tel personnage ?

Anna haussa les épaules.

— Ils avaient jeté l'ancre près de son bateau à Assouan. Il est venu les voir.

Elle ne mentionna pas l'épisode de la fiole.

Plissant les yeux, elle aperçut Andy qui se dirigeait vers eux. Derrière lui, Charley et les Booth continuaient de contempler la blancheur aveuglante de l'obélisque au pied de la falaise.

Andy jeta un regard sur le dessin de Toby.

— Pas mal.

Le ton de sa voix trahissait sa réserve. Toby l'ignora et en commença un second. Cette fois, son sujet était un Egyptien

122

âgé qui se tenait non loin d'eux, les bras croisés, le visage impassible.

Anna porta son regard d'Andy à Toby. La tension entre eux était presque palpable. Elle grimaça. Quels que fussent leurs différends, elle n'allait pas les laisser gâcher son plaisir. Elle tourna les talons pour rejoindre les autres.

Il lui fut impossible de discuter avec Serena durant le reste de la matinée. Même dans l'autocar, elle se retrouva près de Ben, loquace et enthousiaste comme à son habitude. On les accueillit à bord avec des serviettes humides et l'annonce que des felouques les emmèneraient dans l'après-midi à l'île Kitchener – l'île aux plantes.

Andy, Charley et les Booth montèrent à bord de la première felouque. Anna regarda la voile se gonfler, puis ce fut au tour du deuxième contingent de prendre place dans la seconde embarcation. Une fois de plus, elle se retrouva aux côtés de Toby. Il lui sourit brièvement, mais il ne semblait pas avoir envie de parler. Lorsqu'ils atteignirent le quai, ce fut Toby qui l'aida à mettre pied à terre, Toby qui chassa les hordes d'enfants venus réclamer un bakchich.

En découvrant le lieu, Anna ne put retenir un cri d'émerveillement.

– Comme c'est beau ! Je ne me rendais pas compte à quel point la verdure me manquait !

Le paysage était aussi extraordinaire que celui décrit par Louisa lors de son expédition à l'île d'Eléphantine. Un réseau de sentiers se déployait devant eux, se faufilant entre les arbres et les buissons. Les fleurs et les oiseaux abondaient. Louisa avait dû éprouver le même bonheur avec Hassan. Machinalement, Anna s'empara de son appareil photo.

– Deux heures ne suffiront jamais, gémit-elle. Comment ont-ils pu prévoir une visite aussi courte ?

Toby haussa les épaules.

– C'est valable pour toutes nos excursions, répliqua-t-il, songeur. Je reviendrai, un jour, mais seul, et je resterai plusieurs mois.

Il s'était équipé d'un carnet à dessins tout neuf. Anna ne put s'empêcher de se demander combien il en avait déjà remplis.

123

– N'êtes-vous jamais tenté de vous servir de votre caméra ?

Il grimaça.

– Je m'en sers, je n'ai guère le choix quand le temps me manque. Mais aujourd'hui, ce n'est pas le cas. Mes notes me sont plus utiles que le celluloïd. Si jamais j'ai des problèmes à notre retour en Angleterre, je vous demanderai de me montrer vos clichés.

Il s'attaqua à la première page, ébauchant à toute allure un arbre, un paon, un bouquet de palmiers, un petit chat...

La perspective de le revoir en Angleterre éveilla chez Anna des sentiments contradictoires. Elle le considéra longuement. D'une part, sa certitude qu'ils resteraient amis l'indignait. D'autre part, elle n'en était pas mécontente.

– Etes-vous bonne photographe ? lança-t-il par-dessus son épaule.

Elle hésita.

– Je n'en sais rien. Au regard de mon mari, ce n'était qu'un hobby.

Il haussa un sourcil.

– Ce n'est pas parce qu'il avait une attitude paternaliste que vous n'êtes pas douée.

– Non. Non, je suis plutôt habile. J'ai exposé plusieurs de mes œuvres. J'ai même gagné des prix.

Toby s'interrompit et la dévisagea avec un intérêt renouvelé.

– Dans ce cas, vous avez du talent. Cependant, l'avis de votre ex-époux a toujours de l'importance. Vous devez prendre confiance en vous, Anna. Il me semble que vous vous êtes trop longtemps tue. Cessez donc de cacher votre appareil. Vous le rangez sans arrêt. Montrez-le. Comportez-vous en professionnelle. Soyez fière de ce que vous faites.

Il marqua une pause.

– Pardonnez-moi. Fin du sermon. Cela ne me concerne en rien.

Il s'était remis à dessiner. Cette fois, il croquait un vieil homme qui balayait le chemin devant eux.

Ils avancèrent ensemble, lentement, réunis en une sorte de symbiose tacite. Au détour d'un virage, une vue sur le Nil s'offrit à eux, encadrée par un arbre mort et le bord d'une plage étroite comme celle qu'avait évoquée Louisa.

Anna s'aperçut soudain qu'ils étaient seuls. Les autres s'étaient enfoncés dans les jardins. Toby travaillait, insensible à tout, sauf aux détails qu'il tentait de capter sur son papier.

Anna cibla son objectif sur le fleuve. Deux felouques avaient jeté l'ancre au beau milieu, voiles baissées, et une mélopée rythmée par des coups de tambours nubiens résonnait dans le silence.

— Tout à l'heure, vous m'avez dit que vous aviez entendu parler de lord Carstairs, murmura-t-elle en cherchant une pellicule neuve dans son sac. Qu'avait-il de si diabolique ?

— N'ayant pas le droit de prononcer son nom à la maison, je me suis empressé de faire des recherches à la bibliothèque, avoua Toby avec un sourire tendu. Ce devait être dans les années 1870 : il aurait été chassé d'Angleterre pour ce que nous qualifions aujourd'hui de « pratiques sataniques » sur deux jeunes garçons.

La pointe de son crayon se cassa, et il émit un juron.

— Il dirigeait un club secret, à Londres, reprit-il. Je ne sais pas où il a fini sa vie. En Afrique du Nord, j'imagine, ou au Moyen-Orient.

— Je me demande si Louisa était au courant.

— Quand est-elle venue ? Vers 1860, non ? Le scandale n'avait pas encore éclaté. Pour être franc, je ne sais pas grand-chose de lui, mais il a dû être fasciné par l'Egypte, ses mythes, ses légendes et ses charmes... L'a-t-elle vu plusieurs fois ?

— Je lis un bout du journal tous les soirs, au fur et à mesure que nous avançons. C'est peu, d'autant que j'évite de l'exposer au soleil ou à d'autres événements inattendus !

Elle crut tout d'abord qu'il ne relèverait pas cette remarque. Il avait sorti un couteau suisse de sa poche pour tailler son crayon. Sa tâche accomplie, il le remit en place et sourit.

— Vous l'avez mal digérée, celle-là, n'est-ce pas ?

— C'est vrai, concéda-t-elle.

— Mais j'avais raison.

— Oui.

— Aurais-je le droit de le voir ? Si je promets de ne pas y toucher ? Je vous laisserai le soin de tourner les pages.

— Dans ces conditions, je crois que ce devrait être possible.

125

Leurs regards se rencontrèrent. Elle fut la première à se détourner.

Toby continua son esquisse. Hypnotisée par le mouvement de ses mains, elle le vit gribouiller quelques mots : *hibiscus écarlates... verts : eau, malachite, émeraude, herbe... lumière aveuglante sur l'eau/le sable... contrastes...*

— Ce type, Andy, vous plaît assez, il me semble, marmonna-t-il en l'observant à la dérobée.

— Ce n'est pas votre affaire.

— D'après ce que j'ai compris, il a rompu avec Charley. Elle s'en est plainte dans l'autocar. Elle ne vous porte pas dans son cœur.

— Je n'y suis pour rien ! protesta-t-elle, furieuse. C'est surtout elle qui est odieuse.

— Donc, il ne vous plaît pas.

— Je n'ai pas dit cela. Mais je suis en vacances. J'ai envie de me détendre, de m'amuser, de profiter à plein de mon voyage. Je ne veux pas de complications.

Elle s'éclipsa vivement entre les buissons. A sa grande surprise, il la suivit.

— Je suis désolé. Je n'aurais pas dû...

— Nous ferions mieux de rattraper les autres.

Elle fonça droit devant. L'ambiance n'était plus la même.

Elle ne put retrouver Serena qu'en début de soirée. Les deux femmes s'étaient approprié les deux dernières chaises longues sur le pont supérieur. A leur retour de l'île, le bateau était de nouveau calme après de nouvelles recherches en quête du serpent. Serena et Anna s'étaient gardées de tout commentaire. Que dire ? Que c'était une hallucination ? Qu'il n'avait peut-être jamais existé ? Si quelqu'un avait quelque chose à dire, ce ne pouvait être qu'Ibrahim. Munies de livres et de matériel pour écrire, elles avaient décidé de se relaxer après leur excursion. Anna remarqua que les plantes avaient été arrosées.

— Je récupérerai la fiole ce soir, murmura-t-elle.

— Vous pourriez aller la chercher maintenant. Personne n'y prêterait attention.

— Sans doute.

126

Cependant, elle ne bougea pas. Andy faisait la sieste à l'abri de son chapeau de paille, une bière posée sur la petite table basse à côté de son fauteuil. Charley était invisible. De même que Toby.

A présent qu'ils étaient amarrés le long d'un gros bateau de croisière, Anna avait la désagréable sensation d'être surveillée. Deux personnes au moins les contemplaient de leur pont. Une dizaine d'autres devaient en faire autant à travers les lattes des jalousies de leurs cabines.

Mais il n'y avait pas que cela.

Elle changea de position, mal à l'aise. L'espace d'un instant, elle resta figée, le regard sur les plis de la longue robe blanche, sur les traits aquilins, les yeux brillants. Ce devait être l'un des serviteurs. Osant à peine respirer, elle remonta ses lunettes noires sur son front. Aussitôt, la silhouette se volatilisa.

— Serena...

— Qu'y a-t-il ?

— Regardez les plantes !

Serena s'exécuta, puis elle revint vers Anna.

— Quoi ?

— Vous ne voyez rien ? Il est là !

Sans un mot, Serena pivota vers la proue. Puis, lentement, elle secoua la tête.

— Qu'avez-vous vu ?

— Un homme grand tout habillé de blanc. Il veille sur le flacon. Je l'ai distingué nettement. En plein jour ! En présence de tous ces gens ! Je l'ai vu !

Elle s'aperçut qu'elle tremblait de la tête aux pieds.

— Calmez-vous, Anna, dit Serena en se rapprochant d'elle. Vous n'avez rien à craindre. Il n'y a plus personne.

— Qu'y a-t-il ? gronda Andy, surgissant à leurs côtés. Elle ne se sent pas bien ? Je peux vous aider ?

— Non, merci, Andy, elle va bien. Elle est un peu fatiguée par le soleil et la longue marche.

Serena scruta les alentours. Tous les regards s'étaient posés sur elles. La plupart se dérobèrent, mais Ben s'était levé.

Anna se frotta le visage.

— Ça va. Je vous en supplie, laissez-moi.

Andy s'accroupit devant elle.

— Vous êtes blanche comme un drap. Voulez-vous que je vous accompagne à votre cabine ?

— Non. Non, merci, répliqua-t-elle en fixant la main qu'il avait posée sur la sienne. Je vais bien, Andy, je vous assure.

— Vous devriez vous abriter sous l'auvent. Il y fait plus frais. Je vais vous apporter une boisson.

Anna n'avait pas la force de discuter et, d'ailleurs, l'invitation était tentante. Jetant un coup d'œil furtif vers Serena, elle se laissa entraîner à l'ombre par Andy et Ben. Serena rassembla leurs affaires et les rejoignit.

L'ombre qui avait chaviré un bref instant au-dessus des plantes aurait pu être celle de l'un des deux hommes soutenant Anna.

Une fois qu'elle fut confortablement installée, Andy partit leur chercher à boire. Serena s'assit en face d'elle.

— Il se peut que ce soit votre imagination.

Anna eut un petit rire.

— J'ai dû prendre trop de soleil... J'en ai assez, Serena. Je voudrais être une touriste ordinaire.

— Je comprends.

— Je pourrais la laisser là, enterrée, ou la jeter dans le Nil.

— En effet.

— Mais ma grand-tante ne me pardonnerait jamais de ne pas la rapporter. C'est mon héritage !

— Si elle savait ce qui se passe, elle ne vous en voudrait pas.

— Comment le lui expliquer ? « A propos, tante Phyllis, ce petit flacon que vous m'avez offert quand j'étais enfant est maudit. » Je ne sais plus quoi faire !

— Je vous l'ai dit : demandez à Omar de l'enfermer dans le coffre-fort. Nous ne passerons pas beaucoup de temps à bord. La croisière ne reprend que dans deux jours, après notre expédition à Abou Simbel. Décontractez-vous. Savourez ces moments où vous êtes le centre d'attention !

Andy revenait avec un plateau chargé de verres. Anna suivit la direction du regard de Serena et opina, songeuse.

— Je redoute le pire, avoua-t-elle. J'ai du mal à croire que votre locataire ait rangé ses pistolets de duel !

Serena rit aux éclats.

– Moi aussi. Mais Charley, au moins, est bien réelle. Elle ne risque pas de disparaître ou de se matérialiser subitement dans votre douche.

Andy posa le plateau et sourit.

– Ça va mieux ?

– Vous aviez raison, lui répondit Anna. C'est la chaleur. Je suis beaucoup mieux à l'ombre.

Après le dîner, alors qu'elle s'était assise sur un divan en compagnie de Serena, Toby s'approcha. Andy était au bar. Anna le soupçonna d'avoir déjà bu plusieurs verres d'alcool.

– Anna, je vous dois des excuses. Pardonnez-moi si, tout à l'heure, je me suis mêlé de ce qui ne me regardait pas.

– Ce n'est rien, Toby.

Serena se leva, et Anna fronça les sourcils.

– Où allez-vous ?

– Je suis épuisée. Je crois que je vais aller me coucher. Bonne nuit. Nous avons une longue journée devant nous demain.

Ils la suivirent du regard tandis qu'elle s'éloignait.

– C'est une femme sympathique, dit Toby. Puis-je vous offrir quelque chose à boire ? Histoire de faire la paix.

Elle se cala contre les coussins.

– Avec plaisir. Je prendrais volontiers une bière.

Elle l'examina avec un sourire perplexe. Comment cet homme pouvait-il être à la fois si irritant et mystérieux ?

Pendant un moment, ils se contentèrent d'observer les autres. Ce fut Anna qui prit la parole.

– Que faites-vous de toutes vos esquisses ? Les retravaillez-vous dans votre cabine, ou attendez-vous d'être rentré chez vous ?

– La plupart resteront telles quelles jusqu'à mon retour. Je m'attarde seulement sur une ou deux d'entre elles, histoire de ne pas oublier les couleurs, la sensation de chaleur et de lumière. On croit que c'est imprégné dans la mémoire. Les images sont tellement intenses. Mais au bout d'une demi-heure sous le ciel plombé de Blighty, tout se brouillera.

Il tripota son verre, pensif.

– Les peintres sont des êtres avides. Ils cherchent à emprisonner leurs idées dans la toile. Ils les y accrochent comme des papillons, dans l'espoir d'y mettre toute l'essence de ce qu'ils voient.

Anna sourit. Toby ne devait pas souvent révéler ses sentiments de cette manière. Elle était flattée qu'il ait envie de lui communiquer son enthousiasme.

– Je vous envie votre sens de la créativité.

– Pourquoi ? riposta-t-il, acerbe. Vous êtes photographe, Anna. C'est pareil pour vous. Seul le médium change.

– Non, non, ça n'a aucun rapport. Vous avez la passion. Vous vous engagez complètement dans votre art. Vous êtes un professionnel. Félix avait raison. Pour moi, ce n'est qu'un jeu.

– L'amateurisme n'empêche pas la passion. D'ailleurs, qui sait si un jour vous ne souhaiterez pas devenir professionnelle ? Vous êtes douée, vous l'avez prouvé. Vous avez un sens inné des autres.

Il la dévisagea. Anna se sentit rougir. Toby plongea son regard dans son verre, et elle le soupçonna d'être aussi gêné qu'elle par cet éclat. Quand il se redressa, il était de nouveau calme.

– Louisa a su saisir à la perfection l'intensité de ce pays. C'est visible dans ses œuvres. Ce doit l'être dans son journal, aussi... Est-ce le bon moment pour que j'y jette un coup d'œil ?

Anna se mit à rire.

– Vous avez de la suite dans les idées, au moins !

– Parfaitement !

– Très bien.

Elle se leva. Elle ne pensait pas qu'il allait la suivre. Elle avait l'intention d'aller chercher le précieux cahier dans sa cabine et de le lui remonter. Elle s'imaginait le regarder avec lui dans ce salon, devant une tasse de café. Mais il se mit debout, lui aussi, et lorsqu'elle tenta de l'arrêter, il se contenta de lui sourire.

Comme ils se faufilaient entre les tables, elle sentit qu'Andy l'observait. Elle l'évita soigneusement.

En entrant dans la cabine, elle laissa la porte ouverte.

– Retournons au bar, proposa-t-elle aussi fermement que possible.

Elle ne se sentait pas menacée par Toby mais, dans cet espace confiné, elle avait l'impression qu'il n'y aurait jamais assez d'air pour deux personnes.

Le journal était sur la table de chevet. Toby le remarqua immédiatement. Il s'assit sur le lit, le saisit, l'ouvrit délicatement, avec un respect qui toucha la jeune femme.

– Toby ?

Il ne répondit pas. Il ne l'avait probablement même pas entendue. Elle s'adossa contre l'armoire et le contempla, fascinée.

Ni l'un ni l'autre ne perçut le bruit de pas dans la coursive. Soudain, Andy poussa la porte et fit irruption.

– Anna, j'aimerais vous parler ! lança-t-il, fou de rage. Seul à seule, si possible.

Elle grimaça. Toby releva la tête, l'air rêveur.

– Si vous voulez bien nous excuser, Toby, insista Andy. Je crois qu'il vaut mieux ranger ceci.

Sans laisser à Toby le loisir de réagir, Andy lui arracha le journal, ouvrit le tiroir de la table de chevet et l'y glissa.

– Andy ! protesta Anna. De quel droit vous permettez-vous d'entrer ainsi ?

Toby se leva, blême de fureur.

– De quoi s'agit-il ?

– C'est une affaire entre Anna et moi !

Toby tressaillit.

– Ne me touchez pas, Watson. Qu'est-ce qui vous prend ?

– Rien ! Je suis désolé de vous interrompre, mais il faut que je voie Anna. Seul.

– Anna ? Vous acceptez ?

Elle était furieuse. Elle fusilla Andy des yeux.

– Sûrement pas ! Sortez d'ici, Andy ! Je ne sais pas ce que vous me voulez et je m'en fiche éperdument !

– Vous le saurez dès que nous serons seuls.

Anna vit Toby hésiter.

– Peut-être feriez-vous mieux de sortir, Toby. Nous regarderons le journal à un autre moment. Laissez-moi régler ce problème.

Toby marqua une pause et, l'espace d'un instant, Anna crut qu'il allait frapper Andy. Puis, brusquement, il pivota sur ses talons et disparut. Andy ferma la porte derrière lui. Il empestait l'alcool.

– C'est important, Anna.

– Je l'espère pour vous, après cette scène ridicule.

Andy reprit sa respiration.

– Méfiez-vous de lui. Ne vous isolez jamais avec lui.

– Toby ? C'est au sujet de Toby ? s'écria-t-elle, stupéfaite.

Il s'assit à l'endroit que Toby venait de quitter.

– Ce journal a une grande valeur, Anna. Que savez-vous de Toby Hayward, au juste ?

Comme elle ne réagissait pas, il enchaîna :

– J'en étais sûr.

Il se redressa et traversa la cabine.

– Je ne vous en dirai pas plus maintenant, pas avant d'avoir vérifié mes informations, mais ne restez en aucun cas seule avec lui. Et ne quittez pas ce journal des yeux.

VI

Voici que les portes du ciel s'ouvrent à moi ;
Voici que les portes de la terre ne s'opposent plus
à mon passage...
Si les défunts qui reposent ici connaissent les paroles du
passage, ils reviendront à la lumière et pourront voyager
sur la terre parmi les vivants.

*E*XALTÉS *mais craintifs, poussés par l'avidité, ils rapportent des pelles et des pieds-de-biche pour enfoncer la porte et pénétrer dans les secrets de la tombe. Un trou est creusé dans la porte et l'air sec, brûlé par des centaines de milliers de soleils, exhale le souffle des entrailles de la nuit.*

Derrière eux, on les surveille : les guetteurs se rapprochent sous le clair de lune.

La trahison engendre la mort. Telles sont les paroles du pharaon.

Si les prêtres bougent dans leurs bandelettes ; si le mince filet de soleil effleure le « ka » de l'un ou de l'autre, personne ne peut le voir. Le vent souffle. D'ici un jour, une semaine, un mois, le sable se sera accumulé de nouveau devant l'entrée, et l'obscurité reviendra.

★

★ ★

Après le départ d'Andy, Anna resta un moment clouée sur place avant d'aller fermer sa porte à clé. Etait-il ivre ? Elle n'en était pas certaine. Mais sa tendance au mélodrame commençait à l'irriter sérieusement. Et s'il avait raison, au sujet de Toby ? Elle alla chercher le journal et, plongée dans ses réflexions, le serra contre sa poitrine.

Toby était un homme séduisant et intéressant. Si au début il l'avait agacée, leur relation semblait évoluer vers une amitié sincère. Ni plus ni moins. Certes, il était réservé, parfois abrupt, et elle ne savait rien de lui, sinon qu'il était peintre et qu'il avait du talent. C'était un être mystérieux, mais représentait-il pour autant une menace ? Pas plus qu'Andy. Tout cela était absurde.

Elle s'assit et ouvrit le cahier relié de cuir. Aux yeux de Toby, ce n'était qu'une introduction pour comprendre les créations artistiques de Louisa. Il était fasciné par ses dessins, si révélateurs de son amour pour l'Egypte. Pour Andy, ce n'était qu'un objet ayant une certaine valeur, rien de plus.

Elle parcourut distraitement une page noircie d'une écriture fine et nerveuse. Pour elle, c'était le passeport pour un autre monde, infiniment attirant bien qu'assez effrayant. Ces hommes au comportement imprévisible n'allaient pas l'en priver. Les chassant tous deux de son esprit, elle se prépara à dormir.

★

★ ★

Il était très tôt. Un ruban de brume translucide restait suspendu au-dessus du Nil immobile. Enveloppée dans un châle de

134

laine, Louisa se dirigea vers la poupe. A la proue, se trouvaient déjà plusieurs matelots. Ils n'eurent pas l'air de la voir.

– Sitt Louisa ?

Hassan surgit quelques instants plus tard, pieds nus. Elle se tourna vers lui et lui sourit. Son cœur avait bondi au son de sa voix.

– Tout va bien ? Vous n'avez pas eu trop peur, après l'incident d'hier soir ? s'enquit-il d'un ton grave.

– J'espère que l'équipage ne s'est pas offusqué. Ce n'est pas moi qui ai eu l'idée de fouiller les hommes. Je ne connais personne à bord qui aurait pu voler ma fiole. Surtout pas vous !

– Sir John ne pouvait pas le savoir, répondit-il avec une grimace. Il y a bien eu quelques plaintes, mais je m'en suis arrangé.

– Comme vous le savez, le flacon a été retrouvé. Il était dans ma cabine, comme je le pensais depuis le début.

– Et l'étranger ? souffla Hassan.

– C'était un esprit. Ma main l'a traversé.

Elle se tourna vers lui. Hassan avait blêmi.

– *Allah yehannin aleik !* Dieu ait pitié de vous ! murmura-t-il. Etait-ce un mauvais esprit ?

– Un prêtre de l'Egypte ancienne. Ce qui prouve que l'histoire racontée sur le papier est vraie. Vous m'avez offert une relique placée sous la protection d'un serviteur des dieux, ancêtres de ce pays. Que dois-je faire, Hassan ? La garder ? La céder à lord Carstairs, ou la jeter dans le fleuve afin que Sobek le crocodile puisse la remporter dans les ténèbres ?

– *Inch'Allah*, sitt Louisa. C'est aux dieux d'en décider.

– Mais quelle est leur volonté, Hassan ?

Elle frissonna et serra son châle autour de son cou. Pour toute réponse, Hassan haussa les épaules.

– Souhaitez-vous vous rendre à Philae voir le temple d'Isis ?

– Non, pas aujourd'hui. Les Forrester vont croire que je les abandonne. Nous irons demain. Si nous partons suffisamment tôt, personne ne nous en empêchera.

Il s'inclina.

– Je m'en occupe, sitt Louisa.

Derrière eux, une voix stridente la fit sursauter.

– Louisa ! Que faites-vous ici ? Rentrez immédiatement ! Le petit déjeuner est servi ! s'écria Augusta.

– Demain, chuchota Louisa à Hassan.

Il la salua respectueusement.

– *Naharak sa'id*, sitt Louisa. Que votre journée soit heureuse.

Augusta entraîna Louisa vers la table.

– Hassan devrait avoir honte de ne pas avoir su veiller sur votre cabine. J'espère qu'un tel événement ne se reproduira pas.

– Hassan est mon drogman, répondit Louisa avec douceur. Pas mon gardien. Cependant, je suis sûre que, comme tous les autres membres de cet équipage, il donnerait sa vie pour nous sauver.

Elle marqua une pause, puis annonça :

– Demain, j'irai avec lui à Philae. Je tiens beaucoup à dessiner les ruines du temple. Il paraît que le site est particulièrement beau.

Augusta eut un frémissement de dégoût.

– Je sais que ces lieux sont très admirés, mais ils sont si vastes, si vulgaires ! Excusez-moi, ma chère, ajouta-t-elle précipitamment en voyant l'expression de Louisa. Je sais que vous n'êtes pas d'accord. En tout cas, je suis ravie que vous ne sortiez pas aujourd'hui. Sir John a adressé un message au consul. Il doit venir à bord prendre notre déposition après l'intrusion d'hier soir.

– Mais nous n'avons aucun indice, aucune preuve ! s'exclama Louisa, horrifiée.

– Nous avons des yeux pour voir, chère amie. Cela suffit.

Levant la tête, elle haussa un sourcil impérieux tandis qu'Hassan surgissait sur le seuil de la salle à manger.

– Qu'y a-t-il ?

Elle engloutit un morceau de pain.

– C'est lord Carstairs, sitt Forrester. Il souhaite vous parler ainsi qu'à sitt Louisa.

Derrière lui, le visiteur s'impatientait. Augusta déglutit et porta sa serviette à ses lèvres.

– Mon Dieu ! Nous ne sommes pas habillées pour le recevoir, et sir John est encore couché !

Mais lord Carstairs avait déjà congédié Hassan d'un signe de la main et s'avançait vers elles.

— J'espère que vous avez bien profité de notre excursion, dit-il enfin à Louisa, une fois qu'Augusta lui eut décrit en long et en large les mésaventures de la veille.

Il accepta une tasse de café et se tourna résolument vers Louisa.

— Avez-vous prévu d'autres visites, madame ?

Elle s'apprêtait à nier tout projet, quand Augusta intervint.

— Justement, si, lord Carstairs. Elle prévoit de se rendre à Philae. Peut-être y allez-vous, vous aussi ?

Louisa serra les dents. A quoi bon se montrer insolente envers son hôtesse, dont les intentions étaient sans doute bonnes ? Elle se leva.

— J'irai si nous en avons le temps, déclara-t-elle. Peut-être sur le chemin du retour, après Abou Simbel ? D'après le *reis*, il faudra deux ou trois jours pour contourner la cataracte. J'en profiterai peut-être pour quitter le bateau et poursuivre à terre. Mais j'ai encore le temps d'y réfléchir. Ne vous dérangez pas, lord Carstairs. Si vous voulez bien m'excuser, j'ai des lettres à écrire.

Sur ces mots, elle les abandonna et regagna sa cabine.

★
★ ★

On frappait à la porte. Anna sursauta violemment. Elle consulta sa montre. Il était plus de minuit. Posant le journal, elle descendit du lit.

— Qui est-ce ?

— Andy. Je suis désolé de vous ennuyer si tard, mais il faut que je vous parle.

Elle lui ouvrit à contrecœur. Le regard d'Andy s'attarda sur sa fine chemise de nuit.

— Vous ne dormiez pas, j'espère ?

— Non. Je crois que vous en avez dit assez pour ce soir, Andy. Peut-être cela peut-il attendre demain ?

— C'est le journal. Je m'inquiète. Je voulais vous proposer de vous le garder. Je suis désolé, Anna, mais je n'ai aucune

137

confiance en Toby Hayward. J'ai le sentiment qu'il va essayer de vous convaincre de le lui donner, à moins qu'il ne s'en empare tout simplement.

— C'est grotesque ! Comment osez-vous suggérer une chose pareille ? Andy, ce cahier m'appartient, et ce que j'en fais ne vous concerne en rien.

Ils chuchotaient pour ne pas réveiller les autres. La coursive n'était éclairée que par une petite lampe, près de l'escalier.

— Laissez-moi seule, à présent.

Il la dévisagea un instant, puis se renfrogna.

— Pardonnez-moi. Je ne voulais pas vous contrarier.

Il recula d'un pas, se ravisa, lui effleura le bras.

— Anna, si je me fais du souci, c'est parce que je tiens à vous.

Avant qu'elle n'ait eu le temps de réagir, il l'attira vers lui et déposa un baiser sur ses lèvres, puis il la relâcha. Avec le sourire satisfait de celui qui se croit pardonné d'avance, il lui en souffla un second, puis s'en alla.

Anna ferma la porte et s'y adossa, paupières closes. Son cœur battait la chamade. Sans le vouloir, elle caressa sa bouche. Des émotions contradictoires l'assaillaient. La colère, d'abord, mais aussi la surprise, la reconnaissance et, il fallait bien l'admettre, le plaisir. Andy était un garçon sympathique. Mais il en avait conscience, et il venait d'en profiter.

Elle retourna vers son lit. Quelle était la véritable valeur de ce journal ?

★

★ ★

Hassan avait amené la felouque le long du bateau aux premières lueurs du jour. Ses dents blanches étincelaient dans la pénombre. Il porta la main de Louisa à ses lèvres avec un regard complice. En silence, elle lui tendit son matériel et ses vêtements. Comme lui, elle était pieds nus.

Quand il la saisit par la taille pour l'aider à descendre dans le voilier, un frémissement d'excitation la parcourut. Il la guida jusqu'à sa banquette et la relâcha. Sans un bruit, il largua l'amarre et dirigea la felouque vers le canal.

138

Elle n'avait pratiquement pas dormi. La musique, les rires et les cris qui résonnaient sur l'eau depuis Assouan s'étaient prolongés tard dans la nuit.

Louisa se surprit à surveiller avec angoisse les bateaux avoisinants, le *Scarabée*, où se trouvait lord Carstairs, et un peu plus loin, le *Lotus* des Fielding. Mais à bord, tout était calme.

Ils ne parlèrent ni l'un ni l'autre. La brise s'était atténuée et, pris dans un courant contraire, ils se mirent à reculer. Hassan saisit les rames et les enclencha dans leurs fixations. Sans peine, il orienta la proue vers le sud et propulsa l'embarcation en avant.

Au bout d'un long moment, il bifurqua en diagonale vers la rive. Quand ils arrivèrent enfin, il eut un sourire triomphant. Un adolescent les attendait avec les chevaux. Trois d'entre eux étaient sellés, le quatrième portait les paniers.

— Nous parcourrons une dizaine de kilomètres le long de la cataracte, annonça-t-il, à voix haute, maintenant qu'ils étaient loin de l'*Ibis*. Ensuite, nous trouverons quelqu'un pour nous emmener dans l'île.

Louisa enfila ses babouches. La lumière était déjà éblouissante. Le jeune garçon, après avoir tout chargé, enfourcha sa monture.

— Vous êtes inquiète, sitt Louisa ? lui demanda Hassan en l'aidant à s'installer.

— Je craignais que lord Carstairs ne nous aperçoive et me rappelle pour que je l'accompagne. Je ne le souhaite pas.

— Dans ce cas, il n'en sera rien. *Inch'Allah* !... Et la fiole, sitt Louisa ? Est-elle bien cachée ?

Ainsi, lui aussi soupçonnait qu'on essaierait de la lui reprendre, une fois son absence confirmée.

— Oui, Hassan. Dans ma boîte de couleurs, ajouta-t-elle.

— Et le mauvais esprit, sitt Louisa ?

— Nous devons prier pour qu'il ne vienne pas nous importuner.

A plusieurs reprises, sur le parcours, elle eut envie de s'arrêter pour dessiner les villages au bord des chutes, la splendeur de la rivière déferlant sur les rochers, les sculptures et les dessins incrustés dans les falaises par les pèlerins qui se rendaient au temple d'Isis. Mais Hassan refusait chaque fois.

– Au retour, sitt Louisa.

Il jeta un coup d'œil nerveux derrière lui, mais apparemment, personne ne les suivait.

Ils commençaient à apercevoir des piliers. Enfin, ils atteignirent le point culminant, où le fleuve s'élargissait et se calmait. Ils avancèrent jusqu'à l'embarcadère, d'où ils loueraient un bateau pour aller dans l'île. Après avoir déchargé les paniers, Hassan donna quelques pièces à l'adolescent et lui demanda de les attendre là.

Louisa avait les yeux rivés sur l'île. Le temple qui se reflétait dans l'eau immobile était d'une beauté à couper le souffle. Les contrastes étaient fascinants. Le jaune du sable, le bleu intense des eaux et du ciel, les gigantesques rochers noirs cernant l'îlot comme d'énormes monstres endormis, les piliers couleur de miel et, au loin, la ligne mauve des montagnes.

Elle s'était réfugiée derrière un amas de pierres pour se changer. A présent, pendant qu'Hassan ramait, elle savourait son bonheur. Elle avait complètement oublié lord Carstairs.

– Cet endroit s'appelle l'Ile sacrée, expliqua le drogman. Le dieu Osiris était enterré sur un îlot près de Pilak, que nous appelons aujourd'hui Philae, et les prêtres lui rendaient visite depuis ce temple. Les gens affluaient de partout pour lui rendre hommage, ainsi qu'à Isis.

– Isis a été vénérée dans le monde entier, même en Angleterrê.

Hassan parut surpris.

– Et les chrétiens l'ont admis ?

– C'était avant Jésus-Christ, Hassan. Ce sont les Romains qui l'ont amenée d'Egypte, je suppose. Même d'ici, on ressent à quel point ce lieu était sacré.

Ils s'installèrent à l'ombre dans le péristyle, entre deux gigantesques colonnes sculptées, et Louisa se mit immédiatement à la tâche.

Lorsqu'il eut fini de déballer toutes leurs affaires, Hassan s'accroupit près d'elle. Sensible à sa présence, elle leva les yeux vers lui. Il l'observait attentivement. Leurs regards se rencontrèrent un instant, puis Louisa se détourna. Tout doucement, Hassan lui effleura la main.

140

– Hassan...

Il lui sourit, frôla ses doigts d'un baiser. Il n'y avait rien à dire.

Ils restèrent ainsi un long moment. Petit à petit, Louisa se remit à dessiner, et plusieurs heures s'écoulèrent avant qu'elle ne s'arrête enfin. Ils partagèrent un repas de fromage, de pain et d'hoummos.

L'heure était arrivée de commencer la visite. Louisa sortit la fiole de sa boîte de peintures et la glissa dans une poche. Elle prit aussi un petit carnet et un crayon à mine. Hassan hocha la tête.

– Vous avez raison. Mieux vaut la garder sur vous.

Ils se promenèrent tranquillement à travers les ruines, s'attardant ici et là, pour que Louisa puisse esquisser un palmier ou une partie de mur, puis ils se dirigèrent vers l'élégant kiosque de Trajan, perché sur le bord est de l'île. Dressé sur un fond de roches nues, le monument était exceptionnel de grâce et de beauté. Louisa en rit de plaisir.

– Je veux absolument le peindre. Comme nous l'avons vu tout d'abord, depuis la rivière. A moins que je ne descende là, sur la plage.

Hassan sourit avec indulgence. Son enthousiasme l'enchantait.

– Ou alors, les deux ! Oui, c'est ça, les deux. Mais si nous devons retourner à l'*Ibis* ce soir, je n'en aurai jamais le temps.

– Nous reviendrons, sitt Louisa. Sir John ne semble pas pressé de partir. Je crois qu'il est content d'avoir un prétexte pour traîner. D'après le *reis*, il a loué le bateau jusqu'à la fin de la saison. Il nous reste un mois encore avant que la chaleur ne devienne insoutenable.

– Dans ce cas... Cet endroit est magique, Hassan. Le sentez-vous ?

Elle s'adossa contre une muraille délabrée et ôta son chapeau de paille pour s'éventer le visage. Son regard tomba plus bas sur une petite baie sablonneuse. Un bateau venait d'y accoster, et un Européen en descendait. Il s'essuyait la figure avec un grand mouchoir. Il avait les cheveux roux foncé. Louisa poussa un cri.

– C'est Carstairs !

– Non, sitt Louisa. C'est impossible, murmura Hassan en plissant les yeux.

– Si ! répliqua-t-elle, envahie par un flot de colère, mêlé de crainte. J'en étais sûre ! De quel droit m'a-t-il suivie ?

– Il ne peut pas savoir où vous êtes ! protesta Hassan. C'est par hasard qu'il est là.

– Ne dites pas *Inch'Allah* ! gronda Louisa, furieuse. Ce n'est pas la volonté des dieux qui l'amène là. C'est sa malignité. Le *reis* connaissait notre destination, et Augusta a révélé mes projets hier, devant moi !

Hassan haussa un sourcil.

– Vous savez, sitt Louisa, cette île est petite, mais les cachettes ne manquent pas.

– Il aura interrogé le garçon qui nous attend avec les chevaux. Et l'homme à qui nous avons loué la barque, la femme qui lavait son linge au bord de l'eau et les enfants qui jouaient près des ruines. Ils lui auront tout dit en échange d'un bakchich.

Elle tapait presque du pied, tant elle était énervée. Hassan demeura impassible.

– Nous serons plus malins. Nous disparaîtrons dans les ombres.

– Vous êtes sérieux ?

– Bien sûr ! Venez !

Il lui tendit la main. Sans hésiter, elle la prit, et ils revinrent sur leurs pas en courant. Hassan fit un tas de toutes leurs affaires et jeta le tapis persan dessus.

– Voyez ! Personne ne devinera qu'une femme peintre est passée par là. On croira que c'est un visiteur parmi d'autres, parti visiter le temple. Petit ! lança-t-il à un gamin en brandissant une pièce de monnaie. Ceci est pour toi si tu veilles sur nos biens. Dans le cas où un gentleman t'interrogerait, tu ne sais pas à qui ils appartiennent, et tu n'as vu aucune femme dans les parages. Compris ?

Louisa fixa le visage de l'enfant, qui avait écarquillé les yeux. Elle ne comprenait pas l'arabe, mais le message était clair. S'il menait à bien sa tâche, la récompense serait importante. Un instant plus tard, le petit était assis sur le tas, les bras croisés. Hassan sourit.

142

– Plusieurs groupes sont en train d'explorer les lieux en ce moment, sitt Louisa. Ceci pourrait appartenir à n'importe qui. Je vous promets que les recherches de lord Carstairs seront vaines.

De nouveau, il la saisit par la main.

– Mieux vaut entrer. Il y a mille piliers derrière lesquels se dissimuler, des centaines de chapelles dérobées, de recoins et de chambres. Il y a des pièces dans les pièces, des murs dans les murs, des escaliers qui mènent au sommet du pylône. Il ne nous trouvera pas.

Louisa ne put s'empêcher de rire devant son air espiègle. Tels deux enfants désobéissants, ils s'enfuirent en direction des colonnes.

Plusieurs minutes s'écoulèrent avant que lord Carstairs ne surgisse devant le portail. Il s'appuya sur sa canne et scruta la colonnade avec soin, puis s'avança.

Louisa eut l'impression qu'il venait droit vers eux. Elle retint son souffle et sentit la pression d'Hassan sur son bras. Il lui sourit et l'invita à le suivre. Sans un bruit, ils s'éclipsèrent dans l'ombre et poursuivirent leur chemin jusqu'au seuil du second portail.

Carstairs s'immobilisa au milieu du péristyle, sur le qui-vive. Louisa sentit son regard passer sur elle, puis revenir. Elle était certaine qu'il l'avait repérée, pourtant, au bout de quelques secondes, il repartit.

Un essaim de touristes émergea dans le soleil éclatant pour admirer l'immense bas-relief de Dionysos présentant ses offrandes à Horus et Hathor. Louisa vit Carstairs hésiter, examiner tour à tour chacune des femmes. Sa proie n'étant pas là, il se détourna. Louisa suivit Hassan à l'ombre du mur.

Elle ne savait pas trop comment ils y étaient parvenus. C'était un peu comme si le drogman les avait rendus momentanément invisibles. En tout cas, ils étaient maintenant à l'intérieur, abrités par un deuxième groupe. Carstairs n'avait rien vu. Ils s'échappèrent rapidement vers la salle hypostyle.

– Où est-il ? souffla Louisa. L'apercevez-vous ?

Hassan haussa les épaules.

– Nous allons attendre un peu. Il ne faut pas nous laisser piéger en nous aventurant trop loin dans le temple. Il y fait plus sombre, mais les issues sont moins nombreuses.

Ils patientèrent, l'œil aux aguets, Louisa frémissant au contact du bras d'Hassan. Pourtant, elle se s'écarta pas. Son cœur battait à vive allure, de peur, mais aussi d'excitation.

Elle le sentit bouger légèrement. Un caillou grinça sous sa semelle tandis qu'il se penchait dans l'immense cour. Carstairs avait reparu sous une arche et surveillait une fois de plus les alentours. Louisa osait à peine respirer. Paupières closes, elle tourna la tête vers l'entrée du vestibule menant au sanctuaire.

Lorsqu'elle rouvrit les yeux, un personnage s'y tenait, face à elle. Grand, vêtu de blanc, son visage aquilin estompé par une sorte de brume. Il fit un pas vers elle. Il avait les bras en croix, mais au fur et à mesure, il les déplia et les tendit vers elle.

Elle ne sut qu'elle avait crié que parce qu'Hassan la tira brutalement vers lui en lui couvrant la bouche.

– *Allahu akbar ; Allahu akbar ; Allahu akbar !* Dieu est grand ! Dieu nous protège.

Lui aussi avait vu l'apparition. Il la guida avec fermeté vers le mur.

– *Yalla !* Va-t'en ! *Emshi ! Allahu akbar !* Dieu nous protège tous deux du mauvais esprit et de l'effendi anglais !

Louisa tremblait de tous ses membres. La boîte de couleurs dans sa poche lui paraissait de plus en plus lourde. Elle sentait la chaleur s'intensifier d'instant en instant. Soudain, avec une exclamation horrifiée, elle s'arracha à l'étreinte d'Hassan et fouilla dans le coton léger de sa robe. Elle ne savait pas quelle était son intention. Sortir la fiole de là. S'en débarrasser. La jeter dans le sanctuaire, peut-être. La haute silhouette blanche était toujours là quand elle pivota sur ses talons. Elle ne s'était pas rapprochée, mais elle semblait plus précise, les détails de sa figure étaient désormais apparents, ainsi que les broderies d'or et la ceinture, et ce qui ressemblait à une queue de léopard.

– Mon Dieu, venez à notre secours ! chuchota-t-elle.

– Au nom des dieux que tu sers et d'Isis ta souveraine, va-t'en !

La voix fit sursauter Louisa. Elle se recroquevilla dans les bras d'Hassan.

Carstairs n'était qu'à quelques mètres d'eux, les yeux rivés sur le fantôme, la paume vers le ciel.

Louisa ferma les yeux, les rouvrit. L'homme en blanc s'était volatilisé. A sa place, Carstairs les toisait, violacé de rage.

— Voyez les dangers que vous encourez à vous mêler d'affaires auxquelles vous ne connaissez rien ! Je suppose que le gardien s'est présenté, et que vous avez la fiole sur vous ? Il serait plus raisonnable de me la confier.

Ni Louisa ni Hassan ne réagirent. La fureur de Carstairs monta.

— Lâchez votre maîtresse, espèce de chien !

Hassan recula sans un mot, le regard glacé. La terreur de Louisa se transforma en rage.

— Comment osez-vous vous adresser à Hassan de cette façon ? Il me protégeait. Il prend grand soin de moi !

Quelques regards curieux s'attardèrent sur eux. Le groupe d'Européens les croisa pour pénétrer dans le vestibule suivant.

— Dans ce cas, il a fait son devoir, répliqua Carstairs en s'efforçant de se maîtriser. Le flacon, s'il vous plaît, madame. Pour votre sécurité.

— Je vous remercie, mais avec Hassan, je ne crains rien, lord Carstairs. Quant au flacon, vous n'avez pas à vous en préoccuper. Il n'est pour rien dans vos superstitions et vos visions hypothétiques. Je suis venue ici pour peindre. Il ne me semblait pas avoir à vous en demander la permission. Je n'ai pas souhaité non plus votre compagnie. En visitant la carrière de l'obélisque, j'ai pu constater combien cela vous ennuyait de m'attendre, vous et les Fielding. Je préfère être seule.

— C'est ainsi que vous me remerciez de mon intervention ! railla-t-il. Savez-vous ce qui se serait passé si je n'avais pas été là, madame Shelley ? Savez-vous ce que vous seriez devenue, si le prêtre Psenisis était apparu ?

Il y eut un silence. Louisa lui lança un regard empli de défi.

— Le prêtre Psenisis ?

Il eut un sourire pincé.

– Le deuxième mauvais esprit. Les hiéroglyphes sont dessinés sur votre papier. De toute évidence, vous ne les avez pas reconnus.

– En effet, lord Carstairs. Je ne lis ni l'arabe ni les hiéroglyphes, riposta-t-elle. Je ne crois pas non plus aux malédictions !

– Vous avez tort. Leurs noms sont clairement inscrits sur le document que vous m'avez montré. Amenanhotep, grand prêtre et serviteur d'Isis, et Psenisis, serviteur d'Isis, prêtre de Sekhmet la déesse à tête de lionne. Isis est aussi une guerrière, madame Shelley. Partout où elle allait, elle semait la terreur et la mort. Le vent brûlant du désert est le souffle de sa haine. Ne le sentez-vous pas en ce moment même ? En voyant surgir ce spectre, n'avez-vous pas eu peur, au point de vous jeter dans les bras de votre serviteur égyptien ?

Elle hésita. Une lueur de triomphe dansait dans ses prunelles.

– Vous pouvez me mentir, madame, mais ne soyez pas dupe. Si je n'étais pas intervenu, vous et votre drogman seriez morts !

Blême, Louisa le dévisagea. Derrière elle, Hassan avait croisé les bras dans les manches de sa djellaba. La dureté de son regard démentait la faiblesse de son silence.

– La fiole, madame Shelley. Donnez-la-moi.

– Pourquoi serait-elle plus en sécurité avec vous qu'avec moi ?

A vrai dire, elle n'avait qu'une envie : s'en débarrasser. Mais elle se méfiait de cet homme. Elle ébaucha un sourire en pensant que son mari aurait été fier de son courage. Carstairs, lui, fut sidéré qu'elle ne lui obéisse pas sur-le-champ. Elle ébaucha un sourire.

– J'apprécie votre aide, mais l'image qui semble avoir jailli de nos imaginations s'est dissipée. Je vais donc reprendre ma visite et ma peinture.

Sur ce, elle pivota vers Hassan, l'invita à la suivre et partit.

– Vous l'avez fâché, sitt Louisa, murmura Hassan à ses côtés. Cet homme n'est pas bon. Il fera un ennemi redoutable.

Elle eut une petite moue.

146

– Moi aussi, je peux être redoutable, Hassan. J'ai été polie, mais je refuse de me laisser manipuler. Et je ne supporte pas qu'il vous insulte.

La figure d'Hassan s'éclaira d'un sourire.

– Je ne suis pas offensé, sitt Louisa. Le lord anglais m'est indifférent, et je lui en veux de vous perturber, cependant... Il a des pouvoirs. Celui de chasser le mauvais esprit. Mais pas au nom d'Allah ou de votre dieu chrétien. Je pense qu'il a étudié la magie noire.

Louisa arrondit les yeux.

– Mais c'est un gentleman !

– Je ne suis pas très savant, sitt Louisa, mais mon cœur me dit que je ne me trompe pas.

Elle se mordit la lèvre.

– Il veut la fiole, sitt Louisa, parce qu'elle est liée au pouvoir du mauvais esprit.

– Ce ne sont pas des mauvais esprits, Hassan. Ce sont des prêtres... Pensez-vous qu'il ait raison ? Pensez-vous que Psenisis, si c'est bien son nom, nous aurait tués ?

Ils avaient atteint la colonnade, et le soleil les y accueillit dans toute sa puissance.

– Je n'en sais rien. Je n'ai pas ressenti la peur de la mort. La terreur, oui. Mais de l'inconnu.

Après les avoir suivis un moment du regard, Carstairs avait tourné les talons pour s'enfoncer dans les entrailles du sanctuaire.

Lorsqu'ils parvinrent à l'endroit où ils avaient laissé leurs affaires, Hassan donna à l'enfant la pièce qu'il avait méritée, puis étala le tapis pour que Louisa puisse se remettre à son travail.

– Quand lord Carstairs repassera, concentrez-vous sur votre dessin, recommanda-t-il. Ne levez pas la tête.

– Croyez-vous que cela suffise ?

– Je pense qu'il vous laissera tranquille.

– C'est un sage conseil.

Elle contempla son esquisse inachevée du kiosque de Trajan. Elle ne pourrait pas la terminer aujourd'hui. Elle décida d'attaquer les décors bleus et verts des chapiteaux. Hassan, toujours à l'affût d'un service à lui rendre, versa un peu d'eau dans son godet. Louisa rinça son pinceau, sélectionna un pigment azur, le déposa sur sa palette en faïence, y ajouta quelques touches de jaune.

Hassan s'accroupit à l'ombre du pilier qu'elle reproduisait, perdu dans ses pensées. Malgré elle, Louisa revécut l'instant où elle s'était jetée dans ses bras. Il était solide, réconfortant. Il sentait bon le tabac et les épices, et le coton fraîchement lavé, séché au soleil.

Elle plongea son pinceau dans l'eau. Elle se rendit compte alors qu'elle avait dessiné un homme auprès d'un des piliers. Ce n'était pas Hassan. C'était un homme grand et solennel, au visage brun, les bras en croix, le regard sur le Nil et les montagnes au-delà.

Percevant un bruit de pas derrière eux, elle s'arrêta de peindre. Le son s'amplifia, s'arrêta brusquement, puis s'éloigna. Jetant un coup d'œil derrière elle, elle vit un homme blond, en costume de tweed brun clair, coiffé d'un casque colonial, un sac sur l'épaule. Elle ne savait pas d'où il était sorti, mais c'était bien celui dont elle venait d'entendre le claquement des semelles sur le marbre.

— Ne vous méprenez pas, sitt Louisa. Lord Carstairs est encore dans les parages.

— Nous pourrions peut-être regagner la barque.

— Vous vous laisseriez chasser... Mais vous le reverrez. C'est un ami de sir John. Mieux vaut lui faire face ici. Maintenant.

Hassan avait raison. Si Carstairs retournait à Assouan sans eux, sa mission aurait échoué et il éviterait sans doute de s'en vanter auprès des Forrester. Elle se remit à l'ouvrage, mais sa main tremblait.

Hassan était parfaitement immobile. Au bout d'un long moment, il se leva et lui fit signe qu'il allait se promener. La chaleur était à son comble. Il n'y avait pas un souffle, la lumière aveuglante rebondissait sur les pierres. Hassan avait disparu. Louisa avait sommeil. Elle ferma les yeux. Elle sentait le poids de la petite boîte de couleurs dans sa poche. La fiole était en sécurité.

Un soupir lui échappa. Elle se laissa glisser de son petit tabouret et s'allongea sur le tapis avec sa robe en guise de coussin. Même les hirondelles s'étaient tues.

Lorsqu'elle se réveilla, Hassan était assis en tailleur devant elle. Il lui sourit.

— Vous avez le sommeil d'une enfant. J'espère que vous avez fait de beaux rêves.

— Cette chaleur est épuisante.

— Ce n'est rien, en comparaison de l'été.

— Avez-vous vu lord Carstairs ?

— Il est parti. J'ai fouillé partout. Dormez, sitt Louisa. Je veillerai sur vous.

— Merci.

Elle émergea de sa torpeur une heure plus tard. Autour d'elle, il n'y avait pas le moindre signe de vie. Hassan était invisible. Le silence était si intense qu'elle fronça les sourcils.

— Hassan ? Où êtes-vous ?

Rien. Pas un murmure. Elle se leva et se précipita vers la colonnade.

— Hassan ?

— Sitt Louisa ?

Elle fit volte-face.

— Hassan ! Oh, Hassan, Dieu soit loué, vous êtes là ! s'écria-t-elle en se précipitant vers lui. J'ai cru que vous m'aviez abandonnée !

Il la serra contre lui.

— Sitt Louisa, je donnerais ma vie pour vous.

— Hassan...

— Chut. N'ayez pas peur, sitt Louisa. Avec moi, vous n'avez rien à craindre, ajouta-t-il avec un sourire tendre. J'ai lutté. Je pensais que c'était interdit. Maintenant, je sais que c'est la volonté d'Allah... Mais seulement si c'est aussi la vôtre.

Du bout du doigt, il caressa son visage. Louisa plongea le regard dans le sien. Elle se hissa sur la pointe des pieds et embrassa ses lèvres.

— C'est la volonté d'Allah, chuchota-t-elle.

Le temps s'arrêta de tourner. Leur baiser la foudroya, comme s'il résumait à lui seul tout ce dont elle avait rêvé. Elle aurait voulu qu'il ne cesse jamais. Quand Hassan s'écarta enfin, elle resta un instant étourdie. Etait-il possible d'éprouver un tel bonheur ?

Il la souleva dans ses bras et la transporta jusqu'au tapis. Elle s'assit, le menton sur les genoux. La réalité prenait déjà le dessus sur l'ivresse du plaisir.

— Hassan, je suis veuve. Je suis libre. Mais vous, vous avez une épouse, dans votre village. Ceci n'est pas bien.

Il s'agenouilla devant elle et lui prit la main.

— Chez nous, un homme a le droit d'aimer plus d'une femme. Je n'ai pas vu la mienne depuis plus de deux ans, sitt Louisa. Je lui envoie de l'argent. Elle s'en contente.

— Vraiment ? Ça ne me suffirait pas.

— Non, car vous êtes une passionnée. Nous avons deux fils. Depuis la naissance du second, elle ne m'aime plus comme devrait le faire une épouse.

— Je ne le pourrai pas non plus, Hassan. Quand viendra l'été, je repartirai chez moi retrouver mes propres fils.

Il se détourna, l'air triste.

— Est-ce à dire que vous refusez de profiter du bonheur à notre portée ? Si nous devons souffrir, que ce soit le plus tard possible. Ensuite, nous chérirons les souvenirs. Sinon, nous n'aurons que des regrets.

— Peut-être devrions-nous nous déclarer notre amour dans le temple d'Isis ? N'est-elle pas la déesse de l'amour ?

Elle voulut l'embrasser, mais il s'était raidi. Il la repoussa.

— Qu'y a-t-il ? murmura-t-elle, blessée.

— *Ma fahemtich !* Je n'y comprends rien ! Lord Carstairs. Il est là-bas !

Elle retint son souffle.

— Il nous a vus ?

— Je ne le crois pas. J'ai cherché partout. Son bateau n'était plus là. Cette île est petite. Où a-t-il pu se cacher ? Attendez-moi ici, sitt Louisa. Ne bougez pas.

Il s'éclipsa derrière les piliers. Le silence était revenu.

★
★ ★

Anna posa le journal et se frotta les yeux. Ainsi, Louisa avait eu un amant en Egypte. Elle sourit. Elle ne s'attendait pas à cela de la part de son arrière-arrière-grand-mère ! Elle pensa à la photographie que lui avait montrée Phyllis de cette femme en chemisier à col montant, au chignon sévère, au regard direct, à la bouche un peu pincée. Pas un détail qui puisse trahir une nature aussi passionnée...

Elle consulta sa montre. Trois heures du matin. Elle n'en pouvait plus. Un frisson la parcourut. L'histoire avait produit l'effet désiré. Elle avait oublié un moment l'hostilité grandissante entre Andy et Toby. Elle scruta la cabine, se leva. Elle avait une dernière chose à faire avant de s'endormir.

Le morceau de papier attaché à la fin du cahier était tellement fin que l'écriture en devenait presque invisible. Elle le maintint sous la lampe. Oui... là... Elle n'avait pas remarqué les minuscules hiéroglyphes dans le coin.

Ainsi, elle connaissait désormais le nom des deux fantômes qui veillaient sur la fiole. Amenanhotep et Psenisis. Prêtres d'Isis et de Sekhmet. Elle se mordit la lèvre et secoua la tête.

Elle rangea le journal dans le tiroir de sa table de chevet. Louisa avait survécu. Elle était devenue une artiste célèbre. Quelles que fussent les intentions de ces mauvais esprits, ils n'étaient pas si effrayants que cela. Après tout, Louisa avait rapporté la fiole en Angleterre.

VII

Ayant enterré la torche allumée et la tablette de cristal,
                                            Qu'as-tu fait ?
J'ai prononcé des paroles de puissance, déterré la tablette,
éteint la torche, brisé la tablette de cristal et j'ai creusé le lac...

Salut, dieu grand... Je n'ai pas causé de souffrance aux hommes.
    Salut, dieu grand... Je n'ai pas tué ni ordonné de meurtre.

*O*N *a à nouveau oublié le pillage du tombeau ; les dunes s'éten-
dent au pied de la falaise dans un coin désolé du désert.*
L'esprit peut errer le jour et émerger la nuit, mais la fiole est pri-
sonnière, enveloppée dans son propre silence ; or, sans elle et sans le
secret qu'elle contient, quelle raison l'Esprit aurait-il de se
montrer ?
L'un d'entre nous s'est présenté devant les dieux... et les paroles
qu'il a prononcées étaient mensongères. Il a péché, il a commis le
mal, il a fui devant Ammit la dévoreuse.
Quand nous nous cachons des dieux, le temps n'a plus cours.
Quand les dieux nous ordonnent de dormir, ils ne disent pas pour

combien de temps. Deux cent mille soleils se lèveront et se coucheront sur le désert, avant que, de nouveau, les pilleurs ne tournent leur regard vers les dunes. Les prêtres frémissent. Peut-être le moment est-il venu.

★
★ ★

Anna se réveilla en sursaut. Immobile, elle contempla le plafond de sa cabine strié par les reflets passant à travers les jalousies. Elle avait mal à la tête. Epuisée, elle appuya les doigts sur ses tempes. Elle était trop lasse même pour s'asseoir. Elle consulta sa montre : déjà presque dix heures !

Le bateau était vide. A la réception, elle se planta devant le tableau d'affichage. Où étaient-ils tous partis ? Le programme de la journée lui était complètement sorti de l'esprit. Les activités prévues étaient soigneusement dactylographiées sous son nez : excursion au bazar d'Assouan, brève visite de l'hôtel Old Cataract. Elle fronça les sourcils, déçue d'avoir manqué ça. Elle se détourna lentement et se dirigea vers le salon. Ibrahim l'interpella alors qu'elle gagnait la terrasse ombragée.

– Mademoiselle, vous n'avez pas déjeuné ?

Elle lui sourit.

– Une fois de plus, j'ai dormi trop tard.

– Voulez-vous que je vous apporte du café et un croissant ? proposa-t-il en éteignant précipitamment sa cigarette.

Il rangea le chiffon avec lequel il frottait le zinc du bar et vint vers elle.

– Volontiers, merci, Ibrahim... Tout le monde est descendu à terre ?

– Presque. Ils veulent dépenser tout leur argent au souk.

Anna s'installa à une table tout au bout sous l'auvent blanc. Elle se trouvait à l'opposé de l'endroit où elle avait caché le flacon. C'était pourtant l'occasion idéale pour le récupérer. Elle ne pouvait pas le laisser indéfiniment enterré dans le pot de fleurs. Cependant, une fois qu'elle l'aurait récupéré, elle devrait prendre une décision. Elle contempla les eaux du Nil. Elle aurait voulu en parler avec Serena. Maintenant qu'elle

153

connaissait le nom des deux prêtres gardiens de la fiole, elle ne savait plus quoi penser.

Elle s'empara de son sac et en sortit son guide. Il lui semblait avoir aperçu un lexique des principaux dieux égyptiens, au début de l'ouvrage. Elle le feuilleta rapidement. Sekhmet... « La déesse à tête de lionne a très mauvaise réputation », lut Anna. Sa tête était surmontée d'un disque solaire et de la reproduction d'un cobra. Anna eut un frisson.

— Vous avez froid, mademoiselle ?

Ibrahim avait surgi devant elle avec un plateau. Il disposa devant elle du café, un croissant et un grand verre de jus de fruits.

— Non. J'étais en train de réfléchir à ce que je venais de lire au sujet de Sekhmet.

— Ce sont des légendes, mademoiselle. Vous ne devez pas avoir peur.

— Sekhmet est la déesse de la colère et de la haine. On la représente ici avec un cobra... Comment savez-vous tant de choses sur les serpents, Ibrahim ?

Il lui sourit en calant le plateau vide sous son coude.

— J'ai tout appris par mon père et, avant lui, mon grand-père.

— Ils ne vous agressent jamais ?

— Jamais.

— Quand Charley en a découvert un dans sa cabine, vous avez dit qu'il veillait sur un objet m'appartenant. Comment le saviez-vous ?

Il s'humecta les lèvres, soudain mal à l'aise. Il la dévisagea brièvement, hésitant.

— Etait-ce vraiment un serpent, Ibrahim ? Ou une apparition ?

Il se balança d'un pied sur l'autre.

— Parfois, les deux se confondent, mademoiselle.

— Croyez-vous qu'il risque de revenir ?

Il haussa les épaules.

— *Inch'Allah* !

Sur cette déclaration qui avait tant exaspéré Louisa autrefois, Ibrahim s'inclina solennellement et partit à reculons. Elle ne le rappela pas. A quoi bon ?

Une heure plus tard, elle se leva enfin et monta sur le pont supérieur. Tout était tranquille. Elle n'avait vu ni passagers ni membres de l'équipage, depuis qu'Ibrahim l'avait laissée. Sur le fleuve, en revanche, l'activité était intense. Les yachts de croisière se disputaient une place à quai ; bateaux à moteur, felouques, embarcations surchargées, bacs et petites barques de pêcheurs allaient et venaient. Le ronronnement de la ville était perceptible, coups de Klaxon et cris en provenance de la Corniche. Anna se rendit compte tout à coup qu'en fait, depuis qu'elle s'était levée, elle ne cherchait qu'à rassembler son courage. Attendre Serena ne servirait à rien. Elle devait récupérer la fiole, la remporter dans sa cabine, la mettre dans une enveloppe scellée et confier le tout à Omar dès son retour.

On avait arrosé les plantes aux aurores, mais la terre avait déjà séché. Anna s'avança prudemment jusqu'à la rambarde et s'autorisa quelques instants de répit pour admirer les collines lointaines, que la brume de chaleur estompait déjà.

Elle revit la petite bouteille de verre telle qu'elle l'avait connue pendant tant d'années, innocemment posée sur sa coiffeuse, d'abord chez ses parents, puis dans la maison qu'elle avait partagée avec Félix. Elle n'en avait jamais eu peur, alors. Soudain, elle se remémora un après-midi pluvieux de son enfance ; munie d'un couteau de poche, elle s'était attaquée au bouchon dans l'espoir de l'enlever. Et si elle y était parvenue ? Si la substance s'était répandue ? Pourquoi les gardiens de la fiole n'étaient-ils pas apparus ce jour-là ? Avaient-ils reculé devant le climat anglais et l'éloignement de leur pays d'origine ? Ou bien sa naïveté l'avait-elle sauvée ? En vérité, vite lassée par ce jeu, elle avait rangé le couteau dans la poche de son short et remis le flacon en place. Par la suite, elle n'avait plus jamais tenté de l'ouvrir.

Une felouque passa, dirigée par deux jeunes garçons. Ils agitèrent la main, et elle leur répondit en souriant. Il lui suffisait de pivoter sur elle-même, de glisser sa main sous les feuillages, de tâter le terreau du bout des doigts. Rien de plus. En moins de cinq minutes, sa tâche serait accomplie.

Subitement, elle sentit qu'on la surveillait. Un regard lui transperçait le dos. Sans doute était-ce un des touristes du croiseur le long duquel était accosté le *White Egret*. Tant pis.

155

Elle retint son souffle et se retourna en se cramponnant à la rambarde.

Serrant les dents, elle s'avança. Elle tendit la main sous les feuilles encore humides, creusa. Paupières closes, elle libéra la fiole de la terre, l'en sortit. Se redressant, elle entreprit de la nettoyer. Au même instant, une sensation de froid la saisit.

Mon Dieu, non, je vous en supplie ! Pas encore ! Elle s'obligea à lever la tête.

Transparent, léger comme un filet de brume, le prêtre de Sekhmet était vêtu d'une peau de lion du désert. L'énorme patte était drapée sur son épaule, toutes griffes tendues, il portait un collier en or autour du cou, une chaîne sur la poitrine ; elle remarqua aussi ses longues jambes musclées, ses sandales, ses bras et, l'espace d'un éclair, son visage aux yeux luisants de rage, aux mâchoires crispées. Il la voyait aussi. Elle en avait la certitude. Il savait que c'était elle qui avait caché le récipient sacré, elle qui l'avait ramené en Egypte.

Non !

Elle avait la gorge sèche. Le silence était intense, autour d'elle, tout semblait s'être figé.

D'un mouvement preste, elle se détourna pour jeter la fiole dans le Nil.

Au même instant, une main se referma sur son poignet, et le flacon atterrit sur les coussins blancs d'un fauteuil. A nouveau, le bruit des bateaux, des voitures, les cris et éclats de rire l'assourdirent.

— Qu'est-ce que vous fabriquez ?

C'était Andy. Il l'examinait d'un air perplexe.

— Je ne sais pas ce que vous a fait cette chose, mais elle ne mérite pas ça.

Avec un large sourire, il se pencha pour ramasser la fiole. Anna resta muette. Elle scruta le pont. Ce n'était qu'une hallucination. Evidemment. La fatigue, l'histoire de Louisa, sa conversation avec Ibrahim, tous ces éléments conspiraient contre elle.

— Ce n'est pas une antiquité, décréta-t-il au bout d'un moment. Mais vous le savez déjà. Je ne me suis pas trompé. Les objets authentiques sont tous dans les musées. Vous voyez ceci ? ajouta-t-il en désignant le bouchon. C'est du verre industriel. Votre « trésor » n'est même pas très ancien.

— Il a plus de cent ans au moins, s'il a appartenu à Louisa Shelley, répliqua-t-elle, sur la défensive.

Ce commentaire le prit de court.

— Oui, bien sûr. J'avais oublié. Mais êtes-vous sûre que c'est bien la fiole de Louisa ? Dans les familles, au fil des ans, on a tendance à déformer les histoires. J'en sais quelque chose, c'est mon métier. On m'affirme que grand-mère a fait ceci ou que grand-père a acheté cela, et le plus souvent, c'est faux. Les gens ne mentent pas forcément, ils se fient simplement à des souvenirs altérés par le bouche à oreille. Peut-être que Louisa a vendu ou perdu l'original. Elle en parle, dans son journal ?

— Oh, oui !

— La description correspond ?

— Parfaitement.

Andy grimaça, songeur.

— Dans ce cas, pourquoi tentiez-vous de vous en débarrasser ? C'est tout de même une curiosité, même si elle ne date que de l'ère victorienne.

— Andy, c'est un objet authentique.

— Et vous alliez le jeter dans le Nil ?

— J'avais mes raisons, croyez-moi.

— Peut-être devriez-vous me le confier ?

Elle hésita. Ce serait tellement facile !

— J'avoue que j'ai du mal à comprendre. D'abord, Charley s'en empare. Maintenant, c'est vous qui n'en voulez plus.

— Cette fiole est maudite, Andy. Un mauvais esprit...

Elle s'interrompit en voyant son expression.

— Voyons, c'est absurde ! s'esclaffa-t-il. Je parie que c'est Serena qui vous a mis ces idées dans la tête. Ma pauvre Anna, écoutez-moi, ma chérie. Ne vous laissez pas influencer. Serena est complètement cinglée. Ses discours sur la magie et le para-normal ne riment à rien ! Elle s'est plongée là-dedans après le décès de son mari et...

— Non, Andy...

— Non ? Savez-vous qu'on a failli l'enfermer ? C'est pour cela que Charley s'est installée chez elle. La mère de Charley et la sœur de Serena sont bonnes amies. Elles étaient d'accord pour dire que Serena ne devait pas continuer à vivre toute seule.

– Je n'en crois rien ! décréta Anna. Serena est cultivée, responsable. Je l'apprécie beaucoup.

– Nous l'aimons tous, Anna. C'est pourquoi nous nous donnons tant de peine pour l'aider, pourquoi nous sommes ici. Pour veiller sur elle, au cas où elle se laisserait entraîner dans ses délires.

Il se laissa choir sur une chaise longue.

– Excusez-moi, enchaîna-t-il. J'aurais peut-être mieux fait de me taire. Vous êtes choquée. Mais si elle vous...

– Elle n'y est pour rien, Andy. C'est moi qui ai des visions.

Il y eut un silence.

– Qu'avez-vous vu, au juste ? murmura-t-il enfin.

– Un homme. Deux. Un en djellaba blanche, un autre vêtu d'une peau de lion.

– Anna, tous les Egyptiens portent la djellaba. A bord, les serviteurs sont plus nombreux que les passagers. Ils sont toujours dans les parages, prêts à satisfaire nos moindres caprices.

– Andy, taisez-vous ! Je ne suis pas idiote. Je vous en prie, épargnez-moi vos sermons paternalistes. Je sais ce que j'ai vu.

Il la gratifia d'un sourire charmeur.

– Pardonnez-moi.

– Je viens d'apercevoir le second prêtre. Là où vous étiez à l'instant. C'est pour cela que j'ai eu envie de jeter la fiole dans le Nil. J'étais terrifiée.

Il secoua la tête.

– Tout ça est bien étrange, mais il doit y avoir une solution.

– J'espérais que Serena m'en fournirait une.

– Anna, évitez de l'impliquer dans cette affaire. Rangez ça et n'y pensez plus. Concentrez-vous sur votre voyage. Pourquoi n'êtes-vous pas sortie avec les autres ce matin ? Serena et Charley étaient surexcitées à la perspective de marchander au souk.

– Je ne me suis pas réveillée.

– Vous aviez lu trop tard, devina-t-il.

Ni l'un ni l'autre n'avait mentionné les incidents de la veille, pourtant, le souvenir de son baiser resurgit, presque palpable. Il se pencha vers elle et l'invita d'un geste de la main à s'asseoir auprès de lui.

– Installez-vous, je vais nous chercher à boire. Nos amis ne vont pas tarder. Après le déjeuner, un autocar doit nous emmener au barrage. Ce doit être une visite intéressante. Le génie de la bouteille ne vous suivra pas là-bas !

– Vous ne me croyez pas, n'est-ce pas ?

– Anna, ma chère...

L'irritation de la jeune femme augmentait de seconde en seconde.

– Excusez-moi, Andy, mais j'ai à faire dans ma cabine. A tout à l'heure.

Elle fourra le flacon dans son sac et s'éloigna.

– Anna ! Ne vous fâchez pas ! Je suis désolé. Vraiment. Je suis sûr que vous croyez avoir vu quelque chose. Peut-être est-ce le cas, d'ailleurs... Anna, écoutez-moi. Avant que vous ne descendiez... j'ai réfléchi, cette nuit, à propos de Toby.

Elle s'immobilisa, se tourna vers lui. Il avait quitté son fauteuil pour la rejoindre.

– J'avais raison, il a un passé louche. Je n'ai pas l'habitude de répandre des ragots, mais il s'intéresse à vous, et il vaut mieux que vous le sachiez : je suis à peu près certain d'avoir vu son nom quelque part. Ainsi que son visage. Dans les journaux. Il a été écroué pour un délit grave.

Il marqua une pause. Anna attendit, déchirée entre le désir de fuir et celui d'en savoir davantage.

– Je crois qu'on l'a accusé du meurtre de son épouse.

Elle le dévisagea, interloquée.

– C'est impossible !

– Il fallait que je vous le dise. Méfiez-vous.

– Comptez sur moi.

Elle était outrée. Et furieuse. Folle de rage contre Toby et contre Andy.

– Ce sont des rumeurs, lança-t-elle. Vous n'êtes sûr de rien. S'il était un assassin, il ne serait pas ici aujourd'hui !

Elle tourna les talons et disparut. Dans sa cabine, elle jeta son sac sur le lit.

– Nom de nom ! s'écria-t-elle en se regardant dans la glace.

Elle avait les joues écarlates. Ses yeux se remplirent de larmes. C'en était trop. Les nuits sans sommeil, la fiole, les apparitions, et maintenant ça ! Tout à coup, elle comprit à quel point elle souhaitait qu'Andy se trompe. Excédée, elle se rua sur le flacon et le brandit devant elle.

— Amenanhotep ou Psenisis, peu importe, à nous deux ! Où êtes-vous ? Si vous êtes là, qu'attendez-vous pour l'emporter, cette sacrée bouteille ? Pourquoi ne pas l'avoir fait plus tôt ? Fallait-il que je vienne en Egypte ? En Angleterre, jamais rien n'est arrivé. Me voici, elle est à vous ! Quoi ? Personne n'en veut ? Alors fichez-moi la paix ! Si vous vous présentez de nouveau à moi ne serait-ce qu'une fraction de seconde, je la balance par-dessus bord !

Elle la jeta dans le tiroir de la table de chevet. Au même moment, on frappa à sa porte.

— Qui est-ce ?

— C'est moi, Andy. Je voulais vous demander pardon.

— C'est inutile ! gronda-t-elle sans bouger.

— Je vous en prie, Anna, laissez-moi entrer.

Il tourna la poignée. Elle n'avait pas fermé à clé.

— Je suis désolé de vous avoir offensée. Ce n'était pas mon intention. Je pensais seulement que je devais vous mettre au courant.

— Vous ne m'avez pas offensée, et je vous serais reconnaissante de ne plus faire irruption chez moi sans y être invité. Sachez que Toby et son passé me sont totalement indifférents. Quant à la fiole, vous pouvez me croire ou non, ça m'est égal !

— Vous en êtes certaine ? murmura-t-il avec un sourire penaud. Vous pourriez tenter de me convaincre.

Elle lui lança un regard noir, puis haussa les épaules.

— Très bien. Vous me soupçonnez d'avoir imaginé Amenanhotep ? Regardez ce qu'en dit Louisa.

— Je ne mets pas vos paroles en doute, Anna.

— Si. Vous me prenez pour une folle, comme Serena.

Elle sortit le journal et s'assit sur le lit. Andy vint se mettre près d'elle.

— Montrez-moi... montrez-moi ce que raconte Louisa.

— Tenez... Là : « J'ai tendu la main vers lui, et elle est passée au travers. » Et encore : « Le personnage m'observait... il s'est avancé vers moi. Il avait les bras en croix sur sa poitrine, mais au fur et à mesure, il les tendait vers moi. J'ai hurlé... »

Ce n'est pas tout. Voyez... Lord Carstairs voulait à tout prix s'emparer de la fiole. Pourquoi, si elle n'était pas authentique ?

Andy eut un geste pour lui prendre le cahier des mains, mais il se ravisa à la dernière minute. Son regard était rivé sur une page : entre deux paragraphes rédigés d'une écriture fine et serrée, se trouvait une aquarelle minuscule représentant un bel Egyptien qui contemplait les dunes.

— C'est lui, votre fantôme ?

— Il n'y a rien de marqué, mais je pense que c'est Hassan, son amant.

— Son amant !

Elle acquiesça.

— Son drogman. Elle est tombée amoureuse de lui au fil de leurs visites. C'est lui qui lui a offert le flacon.

— Bon sang ! C'était plutôt osé de sa part, non ? Il enfreignait tous les tabous victoriens : la classe sociale, la race, la religion, d'un seul coup ! Louisa devait être une femme remarquable.

— Elle était très courageuse. Regardez. Voici une autre description des esprits... Alors ? Vous me croyez, à présent ?

Il se frotta le menton.

— Ce n'est vraiment pas mon truc, Anna, je suis navré. Je cherche toujours une explication raisonnable aux phénomènes inhabituels... Mais que s'est-il passé quand elle a regagné le bateau ? Carstairs a-t-il continué à la harceler ?

Elle tourna la page, révélant deux esquisses, l'une d'une felouque traversant le Nil dans le soleil couchant, l'autre d'une femme au visage voilé, une urne en équilibre sur le sommet de son crâne. En dessous, le reste de la feuille était noircie de texte.

« Il faisait presque nuit quand nous avons accosté la dahabiah. Hassan a lancé la corde au *reis*, qui nous guettait. Quand j'ai atteint le pont, le *reis* secouait la tête, visiblement ébranlé.

— Sitt Louisa, il y a un gros problème. Vous devez aller immédiatement au salon.

Cette recommandation fut aussitôt suivie d'une violente diatribe en arabe, adressée à Hassan. »

Anna se redressa.

— Vous êtes sûr de vouloir connaître la suite ?

Andy opina avec vigueur.

– Absolument ! Continuez !

★
★ ★

Elle repéra tout de suite lord Carstairs, assis à la table. Non loin se là se tenaient Mme et Mlle Fielding avec Augusta. Sir John l'attendait à l'entrée.

– Dieu soit loué, vous êtes saine et sauve, ma chère Louisa ! Nous étions malades d'inquiétude !

Elle fronça les sourcils.

– Vous saviez où j'étais, pourtant.

– Oui, mais ce que Roger nous a raconté nous a épouvantés. Quel désastre, quel scandale !

Louisa porta son regard de sir John à lord Carstairs.

– Quel désastre ? Quel scandale ? Je ne comprends pas.

Un soupçon l'assaillit. Carstairs s'était levé brièvement pour la saluer, mais à présent, il fixait ses mains croisées devant lui.

– Lord Carstairs, quel est ce scandale dont vous vous êtes senti obligé de parler à mes amis ? lui demanda-t-elle sèchement.

Il releva la tête, et elle tressaillit, frappée par l'extraordinaire profondeur de son regard. Un instant, elle perdit pied. Comme elle cherchait désespérément à se maîtriser, il lui sourit. Avec bonté.

– Pardonnez-moi, madame. Je suis confus. C'est mon désir de vous protéger qui m'a poussé à me confier aux Forrester. J'ai agi dans les meilleures intentions. Pour rien au monde, je n'aurais révélé exprès quoi que ce soit qui pût nuire à votre réputation.

– Heureusement ! riposta-t-elle sans ciller. Je n'ai rien fait qui puisse susciter une telle accusation. De quel droit osez-vous insinuer le contraire ?

Elle se rendit compte tout à coup que tout le monde la regardait avec attention. Katherine avait placé une main sur son ventre rebondi, comme pour préserver son futur enfant

162

des horreurs à venir. Venetia affichait une expression à la fois fascinée et outragée. Augusta semblait tout simplement gênée, sir John furieux, et David Fielding aurait de toute évidence volontiers disparu dans un trou de souris.

Ce fut ce dernier qui brisa le silence. Il était debout, les poings derrière le dos.

– Je pense qu'il est temps de partir. La journée a été fatigante pour nous tous, et je suppose que Mme Shelley souhaite se reposer avant le repas. Katherine ?

Il tendit la main vers son épouse, qui eut du mal à dissimuler sa déception de ne pas assister à ce qui promettait d'être une altercation violente. Venetia, tout aussi désappointée, s'emporta :

– Nous ne pouvons pas nous en aller sans Roger ! Nous devions passer la soirée ensemble, non ?

David eut une petite moue.

– Je pense que Roger ne nous en voudra pas pour cette fois. Nous nous retrouverons demain.

En quelques minutes, les Fielding firent leurs adieux. Sir John et lord Carstairs les accompagnèrent sur le pont. Louisa resta seule avec Augusta.

– De quoi s'agit-il ? attaqua Louisa. Qu'a-t-il à me reprocher ? Cet homme est odieux. Il m'a suivie sans que je le lui demande, il a interrompu ma visite et gâché ma journée. Et voilà qu'à mon retour, j'apprends qu'il me critique derrière mon dos ? Que vous a-t-il raconté ?

Augusta se cala dans ses coussins.

– Il nous a parlé d'Hassan, ma chère, et de son comportement inacceptable. Vous ne pouvez vous imaginer combien je le déplore. Il nous avait pourtant été hautement recommandé. Hélas ! Vous êtes une femme très séduisante, et vous avez passé tant d'heures ensemble. Il n'a pas pu se retenir. Mais ce n'est pas tout, ajouta-t-elle en fronçant le nez. Roger m'a appris, discrètement bien sûr, que vous étiez... que vous portiez une tenue d'indigène, ce qui est indigne d'une femme comme vous.

Augusta s'était empourprée. Elle s'épongea la lèvre supérieure du bout de son mouchoir en dentelle.

– Lord Carstairs m'épiait-il ? rétorqua Louisa. Je ne me souviens pas de l'avoir invité à se joindre à moi. En ce qui concerne la robe à laquelle il fait allusion, je l'ai apportée d'Angleterre, et je puis vous assurer qu'elle est très confortable dans ce climat. Quant à Hassan, il ne m'a jamais manqué de respect. Comment lord Carstairs ose-t-il... ? Il m'insulte, Augusta !

Celle-ci se leva, terriblement agitée, et s'éloigna de deux petits pas.

— Non, ma chère, il a eu raison de nous parler, à John et à moi. Il s'inquiète de votre réputation. Il vous admire, Louisa. Il respecte votre talent...

Elle ramassa une lettre sur le dessus de la pile qui traînait au milieu de la table et s'éventa la figure.

— ... Il a agi dans votre intérêt, je vous assure !

— Dans ce cas, je pense avoir mis les choses au point. Pardonnez-moi, Augusta, je vais me changer... Je vous montrerai mes dessins un peu plus tard, si vous le souhaitez. Vous verrez ainsi à quoi j'occupe mes journées.

Augusta ébaucha un sourire, mais ne la regarda pas.

Après le repas, Augusta se retira, tandis que sir John et Louisa s'installaient au salon pour boire du thé.

— J'ai adressé une missive au consul afin qu'il nous recommande un nouveau drogman pour le restant de votre séjour.

Louisa posa sa tasse.

— C'est inutile. Hassan me convient parfaitement.

— Je l'ai remercié, annonça sir John, l'œil sur le bout de son cigare.

— Pardon ?

— Je l'ai renvoyé. C'est un gentil garçon, mais il n'est pas à la hauteur de sa tâche. N'ayez crainte, nous vous en trouverons un autre, ma chère. Cela n'affectera en rien vos excursions. J'espère que vous resterez à bord pendant que nous remonterons la cataracte. Vous pourrez dessiner depuis le bateau.

*
* *

Anna releva la tête, furieuse.

— Pauvre Louisa !

Andy fixait le journal ouvert sur les genoux de la jeune femme. Elle se rendit compte soudain que leurs bras se

frôlaient, leurs cuisses aussi. La sensation n'était pas désagréable. Malgré elle, elle porta les doigts à ses lèvres, comme si
elle y sentait encore le baiser de la veille. Elle ferma le cahier.

— Il est bientôt l'heure de déjeuner. Nous continuerons une
autre fois.

Il opina à contrecœur.

— Volontiers. Je suis quand même impatient de connaître la
suite. Je vous laisse.

La porte se ferma derrière lui. La pièce parut soudain plus
grande. Vide. Anna rangea le journal dans le tiroir de la table
de nuit en secouant la tête.

Lorsqu'elle pénétra dans le restaurant, tout le monde était
déjà à table. Il restait une place pour elle à côté d'Andy. Elle
s'y glissa en jetant un bref coup d'œil vers Toby. Il lui tournait
le dos et semblait ne pas l'avoir vue arriver. Charley était à la
gauche d'Andy. Suivaient Ben et Serena.

— Je regrette d'avoir raté la visite. J'avais très envie de voir
le bazar. Avez-vous acheté quelque chose ?

— Je vous montrerai ça tout à l'heure, promit Serena.

— Je suppose que vous avez passé une bonne matinée, intervint Charley en posant les coudes sur la table. Vous n'avez pas
dû souffrir de la solitude, avec Andy.

Ali surgit avec une pile d'assiettes chaudes et commença à
les distribuer. Ibrahim était sur ses talons avec une soupière
remplie de potage aux lentilles. Soulagée, Anna détourna la
tête.

— C'est curieux que vous ne vous soyez réveillés ni l'un ni
l'autre, insista Charley.

— Charley, ma chère, qu'avez-vous déniché au souk ?
s'enquit Ben.

Elle l'ignora.

— J'imagine que c'était une balade trop vulgaire pour Anna.
Après tout, elle descend d'une artiste célèbre. Je m'étonne
qu'elle n'ait pas loué son propre bateau. Evidemment, elle
n'aurait pas eu l'occasion d'y rencontrer un beau jeune
homme... Ali, où est mon vin ?

Le serveur sursauta, s'inclina et courut chercher la bouteille. Elle vida son verre d'un trait.

– Doucement, Charley, murmura Andy. Tu n'as aucune raison de te mettre dans un état pareil.

– Ah, non ? glapit-elle en se resservant. Ce vin égyptien est abominable.

– Il est excellent, répliqua Andy en lui prenant la bouteille des mains. Ça suffit, Charley.

Un silence pesant tomba sur l'assemblée. Gênés, les convives se concentraient sur leur soupe garnie de menthe fraîche. Impassible, Ibrahim s'affairait autour d'eux avec un panier rempli de petits pains chauds.

Omar, assis à l'autre table, se leva enfin et s'approcha.

– Tout va bien ?

– Très bien, déclara Andy. Ne vous inquiétez pas pour nous.

Omar hésita, puis hocha la tête et s'en alla. Toby, intrigué, s'était positionné de côté, un bras sur le dossier de sa chaise. Accrochant le regard d'Anna, il lui adressa un clin d'œil. Elle lui répondit d'un vague sourire.

On ramassa les assiettes pour les remplacer par d'autres et servir le riz et les boulettes de viande. Charley s'était débrouillée pour remplir de nouveau son verre. Elle buvait d'un air boudeur.

– Ce devait être merveilleux de voyager à bord d'une luxueuse dahabiah, autrefois, dit Andy.

Anna acquiesça.

– N'oubliez pas que je veux lire la suite.

Charley avala son vin et se pencha vers Anna.

– Je ne vous le laisserai pas, vous savez. Il est à moi, n'est-ce pas, mon chéri ? minauda-t-elle en donnant un coup de griffe dans le bras d'Andy.

– Aïe ! Charley !

– Oui, Charley, susurra-t-elle. Et si la jolie petite Anna s'immisce entre nous, je ne me contenterai pas de lui voler sa précieuse bouteille égyptienne, je lui donnerai une bonne leçon, crois-moi, et...

Elle poussa un cri tandis qu'une main s'abattait sur son épaule.

– C'en est assez, mademoiselle !

Toby était venu se placer derrière elle.

166

– Venez. Vous ne mangez rien et vous ennuyez tout le monde. Vous feriez mieux de dormir.

Il l'empoigna, l'arracha à son siège. Charley laissa échapper le verre, dont le contenu atterrit sur la chemise d'Andy. Avec un hurlement de rage, elle se retourna et gifla Toby.

– Lâchez-la ! s'écria Andy en s'essuyant frénétiquement avec sa serviette.

Omar s'interposa.

– Je vous en prie, monsieur Toby, laissez-moi m'occuper de ça.

– Je m'en charge. Je vais la mettre au lit. Allons, ça suffit !

Il la poussa hors de la salle. Serena se leva.

– Je vais avec elle.

Andy se dressa d'un bond.

– Non, ne bouge pas. Je vais m'assurer qu'elle va bien... Je vous avais prévenu que c'était un sauvage ! marmonna-t-il à l'intention d'Anna.

Serena se rassit. En quelques secondes, Ibrahim et Ali remplacèrent la nappe et reprirent leur service comme si de rien n'était.

Andy reparut une dizaine de minutes plus tard. Il s'était changé.

– Elle dort, annonça-t-il en prenant place.

– Et Toby ? Vous ne l'avez pas frappé, j'espère, répondit Anna.

– Non ! s'esclaffa-t-il. Je l'ai aidé à transporter Charley jusqu'à sa cabine et à la coucher.

– Où est-il ?

– Aucune idée. Peut-être qu'il s'est retiré pour dessiner la scène, comme l'aurait fait Louisa.

Un tic agitait sa joue, et il avait brusquement pâli. Il s'empara de la bouteille de vin de Charley et remplit son verre.

– Excusez-moi, je n'aurais pas dû vous poser cette question.

Le repas se poursuivit sans un mot pendant plusieurs minutes.

– A quelle heure partons-nous pour le barrage ? demanda soudain Serena.

– Bientôt, répliqua Omar, ne vous attardez pas trop sur le café. Nous partons tout à l'heure, heure anglaise, et non heure égyptienne, ce qui pourrait être la semaine prochaine.

Les rires fusèrent. L'indifférence des Egyptiens à l'heure était source de nombreuses plaisanteries.

Anna avait décidé d'accomplir le trajet en autocar aux côtés de Serena. Malheureusement, Andy l'en empêcha en s'insérant entre les deux femmes.

– Ça ne vous ennuie pas, j'espère ?

Elle masqua son irritation.

– Pas du tout.

– Vous avez emporté la fiole ?

– Non. Elle est dans ma cabine.

– Et le journal ?

– Et le journal. Il ne craint rien.

– Je l'espère pour vous. Toby ne semble pas être des nôtres. Je me doutais que Charley ne viendrait pas : elle est hors service jusqu'à ce soir, mais lui, je pensais que ce site l'intéresserait.

– Quoi qu'il en soit, s'il est resté, ce n'est sûrement pas pour fouiller ma cabine, déclara fermement Anna.

Quand l'autocar s'arrêta pour qu'ils puissent voir ce qui restait de la cataracte après la construction du premier barrage au début du XXᵉ siècle, puis celle du second, Andy ne la quitta pas d'une semelle. Elle commençait à penser qu'il cherchait à l'empêcher de parler avec Serena, ce qui l'agaça prodigieusement.

– C'est incroyable ! s'exclama Serena, qui les avait suivis. Mais quel dommage d'avoir noyé tous ces temples et ces trésors.

– Les plus importants ont été déplacés, intervint Andy.

– Mais beaucoup ont été perdus à jamais, répliqua-t-elle. Ce barrage n'a pas apporté que du bon.

– Ah, non ? rétorqua Andy d'un ton impatient. Qu'est-ce qui te fait dire ça ?

– D'une part, les terres en aval sont empoisonnées par le sel de la mer, car le courant n'est plus assez fort pour le retenir. Et le lac se remplit du limon que les inondations annuelles auraient déposé dans les champs pour les fertiliser. Ne prends pas cet air désespéré, Andy, je sais aussi que, grâce à cette construction, tout le monde a l'électricité.

– Ce qui a considérablement contribué à l'économie. Mais tu n'as jamais été très forte en ce domaine, ma chère.

Anna vit Serena s'empourprer.

– La télé dans chaque maison, ce n'est pas forcément la panacée.

– Tu veux peut-être qu'on se mette à pleurer sur le sort des oiseaux, aussi, et des crocodiles et...

– Lâche-moi, Andy. Va donc embêter quelqu'un d'autre, tu seras mignon.

Anna porta son regard de l'un à l'autre et changea de sujet.

– J'ai aperçu une chienne avec ses chiots, là-bas. Je veux la photographier. Avez-vous remarqué ces chiens dorés, partout où nous allons ? Je ne sais pas s'ils sont sauvages, mais ils semblent n'appartenir à personne.

Elle entraîna Serena avec elle.

– Décidément, il vous suit pas à pas ! s'exclama Serena lorsqu'elles furent à l'écart. Ça ne vous ennuie pas ?

– Je le trouve assez envahissant par moments, avoua Anna, mais... Il est amusant, séduisant...

– Ne lui faites pas confiance, Anna. En tout cas, pas complètement. Je vous en supplie. Vous avez déjà assez de soucis comme ça, et Andy est le genre de personne qui augmente l'énervement autour de lui... Comme vous l'avez sans doute deviné, nous ne nous entendons pas très bien. Depuis qu'il fréquente Charley, il se croit autorisé à interférer aussi dans mon existence. Je suppose qu'il vous a dit que j'étais cinglée. Oui, je le vois d'après votre expression. C'est possible, mais au moins, j'agis pour le mieux. Andy est obstiné, égoïste et cruel, et depuis notre arrivée en Egypte, je le trouve particulièrement agressif. Faites attention à vous.

Elle tourna les talons.

– Serena ?

Elle poursuivit son chemin, épaules voûtées.

– Laissez-la aller.

Anna sursauta. Elle n'avait pas entendu Andy revenir. Il posa une main sur son bras.

– Elle va se calmer. Elle ne reste jamais fâchée longtemps.

— Vous avez écouté ce qu'elle disait ?

— Si vous lui avez fait part de mes révélations à son sujet, je suppose qu'elle était furieuse.

— Vous pensez que je manque de tact.

— Pardon... Venez par ici. Je veux vous prendre en photo... Si vous vous placez là, j'aurai tout le barrage... Anna ? Qu'est-ce qu'il y a ?

Elle ne l'avait pas entendu. Elle avait le regard fixe, la bouche ouverte, le corps raidi par le choc.

A dix mètres d'elle à peine, Amenanhotep l'observait, la main en avant, le doigt pointé sur son cœur.

VIII

Salut, ô divinité terrible,
Qui saisissez et détruisez les cœurs !

*L*A légende perdure. Les sables bougent, et une ombre trahit ce qui fut là autrefois. Les mémoires sont troublées. Etait-ce le tombeau des prêtres ? Etait-ce le tombeau que l'histoire avait oublié ? Cette fois, les pilleurs sont mieux équipés. Ils sont plus forts. Les gardiens des pharaons ont disparu depuis longtemps. Quand la porte cède, il n'y a plus personne pour protéger le contenu de la tombe.

Où est l'or ? Où sont les précieux joyaux, dont étaient parés les serviteurs des dieux ? Les momies sont transportées sur le sable. Elles sont brisées, profanées, transformées en poussière.

Il n'y a pas de trésor. Pas de provisions pour la vie éternelle. Les dieux se sont détournés de ces hommes.

Dans un coin, ils découvrent le flacon. Ils le ramassent, l'examinent, le jettent au loin. Le verre n'a aucune valeur aux yeux de ceux qui cherchent de l'or.

Après leur départ, le tombeau reste ouvert. Les esprits des morts

171

se nourrissent de la lumière du soleil et des rayons d'argent de la lune. Ils reprennent des forces.

Mais dans la nuit, les hommes qui ont transgressé les lieux interdits rencontrent les serviteurs d'Anubis et de Sobek. Ces dieux veilleront toujours sur la fiole sacrée contenant les larmes d'Isis, et les pilleurs meurent, comme mourront tous ceux qui la toucheront. Leurs corps sont dévorés par les chacals et les crocodiles. Ainsi l'exige le jugement des dieux.

★

★ ★

— C'est un mirage, Anna. Un jeu de lumière, la rassura Andy quand elle lui eut expliqué ce qu'elle venait de voir. Mettons-nous à l'ombre. Le soleil est trop fort, ici.

Il l'entraîna à l'extrémité du barrage, vers un bosquet d'arbres.

— Andy ! Anna ! Attendez ! s'écria Serena, qui avait pressenti un drame.

Elle revint vers eux en courant.

— Que s'est-il passé ?

— Ça ne te concerne en rien, Serena, lui jeta Andy par-dessus son épaule.

Anna commençait à être exaspérée. Les intentions d'Andy étaient sans nul doute louables, mais elle n'avait pas besoin de lui.

— C'était Amenanhotep, bredouilla-t-elle. Serena, il est apparu juste une seconde. Pourtant, j'ai laissé le flacon à bord. Pourquoi m'aurait-il suivie ?

Serena scruta attentivement le regard d'Anna.

— Vous êtes certaine ?

— Elle n'a rien vu du tout, intervint Andy en prenant Anna par la taille. Dans cette lumière, il est facile d'imaginer des choses...

Anna s'écarta brusquement.

— Il ne s'agissait pas d'un mirage, Andy. Et je l'ai vu assez souvent pour le reconnaître. Il m'observait !

Il se nourrissait de moi, songea-t-elle malgré elle. Il se sert de ma colère, de ma peur. Un spasme d'horreur la secoua.

Omar, qui narrait à Ben et à quelques autres les nombreuses péripéties concernant la construction du barrage par les Russes, se retourna soudain au son de la voix d'Anna. Il grimaça et se précipita vers le trio.

– Vous avez un problème ? Anna se sent mal ?

– Je vais très bien, affirma-t-elle en s'efforçant de sourire.

Elle pouvait difficilement se confier à Omar. A eux deux, Andy et lui auraient tôt fait de la faire enfermer.

– C'est le soleil, je crois, dit Andy. Je m'occupe d'elle. Une boisson fraîche et un moment de repos à l'ombre devraient tout arranger.

Il entreprit de la ramener vers l'autocar, mais elle s'arrêta.

– Merci, Andy. Si cela ne vous ennuie pas, je souhaite parler avec Serena.

Il rit aux éclats.

– Mais ça m'ennuie beaucoup ! L'idée d'être séparé de vous m'est insupportable, et Serena meurt d'envie de connaître l'histoire du barrage. N'est-ce pas, Serena ?

Cette dernière croisa les bras.

– Non. Laisse-nous entre femmes, Andy.

Anna réprima un gloussement.

– Je vous en prie, Andy, rejoignez le groupe. Vous nous répéterez l'exposé d'Omar un peu plus tard.

Les deux jeunes femmes s'éloignèrent. Andy les contempla un instant puis, haussant les épaules, se détourna. Anna se cramponna à la main de Serena.

– Il était là. Il me guettait. Il pointait le doigt vers moi. Mon Dieu, je n'arrive pas à le croire ! Pourquoi ? Pourquoi est-il venu jusqu'ici ? Ce lieu est moderne. Aucun homme de l'Egypte ancienne n'a foulé cette muraille. Et je n'ai pas la fiole sur moi.

Assises côte à côte à l'ombre d'un palmier, elles burent un peu d'eau. Anna s'allongea, un bras sur le visage.

– Est-ce mon imagination ? Andy aurait-il raison ?

Serena marqua une pause, les yeux rivés sur le ciel azur qui apparaissait entre les feuillages.

– Quel est votre avis ?

– Je suis de plus en plus convaincue d'être la victime d'événements qui me dépassent.

— C'est aussi mon opinion, Anna. Je vous l'ai déjà dit, je ne me sens pas à la hauteur. Cependant, j'ai la sensation d'être la seule à pouvoir éventuellement vous aider. Faites-moi confiance, je vous en supplie. Ignorez les mises en garde d'Andy à mon égard.

Une ombre tomba sur son visage et elle en chercha la source, surprise. Andy avait finalement décidé de les suivre.

— Anna n'est pas dupe, Serena.

Toutes deux se redressèrent vivement.

— Andy, si vous nous laissiez un peu ? gronda Anna, sérieusement agacée.

Il s'accroupit devant elle.

— Est-ce ce que vous voulez ? répliqua-t-il avec un sourire ravageur. Comment vous sentez-vous ? J'ai de la bière dans mon sac, si vous en voulez.

Serena remonta les genoux sous son menton.

— Décidément, Andy, tu es têtu comme un âne !

— Je suis simplement lucide. Ces légendes sont fascinantes, je te l'accorde, mais ce ne sont que des histoires. Des mythes. Il n'y a plus lieu de pratiquer ce genre de rites aujourd'hui. Ton autel à Isis dans un coin de ta cabine, tout cet encens... c'est malsain. Tu as tort d'y croire, et surtout, rien ne t'autorise à endoctriner Anna. Elle est trop sensible. Il faut prendre du recul.

— Comme vous, avec vos idées terre à terre et votre cerveau typiquement masculin ? riposta Anna. Ne vous est-il jamais venu à l'esprit que Serena pouvait avoir un don particulier ? Que ce qu'elle dit et ressent est crédible ?

— Ce ne sont que des bêtises, ma chère. Bon ! Je constate que je ne vous ferai pas changer d'avis, aussi je vais retourner auprès des autres. L'autocar s'en va dans un quart d'heure.

Après son départ, il y eut un long silence.

— Merci d'avoir pris ma défense, murmura enfin Serena.

— Pourquoi ne vous battez-vous pas davantage ? rétorqua Anna, encore fâchée. Andy est une brute. Il continuera de vous harceler si vous ne l'envoyez pas promener. Vous devriez lui cracher toutes les invectives des anciens Egyptiens !

Elle se mit à rire.

— Apparemment, je vais mieux.

Serena lui sourit.

— Tant mieux... Si je me retiens devant lui, c'est parce que je crains de craquer et de prononcer des paroles que je regretterais jusqu'à la fin de ma vie, avoua-t-elle. Je pourrais le mettre à mal, Anna, croyez-moi.

Anna se frotta le visage.

— Ces apparitions sont réelles, n'est-ce pas ? Ce n'est pas parce qu'elles sont invisibles au regard de la plupart des gens qu'elles n'existent pas. On ne s'en débarrassera pas en les ignorant. Serena, j'ai peur.

— Je serai là. Vous pouvez compter sur moi. Ah ! Voilà le groupe qui revient. Ce doit être l'heure de partir. Nous reparlerons de tout cela plus tard.

Dans l'autocar, Anna s'installa avec Ben. Andy se plaça à l'avant et bombarda Omar de questions pendant tout le trajet. Serena, de l'autre côté de l'allée, se réfugia dans ses pensées. Dès qu'ils furent à bord du *White Egret*, elle disparut dans sa cabine. Anna gagna la sienne et décrocha le téléphone. Serena mit un moment avant de répondre.

— J'aimerais que nous discutions. Pouvez-vous me rejoindre ici ? Ainsi, nous ne serons pas interrompues.

— Par notre cher Andy, si attentionné ? Entendu. Accordez-moi une vingtaine de minutes.

Anna ne vérifia pas si le flacon était à sa place. De même, elle évita le miroir. Si les prêtres existaient réellement, elle devait se décider très vite : une intervention de Serena était-elle envisageable, ou au contraire, ne ferait-elle qu'exacerber la situation ? Evidemment, il lui restait encore la solution qui mettrait une fois pour toutes un terme à ses soucis : les eaux du Nil. La prochaine fois, elle s'arrangerait pour que personne ne la surprenne en train d'y jeter la fiole. Elle se mordit la lèvre. Et si ce geste provoquait la fureur des prêtres ?

Elle s'efforça de respirer calmement. Il ne fallait plus y penser. Si elle se montrait forte, si elle refusait de se laisser emporter par son imagination, les apparitions cesseraient. A partir de maintenant, elle garderait la tête sur les épaules. D'ailleurs, il était possible qu'Andy ait raison, et qu'elle et Serena se trompent. Que ces visions ne soient rien de plus que des mirages produits par son esprit surmené.

Elle s'assit sur le lit et ouvrit le tiroir de la table de chevet. En attendant Serena, elle allait poursuivre sa lecture du journal. Même si Louisa y racontait ses propres mésaventures, ce serait au moins une distraction. Elle fixa la couverture en cuir usé puis, avec un soupir, l'ouvrit à la page qu'elle avait marquée avec une carte postale du temple d'Edfou illuminé par le coucher du soleil.

★

★ ★

Louisa attira le *reis* à l'écart et le supplia de transmettre un message à Hassan, mais il secoua la tête en haussant les épaules. Le sourire amical, la lueur espiègle dans ses prunelles avaient disparu. Il fut courtois, mais distant et s'excusa rapidement. Louisa monta sur le pont supérieur et s'adossa contre la rambarde, à l'abri de son parasol. La dahabiah des Fielding était déserte. Celle de lord Carstairs, tout près, ne semblait occupée que par un matelot solitaire, en train de réparer une voile. Accablée, Louisa froissa la missive qu'elle destinait à Hassan et la laissa tomber dans l'eau. La boule de papier flotta un instant à la surface puis s'enfonça.

Un long moment après, elle redressa la tête en percevant un grincement de rames. Son cœur se serra de dépit : lord Carstairs. Lorsqu'il lui adressa un signe de la main, elle demeura impassible. Feignant de ne pas l'avoir remarqué, elle pivota sur ses talons et alla se planter de l'autre côté du pont, face à la ville. Augusta et les dames Fielding avaient décidé de visiter le bazar. Louisa avait refusé de les y accompagner.

Un bruit de pas derrière elle la fit sursauter.

– Madame Shelley. Je vous dois des excuses.

Elle ne bougea pas.

– En effet, lord Carstairs. Et vous en devez encore plus à mon drogman qui a été renvoyé à cause de vous.

Il y eut un bref silence. Comprenant qu'elle n'avait aucune intention de se tourner vers lui, Carstairs s'approcha.

– Je puis vous assurer que mes intentions étaient des plus honorables. J'aimerais me faire pardonner. Je crois savoir

176

qu'ils vont franchir la première cataracte cet après-midi. L'*Ibis* partira en premier. Puis-je vous proposer un pique-nique sur les rochers, afin que vous puissiez observer les manœuvres ? Il me semble que ce serait un joli thème pour l'une de vos aquarelles. Il paraît que les Nubiens sont comme des poissons dans l'eau, quand ils tirent les cordages. Même les enfants s'y mettent. Ce sera un spectacle extraordinaire.

Louisa laissa errer son regard sur les charrettes halées par des chevaux le long de la corniche, les mulets surchargés et les barques remontées sur le sable en bordure du quai.

Carstairs la contempla sans mot dire, satisfait d'avoir lancé son idée, mais sans doute conscient du dilemme qui agitait Louisa. L'opportunité de reproduire la dahabiah depuis les hauteurs était tentante. En même temps, Louisa était encore furieuse contre lui et consciente qu'accepter cette invitation reviendrait à trahir Hassan.

– Pensez à vos tableaux, madame. Il serait dommage de ne pas présenter la cataracte sous tous ses aspects, murmura-t-il. C'est le moins que je puisse faire pour vous.

Elle finit par céder. Après tout, il avait raison, c'était absurde de ne pas profiter de cette aubaine. D'ailleurs, le suivre ne signifiait pas qu'elle lui pardonnait. Elle ne lui pardonnerait jamais.

Après avoir rassemblé son matériel, elle descendit avec Carstairs dans sa barque. Elle ne pourrait malheureusement pas se changer et devrait braver les éclaboussures dans sa tenue « convenable ».

Alors qu'ils s'éloignaient de l'*Ibis*, elle aperçut Venetia, sur le pont du bateau de son frère. Même de loin, sa colère et sa jalousie étaient palpables.

Ils atterrirent sur un affleurement de rochers au-dessus d'une des gorges les plus étroites se faufilant entre les îles. Carstairs s'y jeta d'un bond leste, et le rameur lui tendit le pique-nique, les affaires de Louisa, ainsi qu'une collection de coussins en tapisserie emballés dans une toile cirée. Carstairs le remercia en lui mettant dans la main une poignée de pièces et le chassa.

– D'ici, la vue est splendide, déclara-t-il. Nous serons bien placés pour voir l'*Ibis* remonter à contre-courant.

Il lui sourit, la guida vers les coussins, lui remit son parasol. Elle s'installa en se demandant comment il entendait qu'elle dessine avec cet objet à la main.

Le bruit du torrent empêchait toute conversation. Carstairs s'écarta pendant qu'elle sortait son carnet et son crayon.

– Lord Carstairs, auriez-vous l'amabilité de remplir mon godet, s'il vous plaît ?

Elle le brandit devant elle en souriant. Il s'approcha, et leurs regards se rencontrèrent. Dans la lumière aveuglante, les iris de Carstairs étaient transparents comme du verre, son expression, impassible. Hypnotisée, elle eut du mal à s'en arracher. Il s'accroupit au bord d'un petit bassin, se releva.

– Vous allez vous ennuyer, dit-elle.

– Certainement pas. Vous me connaissez mal. Ma patience est infinie.

A l'étonnement de Louisa, il se laissa choir sur un coussin à côté d'elle et croisa les jambes. Elle haussa les épaules. Sélectionnant un pinceau, elle entreprit de mélanger ses couleurs.

Quand elle releva la tête, le soleil avait changé de position, et les ombres s'étaient renforcées. L'*Ibis* et son escorte étaient toujours invisibles. Carstairs était parfaitement immobile, fixant son dessin sans le voir. Elle posa son pinceau. Il ne réagit pas. Elle mit de côté son carnet et se leva. Toujours rien.

– Lord Carstairs ? Roger ? Vous allez bien ?

Ses yeux étaient grands ouverts, ses pupilles deux pointes noires. Il se tenait très droit, les mains décontractées sur ses genoux. Il était loin, très loin.

Un frémissement la parcourut. Elle finit par se détourner et s'avança jusqu'au bord de l'eau. Devait-elle essayer de le tirer de sa torpeur ? A cet instant précis, deux silhouettes surgirent, un rouleau de corde sur les épaules. En quelques secondes, la rivière fut envahie d'hommes poussant des cris et des éclats de rire. Ils étaient une vingtaine à hisser la dahabiah contre les chutes.

– C'est magnifique, non ?

Elle sursauta. Carstairs était à côté d'elle.

– Oui, marmonna-t-elle en l'observant à la dérobée.

Son visage était masqué par le bord de son casque colonial.

– Je vais commencer à déballer la nourriture et chercher de la monnaie pour les hommes. Dès qu'ils nous verront, ils voudront plonger pour nous.

Louisa se rassit pour croquer quelques esquisses. Rapide et efficace, lord Carstairs étala une nappe, versa le vin.

Avec un rugissement de triomphe, les hommes rapprochèrent le bateau. Sir John et Augusta étaient à la proue. Ils agitèrent la main.

– Nous irons les rejoindre après le passage des premiers rapides, déclara Carstairs. Ainsi, vous vivrez l'expérience de l'autre côté, si l'on peut dire. Portons-nous un toast.

Il leva son verre, et elle se sentit obligée de l'imiter. Leurs mains se frôlèrent.

– A vous, belle dame.

En dépit de tous ses efforts, elle était incapable d'éviter son regard. Cette fois, elle était trop lasse pour lutter. Elle s'allongea sur les coussins. Carstairs se pencha sur elle. Son visage était tout près, ses yeux, immenses.

– Donnez-moi votre verre. Ce serait dommage de le renverser. Voulez-vous que je déplace le parasol, ma chère ? Là, vous serez mieux abritée.

Elle avait les paupières lourdes. Malgré elle, elle s'abandonna. Elle sentit les lèvres de Carstairs sur les siennes. Fermes, autoritaires. Un frisson la saisit. Puis, soudain, il se redressa.

– *Yalla !* explosa-t-il. *Emshi !* Va-t'en !

Un petit garçon en pagne avait jailli derrière eux, ruisselant. Il plongea aussitôt dans l'écume des tourbillons.

– Mon Dieu ! Il va se noyer ! s'écria Louisa, affolée.

– Bien sûr que non. Comment croyez-vous qu'il soit arrivé jusqu'ici ? Il veut un bakchich, c'est tout.

Carstairs fourra la main dans sa poche et en sortit une poignée de pièces qu'il jeta au loin.

– Votre vin, ma chère, dit-il en lui rendant son verre. Nous allons nous restaurer, à présent.

C'était comme s'il ne s'était rien passé. Louisa effleura sa bouche, troublée. Agenouillé devant le panier, Carstairs en sortit pain, œufs durs, fromages et fruits.

– Comment retournerons-nous à bord de l'*Ibis* ? demanda-t-elle, soudain inquiète.

– Vous verrez. Ce ne sera pas compliqué.

Il lui remplit son assiette. Louisa se rendit compte alors qu'il avait planté le parasol entre la rivière et l'endroit où elle s'était allongée. Personne à bord n'avait pu voir la scène, si elle avait bien eu lieu. Louisa soupira devant son repas. Son appétit s'était envolé.

– Qu'y a-t-il ? Ça ne vous plaît pas ?

– Je suis désolée, je n'ai pas faim.

Carstairs posa la bouteille qu'il tenait à la main et se rapprocha d'elle.

– J'espère que vous ne souffrez pas de la chaleur ?

– Non.

Avait-elle rêvé ? Si elle l'accusait d'avoir cherché à abuser d'elle, la traiterait-il de menteuse ?

Il souriait de nouveau. Il voulut lui prendre le bras.

– Louisa ? N'essayez pas de me repousser. Regardez-moi. Vous savez que vous en avez envie.

– Roger, je vous en prie...

– Regardez-moi, Louisa. A quoi bon vous obstiner ? Regardez-moi ! Immédiatement.

Ses doigts étaient glacés. Elle frissonna. Incapable de résister, elle lui offrit son visage.

– Oui, murmura-t-il, c'est tellement plus facile ainsi.

Elle entrouvrit les lèvres sans protester, mais son corps ne réagit pas. Elle était sans défense. Elle savait qu'il avait encore bougé le parasol. Elle sentit qu'il déboutonnait le col de son chemisier, glissait une main dans les dentelles de son corset. Elle poussa un cri, mais ne se débattit pas.

– Le flacon, Louisa. Vous allez me le donner. Vous allez m'en faire cadeau.

Les mots résonnèrent dans son esprit. Le flacon. Un cadeau. Le flacon. Un cadeau.

Le cadeau d'Hassan !

Elle sursauta violemment.

– Non ! hurla-t-elle en se rétractant violemment. Que faites-vous ?

Elle se hissa maladroitement sur ses pieds, glissa sur la

pierre humide, jeta un bras en avant, parvint tant bien que mal à récupérer son équilibre.

Ce fut alors qu'elle vit la silhouette, entre elle et Carstairs.

Ce dernier paraissait cloué sur place. Blême, tremblant, il semblait à la fois excité et terrifié.

— Ohé ! Louisa ? Vous remontez à bord ?

Une voix domina soudain le grondement des rapides et, en se tournant, elle vit la dahabiah, à trois mètres à peine. Tout autour, des dizaines d'hommes s'affairaient. Sir John agita les bras. En quelques minutes, tout fut rassemblé, et elle fut hissée sur le pont. Derrière elle, Carstairs passait les derniers coussins au *reis*.

— Montrez-nous vos dessins ! s'exclama sir John.

Elle lui tendit son carnet, muette.

Carstairs se pencha en avant et posa une main sur son coude. Elle était glacée.

Anna tressaillit et consulta sa montre. Une heure s'était écoulée, et Serena n'était toujours pas là. Elle décrocha le téléphone et composa le numéro de sa cabine. Ce fut Charley qui répondit.

— Qui est-ce ? s'enquit-elle d'une voix empâtée par le sommeil.

— Anna. J'aimerais parler à Serena.

Charley marqua un silence, puis lâcha d'une voix rauque :

— Dommage pour vous. Elle n'est pas là.

— Depuis quand est-elle partie ?

— Aucune idée. Je ne suis pas sa gardienne.

Sur ce, Charley lui raccrocha au nez. Anna eut une moue de dégoût.

Elle rangea le journal dans le tiroir. Elle se dirigeait vers la porte quand on frappa. Anna ouvrit et découvrit Serena sur le seuil. Elle avait pleuré.

— Qu'avez-vous ? s'écria-t-elle en l'entraînant vivement à l'intérieur et en la poussant jusqu'au lit. Je vous en prie, dites-moi que ce n'est pas Andy. Il s'en est pris à vous à cause de moi ?

Serena opina à contrecœur.

— Ce n'est pas votre faute, Anna. Il ne m'a jamais supportée. Mais il a été tellement cruel.

Elle renifla, chercha un mouchoir dans la poche de sa jupe.

— Dans cet état, je vous suis complètement inutile.

Anna la dévisagea, effarée. Elle alla chercher un verre d'eau.

— Que vous a-t-il dit ?

— Vous le devinez sans doute. En résumé, il me conseille de garder mes délires de ménopausée pour moi et de me tenir à distance.

— Sinon… ? Comment compte-t-il s'y prendre ? répliqua Anna, furieuse.

— Ce n'est pas à vous qu'il s'attaquera, n'ayez crainte. Mais il me rendra la vie impossible. Et croyez-moi, il en a la capacité. Il passe me voir. Il m'appelle. Il affirme plus ou moins que je perds la boule. Il menace de me remettre entre les mains de psychiatres ou d'exorcistes ! C'est inutile, Anna. Je ne peux pas vous aider. Il m'a ôté toute confiance en moi. Vos prêtres ne feraient qu'une bouchée de ma personne. Ma seule consolation, c'est que je n'ai même plus assez d'énergie pour qu'ils cherchent à me posséder.

Anna ferma les yeux. La température dans la cabine semblait avoir chuté de plusieurs degrés.

— Qu'est-ce qui vous fait penser qu'ils essaieraient ?

— Je suis une initiée. J'ai sans doute en moi ce dont ils ont besoin. Si je suis forte, centrée sur moi-même, je pourrai me défendre, lutter contre eux sur leur propre terrain, et peut-être vous sauver. Mais d'après Andy, je ne suis qu'une pauvre paranoïaque. Je l'ai supplié d'envisager le problème sous notre angle. D'imaginer que la menace pouvait être réelle. De réfléchir à ce qui pourrait se passer si ces deux prêtres s'aidaient mutuellement. Je suis la seule à pouvoir les repousser.

— Je peux encore jeter le flacon dans le Nil, interrompit Anna.

— Ça ne servira à rien. Vous avez dit vous-même qu'ils vous avaient suivie jusqu'au barrage. Ils ne sont pas liés à la fiole, Anna. Ce sont des êtres indépendants. Je ne sais pas pourquoi ils ne se sont jamais montrés auparavant. Peut-être savaient-ils que vous la rapporteriez un jour en Egypte. Peut-être ne disposaient-ils pas des bonnes énergies à Londres. Mais maintenant... ils ont les moyens d'intervenir.

— Vous devez me secourir, Serena. Il le faut. J'ai besoin de vous. Je ne cesse de penser à Louisa. Elle était terrorisée. Je vais de ce pas trouver Andy et lui dire de vous laisser en paix.

— Non !

— N'essayez pas de m'en empêcher. J'en ai par-dessus la tête de son attitude. C'est une brute, et il se mêle de ce qui ne le regarde pas.

— Anna, il a jeté son dévolu sur vous. Vous lui plaisez et, pour être franche, votre journal encore plus. Andy est avant tout un marchand ; l'amitié, l'amour viennent ensuite. Cela peut paraître sordide mais, à mon avis, il a déjà pensé à un éventuel acquéreur et fixé le prix de vente. Si je m'immisce entre lui et la possibilité de gagner une petite fortune sans effort, je suis fichue !

Anna resta muette, puis pivota sur ses talons et sortit.

Elle n'eut aucun mal à trouver Andy. Il était perché sur un tabouret au bar.

— Je veux vous parler. Maintenant, précisa-t-elle en se plantant devant lui, les mains sur les hanches, les yeux lançant des flammes. J'en ai assez de vos interventions intempestives !

Les murmures des conversations cessèrent brièvement, puis reprirent. Elle n'y prêta aucune attention.

— Si je comprends bien, Serena a couru se jeter dans vos bras, railla-t-il en signant sa note et en prenant sa bière. Je voulais simplement vous éviter d'être entraînée dans ses psychodrames. Vous m'en auriez été reconnaissante. Mais si cela vous amuse, ajouta-t-il en levant son verre, à votre guise.

Il but longuement.

— C'est mon problème. Pour l'amour du ciel, cessez de vous mêler de ce qui ne vous concerne pas. De quel droit vous permettez-vous de juger mes actes ou mes amis ? Je ne vous connais que depuis quelques jours !

Sa réaction était exagérée, elle en avait conscience, mais elle avait tout à coup l'impression de se retrouver face à Félix qui avait choisi ses relations et manipulé son existence. C'en était fini. La nouvelle Anna était libre et forte.

— Vous avez rencontré Serena en même temps que moi, rétorqua-t-il.

— Je me fie à mon instinct. Elle m'est sympathique et j'ai confiance en elle.

— Aïe ! Dois-je en déduire que vous ne m'appréciez guère et que vous vous méfiez de moi ? Désolé. Ce n'est pas la sensation que j'avais eue.

Elle le dévisagea longuement.

— Je vous aime bien, Andy, et je suis sûre que vous ne me voulez aucun mal. Mais cela ne signifie pas pour autant que je veuille m'en remettre totalement à vous. Et cela ne vous autorise en aucun cas à décider qui je dois rencontrer ou non.

Il ne cilla pas.

— De la même façon, je vous signale que je fréquente Serena depuis des années. Vous, non. Nos rapports ne vous regardent pas.

Elle recula d'un pas et hocha la tête.

— Touché ! A condition que votre relation avec elle n'interfère plus avec la mienne.

Se détournant brusquement, elle découvrit Toby derrière elle. Charley était sur ses talons. Toby la tenait par le bras.

— Est-ce une guerre privée ? ironisa-t-il. Sinon, c'est avec plaisir que nous participerions...

Il se tut, tandis que Charley, s'arrachant à son étreinte, se ruait sur Andy.

— Espèce de salaud ! lança-t-elle.

Son élocution était brouillée, son regard, vide. Elle le croisa, puis revint vers lui, comme si elle avait du mal à le localiser. Elle plongea vers le bar, les mains en avant.

— Andy ? Il faut que j'agisse pour la déesse Sekhmet. Elle a besoin de moi... Andy ? Qu'est-ce qui se passe ? Qu'est-ce qui me prend ?

Une légère pression se fit sur l'épaule d'Anna. Toby l'invita à les laisser tous les deux.

— Andy, qu'est-ce que j'ai ? gémissait Charley d'une voix pitoyable, lorsqu'ils atteignirent la sortie.

— Tu es ivre ! grommela-t-il.

– Non ! s'écria-t-elle en fondant en larmes. Non, je ne le suis pas. Je n'ai rien...

Les mots moururent sur ses lèvres. Elle chancela, puis s'effondra par terre.

– Andy va s'occuper d'elle, murmura Toby à Anna. Allons dehors.

– Elle n'a pas l'air bien du tout.

Sekhmet. Etait-ce bien le nom que Charley avait mentionné ? Anna eut un frisson.

– Elle ne me paraissait pas soûle, murmura Anna.

– Elle ne l'était pas forcément non plus au déjeuner, quand elle a fait son petit scandale, répondit Toby, l'air songeur. Elle ne sentait pas l'alcool. Elle doit être souffrante. C'est peut-être la chaleur. On devrait sans doute en parler à Omar.

Il pivota vers Anna.

– Quoi qu'il en soit, Andy a beaucoup de problèmes en ce moment. Et je crois en être un, conclut-il avec nonchalance.

Anna contemplait le fleuve.

– En effet, Andy a des soucis... Elle a bien prononcé le nom de Sekhmet, n'est-ce pas ?

Toby resta interloqué.

– Qui ?

– Charley. Elle a évoqué la déesse Sekhmet.

– Ah, bon ? Elle délirait comme une folle. J'ai eu un mal fou à la retenir. A votre place, je ne chercherais pas : elle n'était pas vraiment avec nous.

Anna se mordit la lèvre. Dans le silence qui suivit, Toby en profita pour l'examiner.

– Puis-je vous offrir un verre avant le dîner ? Je suppose qu'ils ont dû quitter le bar.

Elle refusa d'un signe de tête.

– Merci, mais je pense que je vais aller voir Serena. Je veux qu'elle sache que ce malotru ne m'empêchera pas d'être son amie.

Elle marqua une pause et scruta l'expression de Toby. Elle venait de se rendre compte que c'était la première fois qu'elle se retrouvait seule avec lui depuis les révélations d'Andy. Comment avait-elle pu les oublier ? Les événements s'enchaînant, elle n'y avait plus pensé. D'ailleurs, elle n'en croyait rien. A moins que... ? Elle réfléchit, perplexe. Non, il n'avait pas la tête d'un assassin. Ou alors, elle n'avait vraiment aucun discernement.

Serena était introuvable. Dans l'obscurité de la cabine, seuls les ronflements de Charley troublaient le silence. Elle n'était pas non plus chez Anna, ni sur le pont supérieur, encore moins dans la salle à manger déserte. Troublée, Anna regagna son antre et s'assit sur le lit.

Où était-elle ? Elle n'avait pas pu descendre à terre. Peut-être était-elle chez Ben, ou les Booth.

Il lui restait une demi-heure avant le repas du soir. Elle pouvait remonter au bar prendre un apéritif avec Toby, ou se reposer en lisant le journal de Louisa.

★

★ ★

Après s'être changée, Louisa remonta sur le pont, où les Forrester bavardaient avec lord Carstairs tout en surveillant les manœuvres des hommes qui continuaient de remonter le bateau à contre-courant. Un flot de colère l'envahit. Elle espérait que Carstairs était reparti.

Lorsqu'il l'aperçut, elle fut sidérée par son air à la fois triomphant et amusé. Elle lisait en lui comme en un livre ouvert : parfaitement sûr de lui, persuadé qu'elle ne se souvenait plus de l'incident sur les rochers. Elle eut un frémissement et se sentit l'âme d'un lièvre traqué par le chasseur. Se dérobant à son regard insistant, elle s'approcha de sir John.

– Je suppose que vous n'allez pas tarder à nous quitter, lord Carstairs ? Je devrais vous remercier d'avoir organisé ce pique-nique.

Il s'inclina légèrement. Son sourire contraint la mit mal à l'aise. Une fois de plus, elle eut un tressaillement. Sir John s'en rendit compte et posa un bras sur ses épaules.

– Vous avez froid, chère amie ?

– Un peu.

Le vent du désert ne s'était pas encore levé, et le soleil, qui s'apprêtait à disparaître derrière les collines, irradiait encore une certaine chaleur. Soudain, tout fut calme autour d'eux. Les hommes qui avaient travaillé si fort pour franchir les rapides s'éloignaient les uns après les autres vers leurs villages respectifs. Le magnifique pilote nubien, qui avait passé la journée à la proue à donner des ordres avec une dignité presque royale, salua le *reis*, puis sir John partit à son tour. Demain, ils reviendraient tous pour l'étape ultime.

– Roger a accepté de dîner avec nous, ma chère, annonça sir John, visiblement enchanté. Il regagnera sa dahabiah plus tard. Nous passerons la nuit ici et attendrons les Fielding, qui devraient arriver d'ici un ou deux jours. Ce sera amusant de poursuivre le voyage ensemble jusqu'à la deuxième cataracte.

Louisa se força à sourire. Elle s'obligea à prononcer les banalités d'usage et s'excusa. Réfugiée dans sa cabine, elle s'étendit, épuisée et déprimée, en pensant à Hassan.

Elle se redressa brutalement lorsqu'on frappa à sa porte. Elle avait dû s'assoupir. L'obscurité régnait dans la pièce. Elle chercha à tâtons une bougie. On frappa de nouveau. Ce devait être Jane Treece, venue l'aider à se préparer pour le repas. Elle avait complètement oublié qu'elle avait fermé à clé. Elle se précipita pour ouvrir.

Roger Carstairs se dressait devant elle. D'un mouvement preste, il la repoussa et entra en fermant derrière lui.

– Comment osez-vous !

Il la bouscula violemment, et elle tomba à la renverse sur le lit. S'emparant du candélabre, il scruta la cabine.

– Où est-elle ? siffla-t-il.

– Comment osez-vous ? répéta-t-elle, tremblante de rage. Sortez d'ici ! Je vais appeler quelqu'un ! Si l'on vous découvre ici, vous aurez de gros ennuis !

– J'en doute, s'esclaffa-t-il. Les Forrester ne s'offusqueraient en rien, surtout si je leur racontais avec quel enthousiasme vous avez reçu mes faveurs cet après-midi.

Il saisit son menton entre deux doigts et l'obligea à lever les yeux vers lui.

– Oui, vous vous en souvenez. Je vais devoir me méfier. Vous avez une volonté de fer. Vous croyez pouvoir me résister... Alors, madame Shelley, où est-elle ?

– La fiole ? Je l'ai cachée. A terre.

– Pas aujourd'hui. C'est impossible. Hier, alors. Vous l'avez laissée à Philae ? Où ? Dites-le-moi, insista-t-il, les dents serrées.

La température chuta brutalement. La flamme vacilla, laissant échapper des volutes de fumée noire. Carstairs maintenait fermement la tête de Louisa. Elle ferma les yeux tout en s'efforçant de ne pas respirer son haleine capiteuse.

– Je ne vous le dirai jamais.

Il ricana.

– Oh si, mon trésor, vous me le direz.

Il l'empoigna solidement, et elle poussa un cri qui n'était en fait qu'un chuchotement :

– Au secours ! Amenanhotep, si tu existes, viens à mon aide !

La flamme redoubla d'intensité. Carstairs rit de nouveau.

– Ainsi, notre charmante veuve veut invoquer les prêtres, mais elle ne sait pas comment s'y prendre.

Il la coinça contre le mur, lui coupant le souffle.

– Où est la...

Il s'interrompit. Le bateau tanguait dangereusement. Sur le pont supérieur, le *reis* constata qu'une des amarres avait lâché. Hurlements et pas précipités résonnèrent au-dessus de leurs têtes.

– Pourquoi ? Pourquoi tenez-vous tant à l'avoir en votre possession ?

– Il me la faut. C'est impératif. Il ne s'agit pas d'un jouet, mais d'un objet sacré. Il est nanti d'un pouvoir dont je suis le seul à savoir me servir.

– Amenanhotep ! Ne le laisse pas me faire du mal...

Entrouvrant les yeux, elle distingua derrière Carstairs une forme indistincte qui se dressait devant la fenêtre. A travers elle, le mur, les jalousies et le châle qu'elle avait jeté sur le tabouret étaient visibles.

– Amenanhotep ! Aide-moi ! reprit-elle, plus fort.

Elle avait bien plus peur de cet homme qui se vautrait sur elle, que de cette ombre surgie d'un passé lointain.

Carstairs s'écarta légèrement, conscient d'un changement d'atmosphère et des caprices de la bougie. Il suivit la direction du regard d'Anna et se figea. S'écartant d'un bond, il s'inclina profondément.

– Je te salue, ô serviteur d'Isis !

L'air était devenu suffocant. La flamme se réduisait. Dans un instant, elle s'éteindrait. L'apparition s'estompait.

Louisa se propulsa vers la porte, chercha fiévreusement le verrou. Comme le mirage s'évanouissait, Carstairs pivota vers elle. Elle sentit ses mains qui s'accrochaient à ses épaules. Enfin, ses doigts affolés tombèrent sur le verrou. Elle le tira brusquement, mais il était trop tard. Carstairs la ramenait vers le lit, l'y jetait sans ménagements. Une fois de plus, il ricana.

Alors qu'il déchirait son chemisier, on frappa à la porte.

IX

Hommage à toi, Amon-Râ, qui traverses le ciel,
Les génies des étoiles fixes
Se prosternent devant toi et t'adorent...
Toi, divinité unique, tu régnais déjà au ciel
A une époque où la terre avec ses montagnes
N'existait pas encore...

UNE fois de plus, les sables dérivent. La tombe abandonnée est à nouveau ensevelie. Les momies sont parties en poussière ; seuls leurs noms survivent sur les murs de pierre. Les siècles passent, et les prêtres ne sont que des ombres : ils ont oublié leurs vœux, leur colère n'est rien de plus qu'un soupir dans le désert.

Sous un autre nom, Dieu a atteint le pays de Kemet. Les divinités de l'Egypte ancienne sommeillent. Leurs serviteurs ont perdu toute gloire. Trois mille ans se sont écoulés depuis que, la première fois, le tombeau s'est refermé sur les deux prêtres.

C'est la main d'un enfant qui déterre la fiole dans la dune. Son père est à la recherche de trésors plus précieux. L'enfant libère le flacon et le brandit avec enchantement ; les couleurs du verre éclatent dans les premiers rayons du soleil levant.

Fusionnant comme les gouttelettes de rosée sur le papyrus, une ombre, puis une deuxième contemplent le garçon et sourient. Seul, le mulet pressent le danger. Il aplatit les oreilles, et son braiment résonne dans le silence.

★
★ ★

On frappa de nouveau. Anna se redressa, inquiète. Dehors, il faisait noir, et seule, la petite lampe de chevet éclairait la cabine. Hantée par la terreur de Louisa, elle posa le journal et se leva pour aller ouvrir.

Ibrahim se tenait sur le seuil, un plateau vide sous le bras. Il la dévisagea d'un air anxieux.

— Vous ne vous sentez pas bien, mademoiselle ? Vous n'êtes pas venue dîner.

Derrière lui, la coursive était déserte. Elle revint avec peine au présent.

— Si, si, Ibrahim. Je suis désolée, j'étais absorbée par ma lecture et je n'ai pas vu le temps passer. Je n'ai pas entendu le gong.

Elle se frotta la figure d'un geste las. Il l'examina encore un instant, puis hocha la tête.

— Je vous apporte quelque chose à manger.

Il n'attendit pas de réponse. Tournant les talons, il s'éloigna. Elle le suivit des yeux. Avec sa djellaba blanche, son turban et ses sandales, il évoquait un personnage sans âge, presque biblique. Elle laissa sa porte entrouverte. Pauvre Louisa. Son récit trahissait une masse d'émotions contradictoires ; plus elle avançait, plus son écriture devenait serrée, nerveuse.

— Mademoiselle ?

Ibrahim était de retour avec un verre de jus de fruits, du pain, un œuf dur et du fromage. Il posa le plateau sur la coiffeuse et adressa un sourire grave à la jeune femme.

— Encore une chose...

Il plongea la main dans sa poche et en sortit un objet minuscule sur une fine chaîne en or.

– ... J'aimerais que vous portiez ceci pendant la durée de la croisière. Vous me la rendrez quand vous partirez pour l'Angleterre.

– Qu'est-ce que c'est ?

Il déposa l'amulette en or dans sa paume.

– C'est l'œil d'Horus. *Allah yisllimak*. Que Dieu vous protège. Tant que vous l'aurez sur vous, vous serez en sécurité.

Elle s'aperçut qu'elle avait la gorge sèche.

– En sécurité ? répéta-t-elle. Ibrahim, cela a quelque chose à voir avec les dieux ? Et le cobra ?

– *Inch'Allah* ! prononça-t-il, impassible.

– Merci. Merci infiniment. C'est de l'or, Ibrahim, votre confiance me touche beaucoup. Je regrette de ne pas savoir vous remercier en arabe.

– On dit : *Kattar kheirak*.

– *Kattar kheirak*, Ibrahim.

Il s'inclina profondément.

– *Ukheirak*, mademoiselle, répondit-il avec un grand sourire. A présent, je remonte travailler au bar. Bon appétit. *U'i. Lelitik saideh*. Prenez soin de vous et que votre nuit soit heureuse.

Après son départ, Anna examina de près l'amulette en forme d'œil surmonté d'un sourcil arqué. Elle savait que l'œil d'Horus était depuis des millénaires un symbole de protection. Elle serra le bijou dans sa main, puis le mit autour de son cou. Elle était bouleversée par le geste d'Ibrahim. Terrifiée, aussi. Que savait-il, pour prendre une telle initiative ? Elle jeta un regard vers le tiroir de la table de chevet, mais ne l'ouvrit pas. Dès qu'elle en aurait l'occasion, elle porterait la fiole au coffre-fort.

Elle frissonna. S'asseyant sur le lit, elle dégusta son frugal repas. Demain, elle déciderait si elle participerait à l'excursion prévue, ou si elle profiterait de l'absence d'Andy pour voir Serena en toute tranquillité. Mais pour l'heure, elle voulait savoir ce qu'était devenue cette pauvre Louisa entre les mains de l'infâme Roger Carstairs.

★

★　★

Sa bougie à la main, Jane Treece surveillait la scène. Ce qui s'était passé était clair. Louisa Shelley se comportait comme une traînée en recevant lord Carstairs dans sa cabine. D'un regard méprisant, elle considéra le visage écarlate de Louisa, ses lèvres gonflées, son chemisier déchiré et le bel homme qui descendait précipitamment du lit. Il était encore habillé, elle était donc arrivée juste à temps. Affichant un sourire satisfait, Jane Treece s'éclaircit la gorge.

– Voulez-vous que je vous aide à vous préparer pour le dîner, madame ? Ou préférez-vous que je revienne un peu plus tard ?

– Merci, Jane, vous pouvez rester... Allez-vous-en ! ajouta-t-elle à l'intention de Carstairs.

Il hésita puis, ébauchant un sourire, s'éclipsa. Dans l'étroite coursive, il se retourna et leva la main.

– A bientôt, ma chérie. Nous reprendrons ce délicieux interlude dès que possible.

Louisa ferma les yeux. Tremblante, elle attendit que Jane Treece eût allumé tous les candélabres. Pendant qu'elle apportait l'eau chaude et les serviettes, Louisa jeta un coup d'œil sur sa mallette. Elle était toujours fermée, et la clé était bien cachée dans le dé de sa petite boîte à couture.

Elle s'installa devant sa coiffeuse et entreprit de détacher ses cheveux.

– Merci, Jane, dit-elle quand cette dernière reparut avec le broc. Lord Carstairs a-t-il quitté le bateau ?

– Je n'en sais rien, madame. Voulez-vous que j'aille vous le chercher ?

Louisa la regarda avec fureur.

– Vous savez bien que non ! Cet homme est une ignoble brute ! s'exclama-t-elle en ravalant un sanglot. Je voulais m'assurer qu'il était parti, au contraire.

Surprise par son éclat, Jane Treece sembla se radoucir légèrement.

– Je crois les avoir entendus l'inviter à dîner, marmonna-t-elle en s'attardant avec dégoût sur la chemise déchiquetée de Louisa. Il va falloir porter ce vêtement à laver et à réparer. Les Forrester sont enchantés de s'être liés d'amitié avec un membre de l'aristocratie. Ils seraient outragés d'apprendre qu'un de leurs invités l'avait contrarié.

Louisa eut une moue de dépit.

– Je n'en doute pas... Versez-moi un peu d'eau, je vous prie. Je mettrai ma robe en satin, si vous voulez bien me la sortir. Ensuite, vous pourrez aller vous occuper de lady Forrester... Ne leur soufflez rien de cet incident, s'il vous plaît. Comme vous venez de le dire, cela risquerait de les offusquer.

Elle allait en parler à sir John elle-même, et très vite. Mais elle ne tenait pas à ce que Jane Treece répande la rumeur d'abord. Elle la soupçonnait de vouloir transmettre l'information d'une manière désagréable.

Jane Treece sortit enfin, et Louisa se contempla avec lassitude dans la glace. Malgré le chapeau et le parasol, elle avait pris des couleurs, qui rehaussaient la brillance de ses yeux. Avait-elle sans le vouloir provoqué lord Carstairs ? Elle n'en avait pas l'impression. Un frémissement la parcourut, et elle s'aspergea la figure.

Quand elle releva la tête, un cri lui échappa. Dans le miroir embrumé, elle aperçut une silhouette qui se dressait juste derrière elle.

Elle se retourna, mais il n'y avait personne. Ce n'était qu'un jeu d'ombres. Elle était seule dans la cabine. Elle s'efforça de respirer calmement. Elle avait trop d'imagination. Dès qu'elle serait habillée, elle se défoulerait en écrivant son journal, puis elle se rendrait au salon et braverait, s'il le fallait, le regard cruel de Roger Carstairs.

★
★ ★

Anna baissa les yeux sur l'œil d'Horus, niché entre ses seins. L'amulette en or était chaude, sur sa peau. Elle tendit l'oreille, consulta sa montre. Il était presque vingt-trois heures. Omar venait probablement de conclure sa conférence sur l'Egypte moderne programmée pour la soirée. Les passagers allaient boire un dernier verre avant de se coucher.

★
★ ★

Sir John était là lorsque Louisa fit son apparition. Il se leva avec empressement.

— Ma chère, vous êtes ravissante ! Malheureusement, j'ai une mauvaise nouvelle à vous annoncer. Roger a été obligé de nous abandonner. Il y aurait un problème à bord de son bateau avec l'un des membres d'équipage, et il a dû partir. Il m'a prié de s'en excuser auprès de vous.

— Ce n'est pas ça qu'il voulait se faire pardonner, rétorqua-t-elle sèchement. Augusta nous rejoint-elle ?

Il secoua la tête.

— Hélas ! Les événements de la journée l'ont épuisée. Elle s'est retirée tôt. J'ai demandé à Abdul de nous servir le repas ici. Permettez-moi de vous verser à boire, ma chère. Et portons un toast à notre excursion à la cataracte.

Elle but une gorgée de vin, puis posa son verre.

— Sir John, je suis dans l'obligation de vous prier d'interdire à lord Carstairs de remettre les pieds ici. Il est venu tout à l'heure me retrouver dans ma cabine et s'est comporté d'une façon choquante.

Sir John la dévisagea, les yeux arrondis. Il se mit à pianoter sur la table.

— J'ai du mal à le croire, Louisa. C'est un homme respectable. Un gentleman accompli.

— Oh, non, il n'a rien d'un gentleman ! protesta-t-elle en crispant le poing. Si Jane Treece n'était pas arrivée, il m'aurait violée. Il est doué d'un pouvoir étrange, d'une capacité à m'hypnotiser et à me priver de tout moyen de défense. Par des sous-entendus et des menaces, il cherche à me persuader de me séparer de ma fiole. Non, il ne faut pas qu'il revienne. Je ne tenais pas à en parler devant Augusta. Je sais combien elle l'apprécie, mais vous...

— Vous dites qu'il a tenté de vous violer ?

195

Elle acquiesça. Sir John s'humecta les lèvres.

— Il est entré de force chez vous ?

Elle opina de nouveau. Sir John s'attarda sur son décolleté. Il respirait très fort.

— Il vous a touchée ? Ma chère Louisa, sachez que vous êtes une très belle femme. Par cette chaleur, la personne la plus respectable pourrait éprouver un afflux de sang en votre présence.

Il se leva à demi et se pencha vers elle.

— Je ressens moi-même une forte attirance...

Du bout des doigts, il lui effleura le poignet.

— John ! Que faites-vous ? interrompit Augusta.

Il recula d'un bond comme s'il venait de se brûler.

— Ma chère ! Je ne vous avais pas entendue. Vous tombez bien. Louisa vient de me raconter une chose épouvantable. Abominable, bredouilla-t-il, affolé. Figurez-vous que Carstairs se révèle un être vile et méprisable. Un voyou qui déshonore notre sexe.

Augusta s'était assise à table. Posément, elle saisit la bouteille.

— Vous n'auriez jamais dû aller pique-niquer seule avec lui, déclara-t-elle. Vous êtes-vous présentée en déshabillé devant lui aussi ?

Louisa se sentit rougir malgré sa fureur.

— Je puis vous assurer que non. Lord Carstairs s'est comporté d'une façon indigne. J'espère que vous l'empêcherez de fouler de nouveau le pont de l'*Ibis*.

Augusta but une gorgée de vin, l'air songeur.

— Je crains que ce ne soit impossible. J'avoue qu'il m'a mise mal à l'aise une ou deux fois, mais j'étais persuadée qu'il avait des vues sur Venetia Fielding, aussi suis-je étonnée d'apprendre qu'il vous ait sauté dessus.

Louisa haussa un sourcil.

— A votre ton, vous semblez me trouver indigne de ses attentions, répliqua-t-elle, vexée malgré elle.

Augusta esquissa un sourire.

— Je crois surtout que vous n'êtes pas assez riche. David Fielding est très fortuné, et a laissé entendre que Venetia disposerait d'une dot considérable... Y a-t-il une raison pour que

196

lord Carstairs s'intéresse à Louisa ? demanda-t-elle à son mari, qui s'était rassis, penaud.

– Il veut sa fiole. Dieu sait pourquoi, mais je pense que c'est en rapport avec ses études sur l'Egypte ancienne. J'aimerais que vous la lui donniez, Louisa, et qu'on en finisse une fois pour toutes. Il vous suffit d'annoncer votre prix. Il vous paiera ce que vous exigerez.

– Elle n'est pas à vendre. Je le lui ai dit. De surcroît, c'est un souvenir de Hassan, qui me l'a offerte et que vous avez si injustement renvoyé...

Elle s'apprêtait à en dire davantage, mais se ravisa à temps.

– Hassan était mon ami, ce qui rend cet objet doublement précieux à mes yeux. Je ne m'en séparerai jamais tant que je vivrai.

*
* *

Sur le qui-vive, Anna posa le journal. Elle avait perçu un bruit derrière sa porte. Elle fixa la poignée et sursauta vivement lorsqu'on frappa.

– Qui est-ce ?

– C'est moi, Toby. Je ne voulais pas vous réveiller. Je venais simplement m'assurer que tout allait bien.

Elle alla lui ouvrir.

– Très bien, merci.

Il lui sourit, adossé contre le chambranle, un bras derrière la tête. Il ne chercha pas à entrer.

– Je me suis inquiété de votre absence au dîner. J'espérais qu'Andy ne vous avait pas traînée jusqu'à son antre.

– Aucun risque, répondit-elle en souriant.

– Tant mieux. Bon ! Bonne nuit. Dormez bien.

Elle le regarda s'éloigner et disparaître au bout de la coursive avant de réintégrer sa cabine.

Elle décida qu'elle ne lirait plus maintenant. Elle prit une douche rapide et se coucha. Elle s'assoupit en pensant à l'amulette autour de son cou. Grâce à elle, elle se sentait étrangement en sécurité.

Elle dormit profondément jusqu'aux petites heures du matin. Elle se réveilla à demi en songeant à Louisa, sommeilla encore un peu. Lorsqu'elle s'éveilla de nouveau, avant même d'avoir ouvert les yeux, elle se surprit à chercher de la main le journal. Connaître la suite de l'aventure de Louisa devenait une véritable obsession.

★
★ ★

Louisa dormit tard le lendemain de sa délicate conversation avec les Forrester. Elle trouva Augusta seule dans le salon. Toutes deux montèrent sur le pont savourer un jus de fruits, à l'ombre d'une voile.

— Sir John et moi avons discuté, attaqua-t-elle. Nous pensons avoir renvoyé Hassan de manière un peu hâtive. Sans doute Roger nous a-t-il induits en erreur. Sans le vouloir, bien sûr, précisa-t-elle avec empressement. D'après le *reis*, Hassan ne doit pas être loin. Il est allé à terre avec sir John dans l'espoir de le retrouver.

Louisa retint son souffle. Paupières closes, elle s'efforça de rester neutre. Son cœur battait à toute allure.

— Cela vous satisferait-il, ma chère ?

Louisa sentit qu'Augusta l'observait avec attention.

— Oui, merci.

— John est un homme bon, vous savez. Il s'emporte parfois, mais il est toujours de bonne foi.

— J'en ai conscience, murmura Louisa, touchée, car ce n'était sans doute pas facile pour Augusta d'excuser son mari, tout en la mettant en garde.

Or elle y était parvenue avec beaucoup de tact. Cependant, il restait une pomme de discorde.

— Et lord Carstairs ?

— Si Hassan revient, vous n'aurez plus à vous trouver seule avec lui. Roger se comporte en enfant gâté. Il se croit tout permis sous prétexte d'assouvir ses désirs. Nous lui montrerons que, s'il est toujours le bienvenu à bord de l'*Ibis*, ce n'est pas pour autant que tous ses caprices seront satisfaits.

198

Louisa passa le reste de la matinée à dessiner les falaises et les rochers. Vers midi, les hommes revinrent pour l'ultime étape du franchissement de la cataracte. Ils étaient accompagnés de sir John et de lord Carstairs.

Louisa, qui s'était réfugiée à la proue, se garda d'aller les saluer. Au bout de quelques minutes, du coin de l'œil, elle les vit descendre au salon, où Augusta s'abritait du soleil.

Un long moment s'écoula. Enfin, Augusta apparut. Les yeux brillants, elle se précipita vers Louisa et s'assit près d'elle.

– J'ai une nouvelle merveilleuse !

– Sir John a retrouvé Hassan ?

– Hassan ? Oh, non. Je pense qu'il a dû laisser un message pour qu'Hassan suive l'*Ibis* s'il le souhaite et reprenne son service. Non, non, c'est beaucoup mieux que cela. Ma chère, Roger Carstairs veut vous demander votre main !

Louisa la dévisagea, muette de stupeur. Un étau se resserra autour de sa poitrine, lui coupant la respiration. Elle avait la gorge sèche. Augusta battit des mains.

– Bien entendu, sir John a répondu oui. Il savait que vous seriez enchantée. Roger s'est répandu en excuses, pour hier. Il nous a expliqué que son amour pour vous le rendait fou. Il vous a apporté un cadeau somptueux, Louisa...

Cette dernière trouva enfin la force de bouger. Raide comme une marionnette en bois, elle se leva. Crayons et pinceaux roulèrent en cascade sur le sol.

– Comment ose-t-il ! Comment ose-t-il revenir ? Et pourquoi s'est-il adressé à sir John ? Il n'est pas mon père. De quel droit vous imaginez-vous que cette proposition puisse me faire plaisir ?

Sidérée par cet éclat, Augusta resta sans voix. Elle leva les mains, les laissa retomber.

– Sir John est votre hôte. Nous sommes à bord de son bateau. Vous êtes sous notre responsabilité, ma chère. Nous pensions que vous seriez enchantée. Réfléchissez. Son titre...

– Je n'en veux pas, Augusta ! rétorqua Louisa. Je ne veux ni de lui ni de son cadeau. Je ne le recevrai pas. Dites-lui de s'en aller, je vous prie.

– Louisa...

– Je vous en supplie. Débarrassez-vous de lui.

199

— Je ne peux pas, Louisa.

Augusta l'observa un instant puis, poussant un profond soupir, se détourna.

Environ une heure plus tard, Louisa regagna prudemment sa cabine. En passant devant le salon, elle y jeta un coup d'œil. Augusta et sir John y étaient seuls. Carstairs était invisible. Soulagée, elle poussa sa porte. Il était assis sur son lit. Sur la tablette à côté se trouvaient son journal et sa mallette de toilette.

Comme elle poussait un cri d'étonnement et de peur mêlés, il sourit.

— Restez calme, ma chère Louisa. Je serais très embarrassé d'avoir à avouer à sir John et à Augusta que ce n'était qu'une expression de votre passion. Donnez-moi la clé de cette mallette ridicule et finissons-en.

— Vous avez lu mon journal intime ! explosa-t-elle.

— En effet. C'est passionnant. Vous ne semblez guère apprécier ma compagnie. En revanche, je vois que vous avez un faible pour les indigènes. Heureusement, vos penchants me sont indifférents. La clé, s'il vous plaît, sans quoi je devrai forcer la serrure.

— Sortez d'ici ! hurla Louisa, blême de rage. Sortez immédiatement ! répéta-t-elle en s'avançant pour lui arracher le cahier des mains. Voulez-vous que j'appelle le grand prêtre à mon secours une fois de plus ? La dernière fois, il est venu, rappelez-vous. Qui sait de quoi il serait capable pour me protéger.

Carstairs éclata de rire.

— Invoquer les esprits, c'est mon métier, pas le vôtre. J'ai de longues années d'expérience en ce domaine.

Il se leva, et elle eut un mouvement de recul. Il paraissait immense, dans cet espace confiné. Elle avait beau s'efforcer de le cacher, son courage l'abandonnait. Carstairs l'examina de bas en haut avec mépris, puis leva son visage vers le plafond.

— Amenanhotep, prêtre d'Isis, viens ici. Maintenant. Amenanhotep, prêtre d'Isis, montre-toi devant moi. Amenanhotep, prêtre d'Isis, présente-toi à la lumière du jour !

Louisa poussa un gémissement. Elle voyait déjà la silhouette, transparente, devant la fenêtre, le visage anguleux, les épaules carrées, les yeux très pâles, comme ceux de Carstairs. Elle ferma les yeux.

— Madame Shelley ? Vous m'avez appelée ?

La voix de Jane Treece, juste derrière elle, la fit sursauter violemment. Elle pivota vers elle et se cramponna à son bras.

— Oui. Voulez-vous raccompagner lord Carstairs, s'il vous plaît ? Il s'apprêtait à partir.

Elle tremblait de tous ses membres. Elle ferma de nouveau les yeux, tandis que Jane Treece disparaissait avec Carstairs. Quand elle les rouvrit, l'apparition était toujours là.

★
★ ★

— Mon Dieu ! s'exclama Anna.

Elle ferma le cahier et reprit son souffle avant de se lever et de se diriger vers la coiffeuse. Au même instant, on frappa. C'était Toby.

— Vous ne vous êtes pas montrée au dîner, et voilà que vous avez raté le petit déjeuner, constata-t-il. Vous êtes sûre que vous n'êtes pas malade ?

Elle eut un rire nerveux.

— Est-ce ainsi que vous séduisez les jeunes femmes ?

— Je peux faire mieux, avoua-t-il en souriant. Qu'y a-t-il, Anna ? Vous tremblez.

— Ça va.

— Non, ça ne va pas. Est-ce moi, ou ce sacré journal ? Anna, vous devriez peut-être renoncer à cette lecture. Elle vous prend tout votre temps et vous ratez des excursions pour lesquelles vous avez versé plusieurs centaines de livres. Pourquoi ne pas vous en débarrasser ? Non, je n'ai rien dit : il a trop de valeur. Rangez-le. Vous le lirez à votre retour, dans votre jardin.

— Impossible. J'ai besoin de connaître la suite, gémit-elle.

— En quoi est-ce une nécessité ?

— C'est à propos du flacon. Quelqu'un essayait de le lui voler. Elle pensait qu'il était maudit.

Anna se tut brusquement. Elle délirait.

201

– Vous en êtes convaincue, vous aussi ?

Elle leva les yeux vers lui et découvrit à son grand étonnement qu'il ne se moquait pas d'elle.

– Voulez-vous me le montrer, Anna ? Watson prétend que c'est un faux. Je ne suis pas un expert, mais j'ai une certaine intuition.

Elle hésita puis, se décidant subitement, alla ouvrir le tiroir de la coiffeuse. Elle lui tendit la fiole enveloppée dans l'écharpe de satin rouge. Il déroula l'étoffe, la laissa tomber sur le lit et, fermant un œil, examina longuement la petite bouteille. Anna fut soudain fascinée par la délicatesse avec laquelle il effleurait le verre et le bouchon. Enfin, il la soupesa.

– Il n'y a rien à lui reprocher, déclara-t-il enfin. C'est l'ouvrage d'un artisan. La surface est pleine d'imperfections, parfois assez grossières, mais ce n'est pas tout... Je sens son âge. Ne me demandez pas comment.

– D'après Andy, la partie supérieure a été fabriquée à la machine.

– S'il dit cela, c'est qu'il n'y connaît rien. Et il se prétend antiquaire ! Non, insista Toby, ce n'est pas le cas. Je suis incapable de le dater. Il faudrait s'adresser à un musée.

– Est-il d'origine égyptienne ?

– Louisa Shelley le croit-elle ?

– Elle en est sûre.

– Dans ce cas, c'est la vérité... Et si nous tentions de trouver un passage amusant dans le journal ? proposa-t-il. Il doit y en avoir. Ensuite, vous pourriez ranger le tout et venir avec nous en excursion. M'autorisez-vous à en chercher un ?

Elle était sur ses gardes.

– Je vous promets d'être soigneux. Je vais juste le parcourir. L'écriture en dit long sur l'humeur de l'auteur, vous savez.

Comme elle ne réagissait pas, il s'assit et se mit à feuilleter le cahier au-delà du marque-page.

Anna le contempla en se demandant pourquoi elle l'avait invité à entrer, pourquoi elle lui avait montré le flacon. Pourquoi elle se sentait plus à l'aise avec lui qu'avec Andy. En dépit des accusations de ce dernier, accusations auxquelles elle n'avait jamais cru un seul instant !

– Tenez ! Regardez... Ici l'écriture est légère, l'esquisse colorée. Je vous le lis ?

Haussant les épaules, elle se laissa choir sur le tabouret.

★
★ ★

Hassan était revenu le jour où ils avaient jeté l'ancre au-delà de la première cataracte, près de Philae. Le *Scarabée* et la dahabiah des Fielding étaient tout près.

Calme et digne, Hassan avait accepté les explications de sir John concernant un « malheureux malentendu » et repris sa place à bord comme si de rien n'était. Mais Louisa le savait : les Forrester avaient dû deviné que sa relation avec lui était plus qu'amicale.

Il faisait nuit quand elle monta sur le pont, où Hassan l'attendait pour l'emmener à terre.

– J'ai dit aux Forrester que je souhaitais peindre le fleuve au clair de lune, murmura-t-elle. Ils ne cherchent plus à me retenir. Je crois savoir que lord Carstairs est sur le *Lotus* en train de discuter photographie avec M. Fielding, qui a apporté un appareil. Personne ne devrait nous déranger.

– Gardez vos pièces pour les enfants. Ils sont là nuit et jour.

– On peut acheter leur silence ?

– Absolument.

Une lune énorme se reflétait dans l'eau, jetant des ombres noires sur le sable. Ils marchèrent tranquillement, absorbant toute la beauté du site. Tout autour se dressaient les piliers du temple, les collines lointaines, les dunes argentées.

– Venez, chuchota Hassan. Nous allons grimper sur le mur.

Ils gravirent les marches usées. Louisa resserra son châle sur ses épaules. De là, ils pouvaient admirer l'île tout entière. Les trois bateaux paraissaient minuscules comme des jouets. Au nord, le torrent filait sur les rochers. Au sud, le fleuve s'élargissait et disparaissait dans un virage. A leurs pieds gisait le temple, immense et mystérieux.

– Vous voulez dessiner ici, sitt Louisa ?

203

– Sommes-nous en sécurité ?

Il ne savait pas si elle faisait allusion à Carstairs ou aux génies malfaisants. Peut-être aux deux.

– Oui. Je vais sortir le matériel.

Sur l'*Ibis*, les Forrester s'étaient déjà retirés dans leur cabine. Sur le *Lotus*, les Fielding et leur invité, ayant épuisé les complexités de l'appareil photo, s'étaient installés sur le pont pour déguster un sorbet, pendant que Venetia lisait à voix haute un roman de Jane Austen.

Louisa se mit au travail. De temps en temps, enchantée par tant de beauté, elle s'arrêtait, son crayon immobile sur le papier. Hassan était assis en tailleur sur le tapis. Depuis son retour, il semblait plus réservé. Pensif.

– Vous réfléchissez beaucoup, mon ami ?

– Je vous contemple.

– Et réciproquement. Regardez...

Elle lui tendit le carnet, où elle l'avait reproduit, songeur, beau, les yeux rieurs.

– Vous me flattez, sitt Louisa.

– Je vous montre tel que vous êtes.

Elle se pencha en avant.

– J'ai prévenu Augusta que nous dormirions à l'abri du temple si nous en avions assez de la lune.

Il hocha la tête, l'air grave.

– J'ai des tapis et des coussins. Ainsi, vous pourrez voir le lever du soleil.

– Nous le regarderons ensemble.

Elle lui caressa doucement la main. Il se rapprocha.

– Quand ils m'ont renvoyé, j'ai cru que mon cœur allait cesser de battre, tant j'étais peiné, avoua-t-il enfin. Vous êtes mon soleil et ma lune, les étoiles de mon paradis, sitt Louisa.

Il effleura ses lèvres d'un baiser. Louisa ferma les yeux, s'abandonnant à l'exquise sensation de chaleur et de bonheur qui l'envahissait.

– Protégez-nous, Isis, des yeux qui nous épient.

Sa prière murmurée s'éleva dans l'obscurité et s'envola vers la lune tandis que, loin en dessous, lord Carstairs se levait, s'étirait, faisait ses adieux aux Forrester, puis s'attardait un instant face aux palmiers sur la rive et au temple si serein dans son île

★
★ ★

Il y eut un long silence. Toby ferma le cahier et le posa sur la table de chevet.

– Ainsi, Louisa Shelley a trouvé l'amour en Egypte. Etes-vous satisfaite ? Pouvez-vous ranger ce journal et profiter pleinement de vos vacances ? Dans ce passage, elle ne mentionne ni génies malfaisants ni mauvais sorts.

– Vous avez raison. Je vais le ranger.

– Et vous venez avec nous ?

Elle consulta sa montre.

– S'il n'est pas trop tard.

– Habillez-vous vite. Je vais m'assurer qu'il nous reste des places à bord du voilier. J'en profiterai pour convaincre Ali ou Ibrahim de nous préparer quelques sandwiches. Je ne peux pas vous promettre le tapis persan et les jeux d'ombre de la lune, mais nous ferons de notre mieux.

Il s'arrêta sur le seuil et se tourna vers elle.

– Pardonnez-moi mon indiscrétion, mais que portez-vous autour du cou ? Je ne l'avais jamais remarqué auparavant.

Elle y mit précipitamment la main.

– C'est pour me protéger. C'est l'œil d'Horus.

– Je suis certain qu'il vous sera utile. A tout de suite.

Ils se retrouvèrent sur le pont et s'installèrent dans la felouque. Toby dut remonter à bord du *White Egret* à deux reprises, la première fois pour chercher son carnet à dessins, la seconde pour réclamer des bouteilles de jus de fruits. Enfin, ils purent donner l'ordre à leur matelot de mettre la voile. Anna fourragea dans son sac en quête de son appareil photo.

– Vous êtes heureuse ? s'enquit Toby, amusé, tandis qu'elle se calait dans les coussins pour photographier l'immense voile triangulaire.

– Très. Merci de m'avoir sortie de ma cabine.

Il avait le bras tendu le long de la coque, et sa main frôlait presque l'épaule de la jeune femme. Il avait enlevé ses chaussures, et Anna ne put s'empêcher de remarquer que ses pieds étaient aussi bronzés que ceux de leur homme de barre.

205

Le bateau vira de bord pour prendre le vent. La voile claqua, puis se gonfla comme une aile blanche sur le fond bleu du ciel. Anna arma de nouveau sa caméra pour immortaliser le marin, debout à la proue. Il avait le même profil que ceux qu'elle avait pu admirer sur les bas-reliefs des temples : le front haut, les yeux en amande, les angles de la bouche et du menton. Elle se demanda un instant s'il allait lui reprocher son initiative, mais il avait déjà compris : son visage se fendit en un large sourire et il prit la pose, un bras autour du mât, l'autre se balançant légèrement à ses côtés.

– Recommencez sans qu'il s'en aperçoive, lui conseilla Toby.

Elle sourit. Il n'avait pas tort, mais cette pose était tout à fait typique de la scène, de l'interaction constante avec les touristes, du jeu joué par les deux parties : les habitants du pays répondant aux caprices des visiteurs, les touristes apportant leur argent en échange. Dans l'ensemble, la relation fonctionnait. La bonne nature et l'humour des Egyptiens leur permettaient de conserver un certain équilibre. S'ils éprouvaient du ressentiment, s'ils avaient l'impression d'être exploités, ils le cachaient bien.

Anna ferma les yeux, se délectant de la chaleur du soleil. A la proue, une autre silhouette en sandales dorées contemplait l'horizon, les bras tendus, la tête haute. Anna poussa un petit cri.

– Anna ? Ça va ?

Elle reprit son souffle. Il avait disparu. Bien sûr qu'il avait disparu. Il n'avait jamais été là. Ce n'était que l'ombre de l'homme de barre, ou un mirage éphémère dans le miroitement de l'air chaud.

– Excusez-moi. J'avais le soleil dans les yeux.

– Attention, mademoiselle ! C'est très dangereux ! prévint le matelot.

Elle enfonça son chapeau sur son crâne.

A leur retour, on servait l'apéritif au bar. Apparemment, Andy s'était déjà préoccupé d'Anna.

– C'est pour vous ! annonça-t-il en lui présentant son verre. Pour me faire pardonner. Je ne vous ennuierai plus.

Il déployait tous ses charmes. Jetant un regard par-dessus son épaule, Anna vit Toby réprimer un sourire ironique. Il lui adressa un clin d'œil et leva les bras.

— *Inch'Allah*, lui chuchota-t-il. Buvez à la santé de l'*effendi*.

Sur ce, il se dirigea vers le comptoir pour demander une bière. Anna se tourna vers Andy.

— Il ne s'agit pas de vous pardonner ou non, Andy. Je veux seulement pouvoir discuter avec Serena quand j'en ai envie sans que vous veniez nous interrompre. Où est-elle, à propos ?

— Je n'en sais rien. Sincèrement, je n'en ai aucune idée. Peut-être sa felouque n'est-elle pas encore revenue. Mais je vous promets qu'à son arrivée, je lui offrirai un verre, à elle aussi. Je lui embrasserai les pieds, je lui caresserai les mains, tout ce que vous voudrez.

— Contentez-vous d'être aimable.

— Je le serai. Je le suis. Je suis gentil avec tout le monde.

Il gratifia Ben, qui passait par là, d'une grande tape dans le dos.

— N'est-ce pas, Ben ?

— Je vous trouve bien enjoué, mon ami. Je ne sais pas à quoi vous carburez, mais si cela signifie que vous allez m'offrir un verre, à moi aussi, je suis pour !

— C'est le soleil, Ben, répondit Andy avec un sourire entendu. Rien de plus. Ah ! Voici Serena. Et Charley est avec elle.

Les deux femmes apparurent sur le seuil, côte à côte.

— C'est Andy qui paie la tournée, les filles ! lança Ben d'un ton jovial. A votre place, j'en profiterais pour commander du champagne.

Ali, qui avait suivi la conversation avec attention, intervint.

— Voulez-vous un cocktail, mesdames ? Ali prépare de très bons cocktails. Très chers.

— Non, merci, répondit Serena. Un jus de fruits me suffira.

— Moi, j'en veux bien un ! déclara Charley en se perchant sur un tabouret. Le plus cher de tous !

Elle avait les yeux fiévreux. Serena prit son verre et alla s'asseoir sur un sofa. Au bout d'une minute, Anna l'y rejoignit, abandonnant les autres autour du bar.

— Il faut que nous parlions.

Elle s'était rendu compte en se déplaçant que Toby avait disparu.

— Où étiez-vous ? demanda Serena, d'un ton lugubre.

— J'ai fait un tour en felouque avec Toby. J'ai revu le prêtre Amenanhotep. Du moins, je crois l'avoir aperçu. A la proue du bateau.

Serena parut étonnée.

— Vous aviez la fiole avec vous ?

— Non. Elle est dans ma cabine. Apparemment, ça ne change rien.

Serena grimaça, puis haussa les épaules.

— J'espère qu'il ne s'est pas attaché à vous.

— Attaché à moi ? répéta Anna. Vous plaisantez, j'espère ? Mon Dieu ! Mais alors, cela voudrait dire que je suis possédée ?

— Non ! Non, justement, répliqua Serena en se penchant en avant, le regard fixé sur Charley... Non, ne vous méprenez pas. Vous n'êtes pas possédée, mais il se peut qu'il ait créé un lien énergétique avec vous. Ce qui signifie qu'il... qu'il se sert de vous comme d'une pompe à essence. Comme il est sans corps, il se nourrit du vôtre, de façon à pouvoir se mouvoir et se montrer. En d'autres termes, il ne vous quitte plus d'une semelle.

Anna tressaillit.

— Pourvu que vous vous trompiez... Comment puis-je me débarrasser de lui ?

— Si vous en avez la volonté, cela suffira peut-être.

— J'en ai plus qu'il n'en faut.

— Dans ce cas, la prochaine fois que vous le verrez, dites-lui de partir.

— J'ai déjà essayé ! Je l'ai sermonné, je lui ai demandé d'emporter le flacon et de me laisser tranquille. Il n'est pas apparu. Il ne s'est rien passé.

— Attendez de le voir, Anna. Ensuite, vous vous adresserez à lui. N'ayez pas peur, ne vous mettez pas en colère, cela pourrait vous affaiblir. Soyez forte et aimante.

— Aimante ! Je ne vois pas comment ! s'indigna-t-elle.

— L'amour conquiert tout, Anna, surtout la haine et la terreur.

— Non. Non, je regrette, je n'en crois rien. Malheureusement. Et je suppose que notre ami l'interpréterait mal.

Elle but une gorgée de sa boisson, fixa ses sandales.

– Il y avait deux prêtres, n'est-ce pas, murmura-t-elle. Qu'est devenu le second ?

Elle releva la tête. Serena se concentrait sur le bar, où Charley s'esclaffait bruyamment. Elle fronça les sourcils.

– Je n'en sais rien, avoua-t-elle... Non, vous avez raison, ce serait difficile d'aimer Amenanhotep. Mais je ne pense pas qu'il vous veuille du mal. Vous devez lui faire front. Lui prouver votre force. Une fois le dialogue entamé, demandez-lui pourquoi il tient à récupérer le flacon, ce que vous devez faire, comment vous pouvez l'aider. Alors, vous pourrez le prier de s'en aller.

– A ce rythme-là nous nous appellerons par nos prénoms et je l'inviterai à dîner ! rétorqua Anna.

Elle marqua une pause. Louisa l'avait fait. Elle avait invoqué Amenanhotep pour qu'il la protège de lord Carstairs. Peut-être Serena avait-elle raison. Peut-être qu'elle devait établir un contact. D'un autre côté... Un frisson la parcourut.

– Je crains de ne pas en avoir le courage. Dès que je devine son ombre, mes jambes se liquéfient.

Elle se tut un instant, se pencha en avant, les mains sur son visage.

– Je n'en reviens pas d'avoir ce genre de conversation. C'est absurde. Je vais me débarrasser de cette fiole, Serena. Je n'en peux plus. Ces vacances sont en train de se transformer en un véritable cauchemar.

Serena lui effleura le bras.

– Voulez-vous me la confier ?

– A vous ?

– Je la mettrai dans ma cabine. Je réciterai des prières à son intention. Je brûlerai de l'encens.

– Pas en présence de Charley !

– Non, pas en présence de Charley. Laissez-moi faire, Anna. Je m'y connais.

Anna se sentit soudain submergée par une immense lassitude.

– Quelle idée j'ai eue de l'emporter avec moi !

– Vous ne pouviez pas deviner. D'ailleurs, vous avez sans doute agi malgré vous. Il est probable qu'Amenanhotep vous a inspiré ce geste.

– Merci ! Si je comprends bien, non seulement il tire de moi toute mon énergie, mais en plus, il me vide la cervelle.

Elle tapa des poings sur ses tempes. Serena se leva.

– Allons-y tout de suite, pendant que Charley et les autres sont occupés.

Anna opina et lui emboîta le pas. Andy jeta un coup d'œil vers elles et fronça le nez.

Anna poussa la porte de sa cabine, puis se figea.

– Quelqu'un est entré.

Elle s'avança prudemment, scruta la pièce. Le lit était fait, une pile de serviettes propres avait été laissée sur la tablette, comme tous les matins. Mais il y avait autre chose. Elle regarda autour d'elle. Elle avait la chair de poule.

– Est-ce Amenanhotep ? chuchota-t-elle.

Elle s'approcha du cabinet de toilette. Il était vide. Serena était sur le qui-vive, elle aussi.

– Je ne sens pas Amenanhotep. Il n'est pas là.

– Je n'y comprends rien, marmonna Anna en s'approchant de la coiffeuse.

Elle ouvrit le tiroir, en sortit le flacon enrobé du foulard.

– Tenez... il est à vous.

– Venez chez moi. Nous devons nous assurer qu'Amenanhotep nous suivra... Qu'y a-t-il ?

Anna avait les yeux rivés sur la table de chevet. Avec un cri de désarroi, elle plongea en avant et ouvrit le tiroir. Il était vide. Le journal s'était volatilisé.

X

Je me suis accompli ; j'ai renouvelé ma jeunesse
Je suis Osiris, dieu de l'éternité...

*D*ANS *une maisonnette en briques à la lisière du village, une*
femme balaie. Sous la natte de son fils, elle trouve une étoffe
et, enveloppé dans celle-ci, encore incrusté du sable du désert, un
petit flacon. Intriguée, elle le tient un instant, furieuse contre lui de
le lui avoir caché. Dans ses mains, le verre devient brûlant. Elle
frissonne. Elle le remet dans le carré de tissu et le range sous la
natte.

A son retour des champs, il est heureux. Il a pris une décision.
Le flacon n'a aucune valeur – c'est ce que prétend son père –, il va
donc l'offrir à sa mère, qui lui saura gré de sa générosité. Il
l'emporte au bord de la rivière pour le laver dans les eaux boueuses.
Le verre brille, à présent, mais ses imperfections trahissent son âge.

Sa mère accepte le présent en souriant. Elle dissimule le frémisse-
ment qui la parcourt, lorsqu'elle le tient entre ses mains et s'empresse
de le mettre en lieu sûr, hors de sa vue. Désormais, chaque fois
qu'elle passera devant, elle tremblera et fera un signe pour repousser

les génies malfaisants. Elle sent les ombres qui le gardent, et elle a peur.

Le garçon est jeune et solide, comme son frère. Les prêtres pourront se gorger de leur force de vie et, au fil des jours, reprendre de leur puissance.

Les enfants, eux, s'affaiblissent.

★
★ ★

— Que s'est-il passé ? demanda Serena en serrant la fiole contre sa poitrine.

— Le journal. Quelqu'un l'a volé !

— Oh, Anna, c'est impossible. Je sais qu'il a de la valeur, mais personne à bord ne songerait à vous le prendre, pas même Charley. Etes-vous sûre de ne pas l'avoir rangé ailleurs ? Dans votre sac ? Vous l'emportiez partout avec vous. Vous l'avez peut-être mis dans un autre tiroir, dans une valise...

— Non. Il n'est plus là.

Anna pinça les lèvres. Les mains tremblantes, elle se mit à fouiller systématiquement chaque recoin de la cabine. Elle ne songeait pas à la valeur marchande du précieux cahier, mais à l'histoire de Louisa. Elle ne supportait pas l'idée de ne pas en connaître la suite !

Elle savait qu'il était inutile de chercher dans sa valise, pourtant, elle le fit. Tandis qu'elle la refermait, on frappa. Andy passa la tête dans l'entrebâillement.

— Tout va bien, mesdames ?

— Non ! répliqua Anna, désemparée. Le journal a disparu.

— Le journal de Louisa Shelley ?

— Il n'y en a pas d'autre, que je sache.

— Anna, je vous avais bien dit d'en prendre soin, maugréa-t-il en pénétrant dans la pièce. Etes-vous certaine qu'il n'est pas tombé derrière un placard, ou sous le lit ?

— Certaine, déclara-t-elle, clouée sur place.

— Je vous avais prévenue.

— Si c'est à Toby que vous faites allusion, ce ne peut pas être lui. Nous avons pris la felouque ensemble ce matin.

Andy haussa un sourcil.

— Vous ne vous êtes pas quittés d'une seconde ?

— Euh... si, murmura-t-elle.

Il l'avait laissée quelques instants dans le bateau. Sous quel prétexte ? Il avait oublié son carnet à dessins. Son front se plissa. Il ne s'en séparait jamais ! Ensuite, il était remonté demander des bouteilles de jus de fruits au restaurant. Puis, au retour, il l'avait abandonnée dans le bar. Pourquoi s'était-il éclipsé aussi vite ? Sur le moment, elle n'y avait pas prêté attention, vu son hostilité envers Andy, mais à présent...

Andy sourit.

— Vous voyez ! Voulez-vous que je lui parle ?

— Non. Ne dites rien. Si quelqu'un doit l'affronter, c'est moi.

Mais Toby ne pouvait pas être le coupable. C'était inimaginable.

— Anna, intervint Serena avec douceur. Ce n'est pas forcément lui. Peut-être est-ce un membre de l'équipage, ou quelqu'un qui serait monté à bord pendant notre absence.

— Mais personne n'était au courant, protesta-t-elle. S'il s'agissait d'un voleur, il aurait pris mes lapis et mes bracelets en argent. Je les avais laissés sur ma coiffeuse. Non, la personne en question savait précisément ce qu'elle voulait. Dieu merci, elle n'a pas pris le flacon. C'eût été le comble de l'ironie !

Suivant la direction de son regard, Andy fixa le petit paquet de satin rouge dans les mains de Serena.

— Pourquoi est-ce toi qui l'as ?

— Je le lui ai confié, répondit Anna d'un ton ferme.

— Ce n'est pas la bonne solution, décréta-t-il en le lui prenant d'un geste calme, mais autoritaire. Si cela ne vous ennuie pas, je veillerai dessus. Ce n'est pas une antiquité mais, étant donné les circonstances, cet objet sera plus en sécurité avec moi. Je ne veux pas que Serena replonge dans ses délires et perturbe Charley. Si ça continue, le groupe tout entier va céder à la psychose.

Il le fourra dans sa poche et se dirigea vers la sortie.

— Ne vous inquiétez pas. Avec moi, il ne craint rien.

— Andy ! Andy ! Rapportez-le ! s'écria Anna. Rendez-le-moi immédiatement !

Mais il était déjà loin.

– Je n'en reviens pas ! s'exclama-t-elle en pivotant vers Serena, qui s'était laissée choir sur le lit. Vous avez vu ? Il l'a pris, comme ça !

– J'ai vu. Je suis désolée, Anna.

– Quel crétin ! pesta Anna en tapant du pied de rage. Et il est tellement fier de lui ! Parce que Toby s'avère être un voleur... Ou du moins...

– Exactement : évitez les conclusions hâtives, je vous en supplie, Anna. Servez-vous de votre jugement. Ou parlez-en à Omar et demandez-lui conseil. Je suppose qu'il faudrait appeler la police.

Anna s'assit à côté d'elle.

– Je vais poser la question à Toby. Si c'est lui, c'est sans doute uniquement pour le lire. Nous l'avons regardé ensemble, et l'histoire de Louisa l'a fasciné.

– Et la fiole ?

– Je la récupérerai, proclama Anna en croisant les bras. Si Andy pense qu'il suffit de m'offrir un verre pour m'amadouer, il se trompe. De quel droit me parle-t-il – nous parle-t-il – sur ce ton ?

– Il ne changera jamais, dit Serena avec un sourire triste. Il ne recule devant rien pour me provoquer. Vous commencez enfin à le connaître sous son vrai jour.

Anna se leva brusquement.

– Pourquoi fait-il cela ?

– Il a probablement peur de moi, ou plutôt, de ce que je représente. Une femme douée d'un pouvoir. Je n'ai aucun mal à le deviner. Je ne suis pas sensible à son charme. J'ai, ou du moins j'avais, une certaine influence sur Charley. Par conséquent, je suis une adversaire à humilier.

– C'est horrible.

– En effet, mais il a raison sur un point. Les rumeurs se répandent à bord : nous devons faire attention à ne pas propager des superstitions, au risque de créer une hystérie collective.

Anna acquiesça et s'avança jusqu'à la porte.

– Entendu. Je vais voir Toby tout de suite. Ne vous faites pas de souci pour le flacon. Nous verrons bien comment

réagira Amenanhotep. Pour être franche, je suis plutôt soulagée d'en être débarrassée pour un moment. Après tout, peut-
être Andy est-il le gardien idéal ?

– J'en doute, répliqua Serena en se levant à son tour.
Voulez-vous que je vous accompagne ? Non, ce n'est pas une
bonne idée. A tout à l'heure. J'espère que ce n'est pas lui le
voleur. Je le trouve très sympathique.

Moi aussi, songea Anna malgré elle, en fonçant vers la
cabine de Toby. Elle crispa les poings. Qui d'autre aurait pu
lui prendre le journal ? Qui en connaissait l'existence ? Qui
pouvait s'y intéresser ?

S'immobilisant devant sa porte, elle s'efforça de respirer
calmement. Seuls les murmures des conversations en provenance du bar troublaient le silence. Elle frappa discrètement.
Pas de réponse. Elle recommença, plus fort. Toujours rien.
Jetant un regard à droite, puis à gauche, elle tourna la poignée, qui céda.

Anna retint son souffle. Cette cabine était rigoureusement
identique à la sienne. Mais la ressemblance s'arrêtait à
l'ameublement. Toby avait transformé la pièce en atelier. En
plein milieu se dressait un chevalet sur lequel était accroché
un dessin représentant un paysage vu de la fenêtre. Tous les
murs étaient recouverts d'esquisses et de peintures. La coiffeuse croulait sous les boîtes de peintures, les fusains et les
crayons. Par la porte entrouverte du cabinet de toilette, elle
aperçut une toile suspendue pour sécher dans la douche.
Anna s'aventura un peu plus loin. L'espace d'un instant, elle
en oublia la raison initiale de sa visite. Quand avait-il travaillé
sur toutes ces œuvres ? Où trouvait-il le temps ? Il devait
peindre des nuits entières !

Elle s'avança encore, et la porte se referma derrière elle.

Les tableaux étaient magnifiques. Vibrants de couleurs.
Elle s'attarda devant le chevalet et contempla la scène du bord
du fleuve.

Plusieurs minutes s'écoulèrent avant qu'elle ne se rappelle
le but de sa venue et s'intéresse à ses affaires personnelles. Les
tiroirs étaient remplis pêle-mêle de chemises, de pulls et de
sous-vêtements. Elle ouvrit l'armoire. Deux paires de panta-
lons, quelques jeans, une veste. Dans le tiroir de la table de

chevet, elle trouva une lampe électrique, du papier à lettres, des cartes postales et un stylo-plume. Rien de plus. Quelques livres de poche, qu'il n'avait apparemment pas ouverts, ainsi qu'un guide de l'Egypte, et ses affaires de toilette dans le cabinet complétaient la panoplie.

Elle écarta le couvre-lit, souleva les oreillers, laissa courir une main sous le matelas. Rien. Avec un soupir, elle se redressa.

Où pouvait-il l'avoir dissimulé ? Un léger bruit à l'extérieur la fit sursauter, et elle fit volte-face. Toby était sur le seuil, adossé contre le chambranle, une main dans la poche de son jean. De toute évidence, il était là depuis un moment. Son expression était dure, son regard, glacial.

— Vous en avez bientôt fini, avec votre inspection ?

— Toby !

Il entra, claqua la porte et poussa le verrou.

— Pourquoi fermez-vous à clé ?

— Parce que je veux vous parler sans qu'Andrew Watson vienne nous interrompre. Je suppose que vous avez une explication pour votre présence ici ?

Elle hésita. Un flot de panique l'assaillit.

— Je vous cherchais. Je voulais vous remercier de m'avoir emmenée avec vous ce matin. Je me demandais où vous étiez.

Il haussa un sourcil dubitatif.

— Vous avez pensé que j'étais sous le lit, ou dans un des tiroirs. Ou encore, sous le matelas, railla-t-il.

Au prix d'un effort énorme, elle se maîtrisa.

— Toby, je suis désolée. Je suis venue vous trouver. J'ai frappé. La porte s'est ouverte. J'ai vu vos toiles et... et je suis entrée pour les admirer.

— Et vous en avez profité pour effectuer une fouille en règle, ajouta-t-il sèchement.

— Si vous voulez tout savoir, répliqua-t-elle, indignée, j'étais à la recherche de mon journal.

— Ici ?

— Il n'était plus à sa place. Vous étiez le seul à savoir où je l'avais rangé.

— En somme, vous m'avez pris pour un voleur.

Sa voix était empreinte d'incrédulité.

216

– Non, assura-t-elle avec un peu trop d'empressement. Non, non !

– Qui m'a soupçonné, dans ce cas ? Ne dites rien, j'ai deviné : Watson.

Elle haussa les épaules.

– Et vous l'avez cru.

– Ce n'était pas impossible ! Vous auriez pu l'emprunter.

– Sans vous en demander la permission ?

– Mettez-vous à ma place ! Nous l'avons regardé ensemble. Nous en avons discuté. Vous m'avez aidée à monter dans la felouque, puis vous m'avez quittée, rappelez-vous. Vous êtes revenu chercher votre carnet à dessins...

– Si vous êtes à ce point méfiante, pourquoi n'aviez-vous pas fermé votre cabine à clé ?

– Justement ! Parce que je fais confiance à tout le monde.

– Sauf à moi. Pourquoi ? Que me reproche Andy Watson ? Qu'ai-je fait pour mériter tant d'hostilité ?

Il la regarda dans les yeux, et elle se sentit rougir.

– Je n'en sais rien.

– Vous n'en savez rien. Ou vous n'avez pas l'intention de me le dire. Je pense que Watson a mis son nez là où il ne le fallait pas et qu'il s'amuse à semer la zizanie... D'après votre expression, j'ai raison. Ne vous est-il pas venu à l'esprit de me demander la vérité ? N'avez-vous pas mis en doute ses paroles, ne serait-ce qu'un minimum ? Je croyais que nous étions amis. Visiblement, je me suis trompé.

Il se laissa choir sur son lit après avoir jeté tout ce qui s'y trouvait par terre. Anna se mordit la lèvre. Sa peur s'était évaporée.

– Très bien, je vais tout vous raconter. Je ne l'ai pas cru jusqu'à cet incident. Et puis... Pardonnez-moi, murmura-t-elle en baissant la tête, dépitée. J'étais tellement bouleversée que je n'ai pas réfléchi. A vrai dire, j'espérais trouver le journal ici. Si vous ne l'avez pas, qui l'a pris ?

Il marqua un temps.

– Vous voulez mon avis ?

Elle opina, mais son sourire ne parut pas émouvoir Toby. Il fixait le tableau inachevé sur le chevalet.

– Je suis prêt à parier que c'est Watson.

– Il n'aurait jamais... D'ailleurs, il était là et...

– Il était là. Il a compati avec vous et pointé le doigt sur moi. J'imagine parfaitement le scénario, Anna. C'est lui, le marchand, lui qui a les contacts. Pas moi. A quoi ce journal pourrait-il bien me servir ?

– C'est une sorte de relique. Il contient des dessins de Louisa. Il a une valeur certaine...

Les mots moururent sur ses lèvres.

– L'argent ! cracha-t-il. Je n'en ai aucun besoin... Vous feriez mieux de partir.

– Toby, je suis confuse.

– Allez-vous-en !

Elle grimaça et se détourna. Au moment de sortir, elle se tourna vers lui.

– Je suis navrée.

– Pas autant que moi.

– Pouvons-nous rester amis ?

Il y eut un silence, puis il secoua la tête.

– Je ne le pense pas, Anna.

Elle tira le verrou et s'éclipsa. Dans la coursive, elle s'arrêta pour reprendre son souffle. Elle était au bord des larmes. Elle s'enfuit en courant.

Derrière elle, Toby la rappela.

– Anna !

Elle l'ignora et regagna à toutes jambes sa propre cabine. Elle s'y rua aveuglément, laissant la porte rebondir derrière elle. Un cri lui échappa.

Un parfum capiteux de résine et de myrrhe imprégnait l'air. Une silhouette sans substance se dressait au milieu de la pièce. Amenanhotep se tourna à demi, la scruta, tendit une main vers elle.

Anna poussa un hurlement. Tout son corps s'était glacé. Elle ne pouvait plus respirer. Elle essaya d'arracher son regard du sien, de se mouvoir, mais s'en découvrit incapable. Quelque chose la retenait. Ses genoux fléchirent, d'étranges lueurs rouges dansèrent devant elle.

Alors qu'elle s'écroulait par terre, Toby fit irruption.

– Qu'y a-t-il ? Qu'avez-vous ? J'ai entendu votre cri... Anna, que se passe-t-il ? Vous avez vu quelqu'un ?

L'endroit était désert.

– Est-ce Watson ? insista-t-il en allant jeter un coup d'œil dans le cabinet de toilette.

– Non, ce n'est pas Andy, c'est Amenanhotep, le prêtre. Vous avez lu le passage à son sujet dans le journal. C'est lui qui veille sur mon flacon. Il était là, juste devant moi. Pourtant, la fiole n'est plus là. C'est Andy qui l'a.

Elle tremblait si fort que ses dents claquaient. Elle alla s'asseoir sur le lit. Un long moment de silence s'écoula. Allait-il se moquer d'elle ? Il la considérait avec une petite moue.

– Andy Watson. Décidément, toujours lui ! Aviez-vous déjà eu cette vision ? Il me semble que vous avez aperçu quelque chose à bord de la felouque, ce matin. Etait-ce votre prêtre ?

Un sentiment de soulagement l'envahit. Il la prenait au sérieux. Elle opina.

– Vous m'avez dit que le flacon était maudit, mais vous ne m'avez expliqué ni en quoi, ni pourquoi. Pourquoi n'en avez-vous pas parlé ?

– Vous m'auriez prise pour une folle. Imaginez un peu ce qui se passerait, si cette histoire faisait le tour du bateau. Ce serait la panique générale, ou alors, je deviendrais la risée de tous... Je n'en peux plus, Toby.

– Quelqu'un d'autre est au courant ?

– Serena.

– Qu'en pense-t-elle ?

– Elle y croit. Elle a étudié la religion et les rites de l'Egypte ancienne. Elle sait ce qu'il faut faire. Elle voulait emporter la fiole pour la bénir, ou l'exorciser, je n'en sais rien. Mais Andy est intervenu.

– Pourquoi la lui avez-vous laissée ?

– Je devais être en état de choc : je n'allais tout de même pas me battre avec lui. Il m'a promis de veiller dessus.

Tony s'assit.

– A mon avis, il a l'intention de la revendre.

– Il faudrait d'abord qu'il me l'achète, répliqua Anna avec un sourire mince. Et comme, selon lui, c'est un faux, il ne m'en offrirait pas grand-chose !

– A moins qu'il ne la vende comme un objet authentique. En attendant, nous n'avons pas résolu le problème du journal.

Il consulta sa montre avant d'enchaîner :

– C'est l'heure du repas. Je vous propose de déjeuner dans un restaurant bondé. Aucun fantôme n'osera s'y aventurer. Nous en profiterons pour prendre un peu de recul, envisager la situation et étudier le comportement de Watson. Je le soupçonne d'avoir les deux. Il en prendra soin tant qu'il n'aura pas trouvé d'acquéreur.

Il marqua une pause, attendit qu'elle acquiesce.

– Demain après-midi, nous avons quelques heures de libres avant d'aller à Abou Simbel. Nous tâcherons d'en parler avec Serena. Si votre prêtre existe, et je n'ai aucune raison d'en douter, elle seule pourra nous conseiller sur l'attitude à adopter.

Anna, Toby et Serena tinrent un conseil de guerre sur la terrasse de l'hôtel Old Cataract. Ce ne fut qu'une fois installés, face au Nil, que l'un d'entre eux évoqua le sujet de leur échappée.

– Vous avez remarqué la tête d'Andy, quand il nous a vus partir ? murmura distraitement Serena. Il a perdu son sang-froid. Il paraissait franchement inquiet.

– Tant mieux pour lui, répliqua Toby... Anna me dit que vous vous y connaissez en matière de rites égyptiens. Je suppose que vous avez aussi étudié les techniques spirituelles modernes ?

Serena soutint son regard sans ciller.

– J'ai suivi des cours avec Anna Maria Kelim. Je ne sais pas si vous avez entendu parler d'elle.

– Vaguement. Quand j'étais plus jeune, je me suis intéressé à ce genre de choses. Je ne suis pas un expert, mais l'important, c'est que vous sachiez ce que vous faites. Je ne pense pas que le ou les fantômes d'Anna se laissent impressionner par quelques cantiques New Age. Anna prétend que vous êtes douée. Est-ce vrai ?

Serena parut un peu surprise par cette approche directe. Cependant, son indignation du début s'envola rapidement.

– Tant qu'Andy n'est pas dans les parages, oui. Mais je n'ai encore jamais travaillé en Egypte. En Angleterre, j'ai souvent pratiqué sur des esprits « perdus ». Ils se retrouvent sur terre malgré eux. Piégés. Malheureux. Certains d'entre eux ont connu un décès violent, soudain, et ne se rendent même pas compte qu'ils sont morts. Personne n'est venu les chercher, s'occuper d'eux. Ceux-là, je les ai aidés à franchir le pas. En revanche, je n'ai jamais eu affaire à un esprit qui avait choisi de rester, parce qu'il avait un problème à régler. Eux me terrifient. Ils veulent la vengeance. Ils sont prêts à commettre des actes malveillants. Amenanhotep et son collègue sont de ceux-là. Ce ne sont pas des fantômes ordinaires, mais des prêtres entraînés aux systèmes occultes les plus puissants qui soient. Sans doute ont-ils choisi de ne pas mourir.

Dans le silence qui suivit, Anna eut un tressaillement. La chaleur sur la terrasse, les groupes de touristes bavardant autour d'une tasse de thé, les serveurs, la vue spectaculaire sur le Nil lui parurent soudain très lointains, irréels.

– Qu'est devenu le deuxième prêtre ? demanda soudain Toby.

– Je l'ai aperçu une fois, dit Anna. Comme Louisa. Au temple. Il m'a semblé plus fort, plus cruel que l'autre.

Toby grimaça.

– Vous nous croyez toujours ? voulut savoir Anna. Vous ne nous prenez pas pour des cinglées ?

– Pas du tout. Nous avons tort, dans notre culture, d'éliminer d'emblée tout ce qui ne correspond pas à une formule mathématique. Nos ancêtres étaient plus sages que nous. Ce qu'il faut, c'est ignorer les matérialistes et se fier à notre intuition. Ceux d'entre nous qui ont le courage de leurs convictions doivent se contenter de passer pour des fous et poursuivre leur quête.

Serena posa sa tasse avec fracas en secouant la tête.

– Vous ne pouvez pas vous imaginer combien je suis heureuse de vous l'entendre dire !

– Moi aussi, renchérit Anna.

– Tant mieux. Bon ! Maintenant que les troupes sont ralliées, procédons à l'échafaudage d'un plan. L'autocar nous prend pour Abou Simbel dans quelques heures. Nous partirons très tôt de manière à éviter la grosse chaleur. Nous avons deux mystères à résoudre. Celui d'Amenanhotep, d'une part, et d'autre part celui du journal disparu.

– Pensez-vous qu'il y ait une relation entre les deux ?

– Pas forcément. Selon moi, c'est Andy Watson qui a pris le cahier. Peut-être pourriez-vous fouiller sa cabine, comme vous avez fouillé la mienne ?

Anna devint cramoisie.

– Il la partage avec Ben. Ça risque d'être compliqué.

– Moins facile que chez moi, vous voulez dire ? Je vous taquine, Anna. Mais à nous trois, nous devrions pouvoir créer une diversion. Serena, si vous envisagez une séance d'exorcisme ou je-ne-sais-quoi, quel serait' le moment le plus propice, et de quoi auriez-vous besoin ?

– Il nous faut absolument le flacon. En dehors de cela, il faut surtout que je me prépare, moi. J'ai tout ce qu'il me faut, de l'encens, des bougies, une clochette. J'irai dans la cabine d'Anna. Le mieux serait d'agir dès ce soir. Demain, nous partons aux aurores ; je pense que tout le monde voudra se coucher tôt. Ne vous fâchez pas, Toby, mais votre présence ne sera pas nécessaire. Il vaut mieux qu'il n'y ait qu'Anna et moi. Je me trompe peut-être, mais j'ai le sentiment que nous serons plus en sécurité entre nous. Entre femmes.

– Je ne discute pas. A condition que vous ne preniez aucun risque.

– Je l'espère. J'avoue que je nage dans l'inconnu.

Ils se turent un instant.

– Deuxième étape : retrouver le journal et la fiole dans la cabine d'Andy. L'un d'entre nous s'en chargera pendant que les deux autres neutralisent Andy et Ben... Anna, je propose que ce soit vous. Vous avez une certaine expérience en la matière.

– Je me suis excusée, Toby ! protesta-t-elle, agacée. Combien de temps allez-vous me reprocher mon indiscrétion ? Je suis désolée. J'ai eu tort d'écouter Andy. J'ai paniqué. Je n'ai pas imaginé une seule seconde qu'il ait pu...

– Mais vous n'avez pas hésité à me soupçonner.

– Je n'étais absolument pas convaincue de votre culpabilité. Mais je ne voyais pas d'autre possibilité. Vous étiez le seul au courant.

– Hormis Andy.

– Hormis Andy, d'accord.

– Et Charley. Et Serena. Et probablement tous les autres passagers du *White Egret*.

Paupières closes, Anna poussa un profond soupir.

– Dont acte. Pardonnez-moi, une fois encore. Nous avons besoin de votre aide, Toby. Soyez indulgent avec moi.

– Vous avez raison, j'exagère. Très bien ! Allons-y. Autant nous y mettre tout de suite. Si Andy est à terre, nous pourrons inspecter sa cabine sans souci.

La porte était fermée à clé.

– Bon sang ! tempêta Toby, la main sur la poignée.

– Essayez avec votre clé, suggéra Anna, en jetant un coup d'œil anxieux derrière eux.

Toby plongea la main dans sa poche.

– Ça marchera peut-être avec la vôtre ? dit-il, après avoir essayé en vain de faire céder la serrure.

Elle l'avait déjà à la main, quand Ali surgit au bout de la coursive. Il vint vers eux en souriant.

– Vous avez un problème ?

– Nous devons entrer, annonça Anna.

– Ah ! répondit Ali en brandissant un trousseau. Tenez, c'est un passe-partout. Très utile.

Il leur ouvrit la porte et s'éloigna tranquillement.

– Ouf ! souffla Toby en riant tout bas. Il ne nous a même pas demandé pourquoi !

– Il a dû croire que c'était une des nôtres.

Anna pénétra dans l'espace encombré d'un joyeux désordre. Vêtements et chaussures jonchaient le sol. Un appareil photo trônait sur l'une des tables de nuit, une trousse de toilette sur l'autre.

– Il a sûrement tout caché. Dans un tiroir, dans une valise, derrière un meuble.

Anna tirait déjà le tiroir de la coiffeuse. Elle ne vit pas le regard inquisiteur de Toby. Ils cherchèrent méthodiquement partout, sous le matelas, dans l'armoire, dans la douche, et même derrière les affiches encadrées ornant les murs.

– Rien, marmonna Anna.

– Il ne les a tout de même pas emportés avec lui : il est parti faire un tour de voile.

– Nous avons regardé partout !

– Vraiment ?

La voix sur le seuil la fit sursauter. Anna et Toby firent volte-face.

— Puis-je savoir à quoi vous jouez ? aboya Andy.

— Je m'étonne que vous nous posiez la question ! rétorqua Toby. Anna veut récupérer son flacon et son journal.

— Et vous pensez que c'est moi qui les ai ?

Andy était écarlate, et son haleine empestait la bière.

— Je sais que vous avez la fiole, Andy, et je veux la reprendre. Je crois que vous avez aussi le journal. Vous avez voulu me faire croire que Toby l'avait volé, et j'y ai cru un moment. Mais plus maintenant. Rendez-le-moi, je vous prie.

— La fiole est en sécurité. Quant au journal, de quel droit osez-vous me soupçonner ? Sortez ! Sortez d'ici immédiatement !

Il saisit Anna par le bras et la poussa vivement vers la porte.

— Dehors !

— Lâchez-la, espèce d'imbécile ! hurla Toby en se ruant sur lui.

Andy la libéra et effectua un bond en arrière. Au même instant, Toby l'attrapa par l'épaule et le tourna face à lui.

— Ne la touchez pas !

— Toby ! s'écria Anna. Non ! Laissez tomber. Qu'est-ce que vous avez, tous ? Pourquoi tant d'agressivité ?

Toby était visiblement furieux. Il crispa les poings.

— Arrêtez ! Je vous en supplie !

Pendant quelques secondes, tous trois restèrent immobiles puis, petit à petit, la lueur de rage s'évanouit dans les prunelles de Toby.

Andy se vautra sur le lit, blême.

— Allons-nous-en, Toby, suggéra Anna.

Il acquiesça. Décochant un ultime regard noir à Andy, il s'éclipsa.

— Ça va aller ? demanda Anna à Andy.

Il hocha la tête.

— C'est votre faute. Vous n'auriez pas dû vous jeter sur moi comme ça. Et vous n'auriez pas dû me prendre mes affaires.

— Je suis désolé, Anna. Je ne sais pas ce qui m'a pris. Je vous assure que ce n'est pas dans mon caractère. Mais méfiez-vous. Vous avez pu constater sa violence. Faites attention à vous.

Anna se détourna et partit. Toby avait disparu. Très ébranlée, elle monta chez Serena.

— Vous avez trouvé le... Anna, qu'avez-vous ? Ce n'est pas Amenanhotep, j'espère ?

— Non. Andy nous a surpris. Lui et Toby ont failli se battre.

— Vraiment ?

— Vraiment.

Serena se mordit la lèvre.

— Au fond, ça ne m'étonne guère. Entrez... Et Andy ? Il va bien ?

— Il survivra.

— Toby ?

— Il m'a terrifiée, Serena. Il a perdu toute maîtrise, je l'ai vu dans son regard. Si je n'avais été là, il aurait frappé Andy.

— Avez-vous récupéré la fiole ?

— Non.

— Quel dommage ! J'ai réfléchi, Anna, et j'ai une hypothèse à vous soumettre. Je souhaite me tromper. Voilà... le deuxième prêtre, Psenisis, était serviteur de Sekhmet. Il est ici. A bord. Depuis un certain temps déjà, je crains qu'il ait, d'une manière ou d'une autre, pris le contrôle de Charley quand elle a volé le flacon. Comme moi, vous avez remarqué son comportement. Elle ne buvait jamais comme maintenant. Et à deux ou trois reprises, pendant son sommeil, elle a invoqué Sekhmet. Or, Charley n'a pas étudié l'Egypte ancienne. Elle n'avait jamais entendu ce nom. Ces légendes ne l'intéressent pas.

— Elle a parlé de Sekhmet l'autre jour au bar ! ajouta Anna.

— Ce n'est pas tout. Toby et Andy : j'ai l'impression que Psenisis se nourrit aussi de leur colère. Il y a une drôle d'atmosphère à bord, et elle dégénère, nous en subissons tous les conséquences. Toby a-t-il touché à la fiole ?

— Oui.

— Andy aussi, évidemment.

Serena alla se planter devant la fenêtre qui s'ouvrait sur la coque du navire contre lequel ils étaient amarrés.

— Ensuite, il y a vous. Amenanhotep vous suit pas à pas. Il doit tirer de vous votre énergie... Andy a refusé de vous rendre le flacon, je suppose ?

— Nous n'avons même pas pu prouver qu'il l'avait encore.

— Il l'a pourtant pris sous nos yeux. C'est curieux, cette façon d'agir. Ça ne lui ressemble pas du tout. Vous avez bien compris que je ne l'apprécie guère. Mais Andy n'est pas un voleur, Anna.

— Pouvez-vous procéder à la cérémonie malgré tout ? Le plus vite serait le mieux, non ?

Serena opina lentement. Elle n'était pas complètement convaincue.

— Nous allons essayer.

De son grand fourre-tout, elle sortit un cahier à spirale aux pages noircies d'écriture et de schémas divers.

— J'ai du mal à décider quelles litanies prononcer. Nous devons les conjurer tous les deux, puis leur intimer de partir et de ne plus jamais revenir.

— Vous savez comment vous y prendre ?

— Théoriquement, oui.

— Que risque-t-il de se passer, en cas d'échec ?

— J'aurai envenimé la situation. En leur accordant trop d'attention, nous les rendons plus forts encore.

— Et si ça marche, pourrons-nous aider Charley ?

— En principe, oui. Si ça marche.

— Mettons-nous-y tout de suite. Dans ma cabine.

— Anna, je ne sais pas si je suis prête.

— Il le faut ! Vous verrez, ça réussira. Nous n'avons pas le choix. Je vous en supplie !

— Bien, concéda Serena en reprenant son souffle. Je ferai de mon mieux. Ce sera un peu comme à Kôm Ombo, en plus réfléchi. Venez ! conclut-elle en ramassant son sac.

— On devrait peut-être proposer à Charley de se joindre à nous ?

— Je pense qu'il est encore trop tôt. Sa présence pourrait nous gêner. Ce que je souhaite, c'est anéantir d'un seul coup tous les liens qu'ils ont tissés avec vous, Charley, voire Toby et Andy... et même moi, afin que nous soyons tous libérés ensemble. Mon Dieu, Anna ! Pourvu que je ne commette pas de bêtise !

Elles fermèrent les jalousies, poussèrent la table de chevet au milieu de la pièce, la recouvrirent d'un foulard en satin.

Sur cet autel improvisé, Serena disposa des bougies, un encensoir en cuivre et une minuscule statue d'Isis.

– Il ne fait pas suffisamment sombre, murmura-t-elle. Les rideaux sont trop minces.

Elles accrochèrent par-dessus une serviette de bain et le châle d'Anna. Serena extirpa de son cabas une croix ansée, emblème égyptien de la vie éternelle, et la posa près de la figurine, puis une amulette rouge suspendue à un cordon de cuir noir, qu'elle mit autour de son cou.

– Qu'est-ce que c'est ? voulut savoir Anna.

– La représentation du nœud d'Isis. Ou de son sang sacré, d'où sa matière, du jaspe rouge. C'est un symbole très puissant.

Sans en avoir conscience, Anna porta une main à l'œil d'Horus niché dans sa gorge. Serena remarqua ce geste et l'approuva d'un signe de tête.

– Avant de commencer, je vais invoquer la protection d'Isis, déclara-t-elle en ouvrant une boîte d'allumettes. Ensuite, j'appellerai les deux prêtres à se présenter devant cet autel. J'ai fabriqué cet encens avant de quitter Londres. C'est celui qui se rapproche le plus du *kyphi*, que l'on offrait à Isis... Je me suis bien amusée, ajouta-t-elle avec un petit rire. C'est un mélange de raisins secs, de myrrhe, de miel, de vin, de résine, de baies, de nard et de bien d'autres substances. Je ne me doutais pas que j'allais en faire usage de cette manière.

– Vous êtes sûre que nous ne risquons rien ?

– Au pire, il ne se passera rien, ou alors, ils nous entendront mais refuseront d'apparaître. Il se peut que nous ayons besoin de la fiole ici même, sur l'autel.

Elle alluma les bougies, puis alla éteindre les lumières. Elle resta immobile un instant, paupières closes, avant de plonger une dernière fois la main dans son sac pour en sortir un petit paquet enveloppé de satin blanc. Elle en déballa un objet métallique d'une trentaine de centimètres de hauteur, en forme de boucle ornée de quatre bouts munis de cymbales minuscules.

– Ceci est l'instrument sacré des dieux, expliqua-t-elle. On le secoue pour invoquer, purifier et protéger.

Anna se réfugia sur le lit.

– Avons-nous besoin de vin ?

– Pas cette fois. Si nous réussissons, nous leur en offrirons en guise de remerciement. A présent, je vais vous bénir, Anna. Restez où vous êtes et soyez tranquille, quoi qu'il arrive. Si vous avez peur, visualisez autour de vous un cercle de flammes bleues.

Anna hocha la tête. Elle avait la gorge sèche. Serena entama une incantation à voix basse. Puis elle saisit la clochette, pivota vers Anna et la brandit dans sa direction.

– Salut à toi, ô Isis, qui veilles sur nous. Viens parmi nous. O Isis, protège-nous ! O Isis, entoure-nous de ton feu protecteur afin que nous, Anna et Serena, puissions te servir et parler avec tes prêtres, Amenanhotep et Psenisis !

Anna avait les mains moites. Les flammes des bougies ne vacillaient pas. La spirale de fumée bleue s'éleva vers le plafond. Un frémissement la parcourut, lorsqu'elle reconnut le parfum qui s'échappait de l'encensoir, celui qui avait parfois imprégné sa cabine.

Serena s'exprimait à nouveau, sa voix se modulant au rythme du chant. Dans la pénombre, Anna distingua des perles de transpiration sur son front. Elle avait les yeux grands ouverts.

– Salut ô toi, Amenanhotep. Viens devant nous, afin que nous puissions nous adresser à toi.

Elle répéta ces paroles encore et encore, tandis qu'Anna scrutait chaque recoin en quête du prêtre. Soudain, entre deux respirations de Serena, les bougies s'éteignirent.

Anna retint un hurlement. La clochette se tut, le silence s'intensifia. Les oreilles d'Anna bourdonnaient. Serena avait lâché son instrument et se laissait tomber sur les genoux. Elle chancela, puis s'effondra.

Anna resta un instant figée de terreur, mais l'étrange gargouillis qu'émettait Serena la galvanisa soudain, et elle bondit du lit. Arrachant la serviette de bain et le châle, elle poussa les rideaux et les jalousies, puis se jeta sur Serena.

– Serena ! Parlez-moi ! Réveillez-vous ! Allez ! Réveillez-vous !

Le visage de la jeune femme était violacé, ses paupières clignaient follement sur ses pupilles dilatées.

– Serena ! hurla Anna dans son oreille.

Elle se redressa, courut dans le cabinet de toilette, remplit un verre d'eau tiède et revint le lui jeter sur la figure.

228

Serena poussa un gémissement. Son corps tout entier se banda puis, en un spasme, se décontracta.

– Serena ?

Anna lui prit le poignet, chercha son pouls. Il était léger, mais à peu près régulier. Serena eut une sorte de soupir et ouvrit les yeux. Elle dévisagea Anna d'un air vague.

– Ça va ? s'enquit Anna en s'emparant de la serviette qu'elle avait jetée sur le lit pour essuyer son visage. Redressez-vous. Que s'est-il passé ?

Elle l'aida à s'asseoir.

– J'ai soif, murmura Serena, les mains tremblantes.

Anna alla chercher la bouteille d'eau minérale sur la table de chevet. Elle en versa dans le gobelet. Serena but un peu.

– Qu'est-il arrivé ?

– Justement, je n'ai rien compris. Je comptais sur vous pour me le dire. Vous étiez en train d'invoquer les dieux et, tout à coup, l'atmosphère s'est alourdie. Les bougies se sont éteintes, et vous êtes tombée en prononçant des sons bizarres. Comme si on vous étranglait.

– Pouvez-vous ouvrir la fenêtre ? J'ai du mal à respirer.

– Elle est ouverte, Serena. Voulez-vous monter sur le pont ?

Serena secoua la tête.

– Pas tout de suite. Je ne comprends pas... C'était comme un rêve... Juste à portée de main. Il y a eu un problème.

– Amenanhotep n'est pas venu, déclara Anna.

– Amenanhotep, répéta Serena. Amenanhotep... Le lever du soleil. J'ai vu le lever du soleil. Et le coucher... du sable à perte de vue.

Elle se tut, ferma les yeux.

– Je suis l'Hier, je suis l'Aujourd'hui. Voici que les portes du ciel me sont ouvertes. J'ai repoussé mes ennemis et je les ai vaincus.

Anna resta sans voix.

– Ce sont des citations du *Livre des Morts*, chuchota Serena.

– Qu'est-ce que c'est ?

– En fait, c'est une sorte de mode d'emploi inscrit sur les murs des tombes. Des textes anciens, des hymnes, des prières, des invocations. Je ne savais pas que j'en connaissais des passages par cœur. Je me suis protégée, Anna. J'ai fait tout ce qu'il fallait.

— Il n'est pas venu. Je ne l'ai pas vu.

— Qui était là, alors ? souffla Serena, visiblement épuisée.

— Je n'en sais rien. J'ai dû le chasser. J'ai eu si peur, j'ai cru que vous étiez en train de mourir.

— Moi ?

— Vous étiez à court de respiration. Vos yeux étaient bizarres. Vous vous êtes écroulée, et votre pouls battait à peine. Ça s'est passé quand les bougies se sont éteintes. Subitement.

— Et l'encens ?

Anna se tourna vers l'autel. Le petit encensoir entre les deux bougeoirs était froid.

— Je ne comprends pas. Je suppose que quelque chose est venu perturber les énergies.

Serena se leva péniblement.

— Je pense qu'il a cherché à vous posséder, proclama soudain Anna. Il est entré en vous l'espace d'un éclair. Votre visage s'est transformé. Ce n'était plus vous. Ce que nous avons fait est dangereux, Serena. Et s'il y était parvenu ? S'il s'était immiscé en vous ?

Serena réfléchit longuement, puis haussa les épaules.

— Je n'étais sans doute pas suffisamment protégée. Apparemment, il en sait davantage que moi, acheva-t-elle avec un rire nerveux.

Elle se pencha pour ramasser sa clochette, puis s'étira.

— Je crois que je vais aller prendre l'air. Ça ne vous ennuie pas de me laisser seule ? Il faut que je reprenne mes esprits.

Après son départ, Anna entreprit de ranger la cabine. Serena avait tout laissé tel quel, l'autel, les bougies, l'encensoir, la statuette et le reste. Anna les plaça soigneusement dans le fourre-tout, puis plia son châle et remit la table de chevet en place. Ce semblant d'ordre la rassura, mais elle avait les nerfs à fleur de peau.

Ben buvait un jus de fruits, quand elle pénétra dans le salon-bar. Sur la terrasse, plusieurs personnes bavardaient autour des tables, lisaient, écrivaient des cartes postales.

— Départ à quatre heures du matin ! lança Ben en lui souriant. Ça va être dur !

Anna hocha vaguement la tête. Elle avait complètement oublié l'excursion à Abou Simbel.

– J'ai cru comprendre qu'il y avait eu une altercation entre Andy et Toby ? Une crise de jalousie, peut-être ?

– Je ne comprends pas.

– Voyons, Anna, vous leur plaisez à tous les deux ! Quel pouvoir vous avez, mesdames !

– Je crois que mon journal les intéresse davantage. Saviez-vous qu'il a disparu ? Quelqu'un l'a pris dans ma cabine. Andy et Toby se sont accusés mutuellement de ce délit.

Ben parut choqué.

– C'est très grave. Vous avez prévenu Omar ?

– Je ne veux pas provoquer un scandale. Du moment qu'on me le rapporte, c'est l'essentiel.

– Je vais mener mon enquête, promit-il en lui adressant un clin d'œil. Si c'est Andy le coupable, il finira par me l'avouer.

– Merci. J'y tiens énormément.

Serena était penchée sur la rambarde, quand Anna la rejoignit. Elle se maintint à l'écart, hésitante.

– Ça va maintenant, la rassura son amie. Je suis désolée... Je ne sais pas ce qui s'est passé, mais je me sens mieux. J'ai décidé de me rendre à Abou Simbel demain. J'ai des scrupules à laisser les choses en plan, mais j'ai besoin de prendre des distances. Et vous ?

– J'irai sans doute. Après tout, c'est le clou du voyage, non ? Une expédition dans le désert, la visite du temple de Ramsès...

– Oui, approuva Serena. Plus de fantômes. Deux jours au loin. Ça nous distraira.

– Je suis navrée. C'est à cause de moi que vous subissez tous ces désagréments.

– Non, personne n'y est pour quoi que ce soit. Après tout, je suis passionnée par le sujet, et c'est moi qui vous ai proposé d'intervenir. Simplement, vu la tournure des événements, j'ai besoin de prendre du recul. Je suis à bout de forces. Jamais je n'ai éprouvé une telle sensation. S'il se passe quoi que ce soit dans l'autocar ou à Abou Simbel, je serai là avec vous. J'espère que ce ne sera pas le cas. A notre retour, nous aurons une journée pour explorer Philae, avant de repartir vers Louxor. Nous pourrons peut-être tenter à nouveau notre chance à Philae. C'est le temple d'Isis.

— Vous êtes épatante. Vous m'avez beaucoup appris, murmura Anna, une main sur son amulette. Ainsi, vous ne pensez pas qu'il nous suivra à Abou Simbel ?

Serena contempla une felouque qui voguait au gré du vent.

— Non. En tout cas, je ne nous le souhaite pas. Je regrette de ne pas savoir ce qui est arrivé à Louisa Shelley. Elle s'en est sortie, apparemment.

— L'idée de ne pas pouvoir connaître la suite de son histoire m'est insupportable. Elle hante mes pensées. Mais comme vous le dites, elle a fini par rentrer en Angleterre.

Qu'était devenu Hassan ? Cette question lui revenait sans cesse. Et les prêtres Amenanhotep et Psenisis ? Comment Louisa s'était-elle débrouillée pour qu'ils la laissent enfin tranquille ? Une fois de plus, un sentiment de colère et de frustration la submergea. Où était le journal ?

Elles restèrent un moment silencieuses, à admirer la vue. Quand Serena se détourna pour choisir un fauteuil, Anna se rendit compte tout à coup qu'elle venait de prendre une décision. Elle ne partirait pas le lendemain. A la dernière minute, elle ferait mine de changer d'avis et resterait seule à bord. Ainsi, elle disposerait de quarante-huit heures pour poursuivre ses recherches sans risque.

Elle irait à Abou Simbel une autre fois.

Un bref instant, elle oublia que les prêtres d'Isis et de Sekhmet resteraient probablement avec elle.

XI

O vous, esprits divins, qui ouvrez la voie
et écartez les obstacles,
Ouvrez donc à mon âme la voie
vers la demeure d'Osiris !

*L*ES *enfants sont malades. Leurs forces se sont envolées dans le vent du désert. Ils n'ont plus aucune envie de chercher des trésors dans les tombes abandonnées. Leur mère les observe en dissimulant son chagrin.*

Le flacon est oublié dans un coin sombre de la hutte. Nulle trace de ses propriétaires – que rien ne définit, ni le temps, ni l'espace ; ils sont sans chair ni os, sans tombe, sans offrandes et sans noms.

Le plus jeune meurt le premier. On a enterré et arrosé son corps de larmes. Puis l'aîné est saisi par la fièvre. Il voit les prêtres devant lui, les sent se nourrir de son souffle de vie. Il sait que c'est lui qui les a amenés là. Il essaie de mettre sa mère en garde, mais la mort aspire ses paroles.

Bientôt, c'est la mère qui recevra le baiser des serviteurs des dieux. Pour leur garantir l'éternité, elle aussi devra succomber.

LES LARMES D'ISIS

Resté seul, le père rassemble ses affaires et abandonne la maison aux ombres et au sable. Il n'a pas remarqué la fiole sur l'étagère. Il la laisse sur place.

★
★ ★

A trois heures trente du matin, le téléphone sonna sur sa table de chevet. Anna se redressa brusquement, désorientée. Son rêve la poursuivit une seconde, sans consistance, puis s'évapora. Elle ne se rappelait même plus le claquement des sandales ou le chuchotement de la djellaba. Elle regarda autour d'elle, désemparée, puis se souvint : ils allaient parcourir les 280 kilomètres d'Assouan à Abou Simbel. Elle enfila rapidement un jean et un tee-shirt, s'empara d'un pull et partit à la recherche d'Omar. Quand elle lui expliqua qu'elle n'accompagnerait pas le groupe, il haussa les épaules. *Inch'Allah* ! C'était à elle de voir. Il lui suffisait de prévenir Ibrahim pour les repas.

Andy se trouvait devant le bureau de réception, où les premiers passagers ensommeillés s'étaient rassemblés. En apercevant Anna, il grimaça et se détourna. Il l'avait vue, et c'était tant mieux. Il en déduirait qu'elle prenait le car comme les autres. Lorsqu'il se rendrait compte de son absence, il serait trop tard pour réagir.

Anna s'approcha de Serena pour lui faire part de sa décision. Elle hocha la tête, et Anna se demanda vaguement si elle n'en était pas soulagée. Toby était invisible, mais plusieurs personnes s'aventuraient déjà sur la passerelle.

Restée seule, Anna écouta un moment le silence. Avait-elle pris la bonne décision ? De toute façon, il était trop tard pour changer d'avis. Haussant les épaules, elle regagna sa cabine.

Elle hésita avant de pousser la porte. Retenant son souffle, une main sur son amulette, elle entra. Il n'y avait personne.

Quand elle se réveilla, elle était allongée sur son lit, habillée. Elle fronça les sourcils, consciente d'un changement d'atmosphère. Puis elle comprit : cette sensation de vide était normale, car il n'y avait pratiquement plus personne à bord.

Seuls deux ou trois membres de l'équipage étaient restés, les autres voulant profiter de quarante-huit heures de congé avant le retour à Louxor. Elle pensait être la seule passagère à avoir renoncé à l'expédition d'Abou Simbel.

Elle se leva péniblement. La logique lui dictait de fouiller une nouvelle fois la cabine d'Andy. Mais pour y pénétrer, elle avait besoin de la clé. Le plus simple était de filer discrètement à la réception et de la prendre sur le tableau. La tâche fut accomplie en quelques instants.

Devant la porte, elle hésita. Et si elle s'était trompée ? Si Andy avait tout à coup décidé, comme elle, de rester ? S'il était là ? Paupières closes, elle s'efforça de maîtriser ses nerfs. Puis, d'un mouvement preste, elle inséra la clé dans la serrure.

Cette fois, le désordre était moindre. Anna poussa le verrou pour plus de sûreté, puis entreprit une inspection systématique de tous les recoins. En vain.

Un sentiment de découragement la submergea. Le journal et le flacon étaient introuvables. Elle s'assura qu'il ne subsistait aucune trace de son passage et alla remettre la clé en place. Elle n'avait pas songé un instant qu'il ait pu emporter ces trésors avec lui. Il ne lui restait plus qu'à espérer qu'il les avait cachés ailleurs sur le bateau.

Elle entra dans le salon-bar. Derrière le comptoir, Ibrahim astiquait des verres. Il l'accueillit avec un large sourire.

– *Misr el kheir*. Bonjour, mademoiselle.

Elle remarqua qu'il l'examinait attentivement. Il hocha la tête en constatant qu'elle portait bien son œil d'Horus.

– Bonjour, Ibrahim. J'ai l'impression que je vais être seule pendant quelque temps.

– Non, mademoiselle. Omar m'a dit : trois personnes pour les repas.

– Trois ? répéta-t-elle, intriguée. Savez-vous qui sont les deux autres ?

Il haussa les épaules.

– Bientôt, je vais vous préparer le déjeuner. Vous pourrez vous servir au restaurant. Soupe, riz, poulet rôti aux bananes. Ça vous plaît ?

– C'est parfait, Ibrahim. J'ignorais que vous saviez faire la cuisine.

— Le Nubien est allé voir sa mère à Sehel. Mais Ibrahim saura bien le remplacer. *Inch'Allah* ! s'exclama-t-il. Voulez-vous boire quelque chose ?

Elle commanda une bière et l'emporta sur le pont. Il faisait déjà très chaud. Elle s'approcha de la rambarde pour admirer la vue. Une petite chapelle coiffait la colline sur la rive opposée, et les felouques dérivaient, toutes voiles baissées, car il n'y avait pas un souffle de vent.

Accablée par le soleil, Anna décida de redescendre s'installer à l'ombre de l'auvent. Pendant qu'Ibrahim s'affairait à ses fourneaux, elle en profiterait pour inspecter le salon-bar. Peut-être qu'Andy avait glissé le journal et le flacon derrière un meuble ? Elle soupira. Ce n'était peut-être pas lui le voleur, auquel cas, elle ne les reverrait sans doute jamais.

— Anna !

Avec un sursaut, elle pivota sur elle-même et découvrit Toby sur le seuil de la terrasse, son carnet à dessins sous le coude. Ils se dévisagèrent longuement.

— Je vous croyais partie pour Abou Simbel avec Serena.

— Je ne pouvais pas m'en aller sans savoir ce qu'étaient devenus le journal et la fiole. Et vous ? Vous allez bien ? Je me suis inquiétée, après l'épisode dans la cabine d'Andy.

— Je suis allé prendre un peu l'air, histoire de me calmer.

— Vous avez pris ma défense, et je n'ai pas eu l'occasion de vous en remercier.

— C'est inutile.

Elle ébaucha un sourire.

— Pourquoi êtes-vous resté ? N'aviez-vous pas envie de visiter le temple de Ramsès ?

— Il me semblait préférable d'éviter Watson. J'irai le voir une autre fois. N'oubliez pas que j'ai l'intention de revenir en Egypte. Vous permettez ? ajouta-t-il en prenant une chaise.

— Bien sûr. Ibrahim a dit que nous pouvions nous servir au bar, à condition de signer notre note. Il nous prépare le déjeuner.

— J'y vais de ce pas !... Je suppose que vous avez de nouveau fouillé sa cabine ?

— Parfaitement.

— Et alors ?

– Et alors, rien. Le comble, ce serait qu'il ait tout emporté avec lui.

Toby revint quelques minutes plus tard avec deux bières, une pour lui et une deuxième pour Anna.

– Nous devons procéder dans l'ordre, déclara-t-il en s'installant en face d'elle. Nous cocherons au fur et à mesure les lieux que nous aurons inspectés. Je ne pense pas qu'il ait pris le risque d'emporter ces trésors avec lui. Ils doivent être à bord, en sécurité... Mais bien sûr ! Le coffre-fort ! Y avez-vous songé ? C'est l'endroit idéal !

Ils trouvèrent Ibrahim dans le restaurant en train de dresser trois couverts. Un délicieux arôme d'oignons et d'ail s'échappait par la porte ouverte sur la cuisine.

– Pouvons-nous jeter un coup d'œil dans le coffre-fort ? demanda Anna. J'ai prêté le journal intime de ma grand-mère à Andrew Watson, et je pense qu'il a dû l'y ranger sans se douter que j'en aurais besoin aujourd'hui.

– Votre cahier avec les petites images ?

– Vous vous en souvenez ? Vous l'avez aperçu dans ma cabine ?

– Oui. J'ai une clé. Venez.

Ils le suivirent au bureau de réception, mais durent patienter un moment tandis qu'il s'énervait sur le cadenas. La porte céda enfin, révélant enveloppes et paquets divers.

– Passeports, argent, bijoux, dit Ibrahim. Je vais chercher... Ah ! Andrew Watson !

– C'est trop petit, murmura Anna d'un ton désespéré. Le journal n'y tiendrait pas.

Ibrahim palpa soigneusement l'enveloppe.

– Passeport et chèques de voyage, conclut-il. Je continue.

Quelques instants plus tard, il brandissait triomphalement une grande enveloppe matelassée.

– C'est ça ! s'exclama Anna avec joie... Oh, merci, Ibrahim !

– De rien... Maintenant, nous allons manger.

– Attendez ! Mon flacon. Il m'avait promis de veiller dessus. S'il est là, qu'il y reste, mais je veux m'en assurer.

– Le flacon ?

– Oui, celui qui est gardé par le cobra.

– Il n'est pas là, affirma Ibrahim.

– Vous n'avez pas cherché !

– Non, mais il n'est pas là. Ibrahim en est sûr.

Il claqua la porte du coffre et empocha la clé. Anna se tourna vers Toby, qui haussa un sourcil ironique.

– Vous avez au moins récupéré le journal. Me voilà blanchi, j'espère ?

Elle opina en le serrant contre sa poitrine.

– Je ramperai devant vous jusqu'à la fin de mes jours.

– Deux ou trois suffiront, répliqua-t-il en riant.

Ils attendirent la fin du repas pour se replonger dans leur lecture. Le troisième convive ne s'étant pas présenté, ils finirent par quitter la salle sans savoir qui c'était. Sur les conseils d'Ibrahim, ils embarquèrent à bord d'une felouque avec un pique-nique, qu'ils dégusteraient parmi les hibiscus et les bougainvillées de l'île Kitchener.

★
★　★

Hassan tenait la barre du bateau qui les emmenait vers le sud. Ils atterrirent sur le sable à l'écart des cris et des rires des villageois, suffisamment loin pour éviter la foule de Nubiens qui les avait salués à leur passage. La chaleur était intense. Louisa regarda autour d'elle, admirant d'un côté la ligne des montagnes, et de l'autre, à l'horizon, un vaste lac magique aux eaux miroitantes.

– Je ne peux pas peindre : les couleurs sécheront sur mon pinceau.

– Nous pourrions faire l'amour, suggéra Hassan avec un petit sourire.

– L'air est irrespirable.

Ils regagnèrent la barque. Surveillés par un héron sans crainte, deux crocodiles profitaient du soleil, gueules ouvertes.

– Nous pourrions nous arrêter près de ces palmiers, proposa Louisa en les montrant du doigt.

Hassan acquiesça et dirigea la proue vers la rive. Louisa peignit pendant une heure, avant que la chaleur ne les ramène de nouveau au bord de l'eau. Ils décidèrent de retourner à l'*Ibis*. Ils sortiraient plus tard, à la fraîcheur de la nuit, et camperaient à la belle étoile.

Hassan avait renvoyé le loueur de mulets. Il reviendrait juste après le lever du soleil afin qu'ils atteignent l'*Ibis* avant la grosse chaleur. A présent, à la tombée de la nuit, le vent frais du désert se levait.

– Vous êtes sûr qu'il nous retrouvera ? s'inquiéta Louisa.

– N'ayez crainte, il sera là. Nous ne sommes pas loin du fleuve. Nous n'avons parcouru que quelques kilomètres. Venez, ajouta-t-il en lui prenant la main. Nous allons suivre ce chemin ; j'ai une surprise pour vous.

Ils se mirent à grimper, leurs pieds glissant dans le sable ondulant.

– Là-haut ! Regardez ! ordonna-t-il enfin en s'écartant pour la laisser savourer la joie de sa découverte.

Au sommet d'un plateau se dressait un temple exquis, semblable au kiosque qu'ils avaient vu à Philae. Enchantée, Louisa admira les délicates sculptures des chapiteaux et les têtes des déesses. Le bâtiment était fort abîmé, mais les derniers rayons du soleil le baignaient d'une somptueuse lumière rougeoyante.

– Qu'est-ce que c'est ?

– C'est le temple de Kartassis, en hommage à Isis. Il est magnifique, n'est-ce pas ? Je savais que cela vous plairait.

Louisa contempla les ombres des piliers qui s'allongeaient jusqu'au bord de l'eau. Puis elle se tourna vers le désert, à l'horizon duquel le disque du soleil s'enfonçait rapidement. Elle pivota encore, le souffle coupé par tant de beauté et de sérénité. Reculant d'un pas, elle trébucha, se raccrocha au bras d'Hassan, rit aux éclats.

– Bientôt, il fera nuit, murmura Hassan en la prenant par les épaules.

Les reflets rouge et or dans le ciel s'estompaient rapidement. Louisa savoura le spectacle, les larmes aux yeux. Elle avait enlevé son chapeau. Elle secoua sa chevelure, offrit son visage aux étoiles.

– Il y en a tellement ! J'ai l'impression qu'il me suffirait de me mettre sur la pointe des pieds pour en saisir une.

Perdu dans ses pensées, Hassan ne dit rien. Ils restèrent là, immobiles, encore un moment, puis Louisa eut un frisson.

Hassan avait monté un de leurs sacs. Il lui demanda de le vider pendant qu'il retournait chercher le reste, là où les avaient laissés les mulets : le tapis, la tente, la nourriture et les boissons.

– J'ai peur de m'endormir et de rater le lever du soleil, avoua-t-elle en s'enveloppant dans un châle.

Assise en plein milieu du temple, elle le regardait déballer la nourriture à la lueur d'une lampe à huile. Il lui sourit. Il avait érigé la tente. Abandonnant les paniers, il vint la rejoindre.

– N'ayez pas peur. Je veillerai sur vous.

– Toute la nuit ?

Sensible à la chaleur de leurs corps tout proches, elle posa une main hésitante sur son bras.

– Toute la nuit, ma Louisa.

Il prit sa main et la glissa dans le col de la chemise qu'il portait sous son burnous rouge.

– Vous avez froid ?

Elle hocha la tête. Il la serra contre lui.

– Le désert est très froid, une fois le soleil disparu. Bientôt, le vent du sud se lèvera, et nous aurons des tempêtes de sable. Il vaut mieux ne pas être en plein désert quand cela arrive.

Il lui caressait délicatement les cheveux. Se nichant contre son épaule, elle leva les yeux vers lui. Il effleura ses lèvres d'un baiser.

Comme dans un rêve, elle se laissa entraîner sous la tente. Il la poussa doucement sur les coussins, ramena une couverture autour d'eux. Petit à petit, avec une douceur infinie, il la déshabilla. Paupières closes, elle s'abandonna.

Au loin, un chacal hurla. Elle se raidit, mais les mains d'Hassan étaient magiques, et bientôt, elle succomba de nouveau à l'extase qui s'emparait de tout son corps.

Elle s'endormit ensuite, dans la chaleur de ses bras. Fidèle à sa promesse, il resta éveillé, le regard sur la nuit.

Un peu avant l'aube, il s'assoupit. Le sable soupira sous la brise, arrachant brutalement Hassan à sa torpeur. Déjà, le ciel s'éclaircissait à l'est.

Un nouveau frémissement. Hassan se raidit, sur ses gardes. Quelqu'un, ou quelque chose errait autour de leurs affaires. Un chacal attiré par l'odeur de la nourriture, pensa-t-il, ou un petit voyou du village. Il se dégagea de l'étreinte de Louisa, qui ouvrit les yeux.

– C'est déjà l'heure ?

– Presque, mon amour. Ne bougez pas.

Il s'extirpa du lit improvisé et sortit scruter l'obscurité en se rhabillant prestement.

Tout était immobile. Du coin de l'œil, il vit Louisa ramper jusqu'à la sortie de la tente. Elle se frotta les yeux comme une enfant.

Hassan fit deux pas en direction des paniers et s'arrêta. Il avait la nette impression que quelqu'un – ou quelque chose – se cachait derrière le pilier. Il chercha une arme. Avisant les gravats qui jonchaient le sol, il se pencha pour ramasser quelques pierres.

Louisa s'inquiétait. Il faisait déjà plus clair, pourtant, elle ne voyait plus Hassan. Elle eut envie de l'appeler, mais son instinct lui dicta de se taire. Elle saisit sa robe et l'enfila.

Un mouvement du côté du panier à pique-nique attira son attention. Elle retint son souffle.

Le cri d'Hassan la fit se lever d'un bond. Des hommes se battaient derrière le pilier du fond.

Comme Hassan avant elle, elle s'équipa de quelques pierres et se précipita vers eux.

Hassan se battait avec un homme en tenue européenne. En se rapprochant, Louisa ne put retenir un gémissement. Il était difficile de les distinguer, dans la pénombre, mais elle savait qui c'était. Elle reconnaissait sa silhouette et sa voix. Carstairs.

A l'instant précis où elle l'identifiait, Hassan poussa un hurlement et s'effondra sur le sol. Louisa se jeta sur lui.

– Qu'avez-vous fait ? s'insurgea-t-elle. Hassan, mon amour, répondez-moi !

Elle s'agenouilla près de lui, lui palpa la tête sans quitter Carstairs des yeux. La blessure était humide et collante. C'était du sang.

Carstairs brandissait un couteau.

– Le flacon, sinon je le tue, lança-t-il, une lueur de rage dans les prunelles.

– Vous êtes complètement fou !

– C'est possible, mais ce n'est pas votre problème, madame Shelley. Donnez-moi cette fiole et je vous laisserai en paix. Quelle idée de vous aventurer dans le désert en compagnie d'un paysan ? N'avez-vous jamais entendu parler des bandits qui rôdent dans les parages ?

– Il n'y en a pas d'autres que vous ! s'indigna-t-elle, désespérée. Vous aurez à répondre de vos actes devant la justice.

Hassan essayait de se soulever. Il gémit, et elle l'obligea à rester immobile.

– Ne bougez pas, mon amour.

– Obéissez-lui ! renchérit Carstairs avec un sourire cruel. Quant à la police, personne ne vous croira, ma chère. Dans quelques minutes, le soleil se lèvera, et avec lui viendra la chaleur. Le flacon, madame Shelley !

– Je ne l'ai pas.

– Allons ! Allons !

– Je ne l'ai pas sur moi. Pourquoi l'aurais-je emporté ?

– Je vois que je vais devoir employer les grands moyens. Avez-vous remarqué les sculptures qui ornent ces murs, madame Shelley ? Les cobras sacrés d'Egypte ? Avez-vous vu les aspics sur les autels au-dessus de la déesse ? Nous sommes dans un temple du désert. C'est ici que la lionne vient se désaltérer ; le serpent-roi la guette pour la protéger.

Il pivota vers l'est et leva les bras.

– Sekhmet, écoute-moi ! Sœur d'Isis et d'Hathor, Œil de Râ, ô toi, divinité de la guerre, souffle du vent du désert, reine d'Apophis, envoie-moi l'*uraeus*, ton serviteur cracheur de flammes, afin qu'il protège tes prêtres et le récipient qui enferme leur magie !

Sa voix rebondit contre les pierres. La tête d'Hassan sur ses genoux, son sang imbibant ses vêtements, Louisa le fixa, incapable de se détourner.

Derrière eux, le premier croissant rougeoyant de soleil apparut.

– Mon Dieu, venez à notre secours ! pria-t-elle tout bas.

Une ombre se déplaça aux pieds de Carstairs. Une forme surgissait du sable. Elle voyait nettement le corps long et fin, les écailles luisantes, les yeux minuscules. Il se rapprocha de

Carstairs, s'immobilisa puis, soudain, se dressa et se balança tranquillement d'un côté et de l'autre.

– Reculez, lui chuchota Hassan. Reculez tout doucement, Louisa. Laissez-moi.

Carstairs sourit.

– Mme Shelley ne craint rien, espèce de chien. Le serviteur d'Isis ne s'attaque jamais aux femmes. Mais avec les hommes, c'est différent. Seul, un prêtre a le droit de toucher au flacon. Ceux qui enfreignent la loi sont châtiés par le serviteur d'Isis et de Râ. Cela signifie que vous, minable, allez mourir.

Hassan s'efforçait de se redresser, mais Louisa l'obligea à rester allongé. Ignorant le serpent qui continuait d'onduler face à Carstairs, elle vint se planter devant ce dernier.

– Si vous tuez Hassan, vous ne reverrez plus jamais la fiole. Il l'a cachée quelque part dans les champs au bord du Nil. Personne ne sait où elle est, pas même moi.

– Pourquoi voulez-vous que je vous croie ?

– Parce que c'est la vérité, affirma-t-elle, le défiant les poings crispés.

Carstairs dut se résigner.

– C'est bon. Mais, celui qui a été appelé ne peut être renvoyé. Où que vous alliez, mon serviteur vous suivra, dit-il en désignant le serpent. Tant que je n'aurai pas en ma possession les larmes d'Isis, il veillera sur elles. Ne vous y trompez pas ! Ce chien ne m'échappera jamais. Je le suivrai pas à pas. Eternellement, s'il le faut.

★
★ ★

Le journal tomba des mains d'Anna, qui regarda devant elle sans rien voir.

– Le cobra dans la cabine de Charley. C'est Carstairs qui l'a fait venir, pas les prêtres !

Toby se pencha pour prendre le cahier et le mettre de côté.

– C'est possible. Cependant, il reste des cobras en Egypte.

– A bord d'un bateau de touristes ? Dans le tiroir de la coiffeuse ?

– Evidemment, c'est un peu louche, concéda-t-il.

Ils contemplèrent le fleuve pendant plusieurs minutes. Ce fut Anna qui rompit le silence.

– Les larmes d'Isis. Comme c'est poétique ! C'est la première fois, il me semble, que l'on a un indice sur le contenu réel du flacon. J'ai eu beau le tenir à la lumière, le verre est opaque, on ne voit rien à l'intérieur.

Toby s'allongea, les bras croisés derrière la nuque.

– A votre retour, vous pourriez le présenter aux spécialistes du British Museum, leur raconter l'histoire et leur demander de le déboucher.

– La science contre le romantisme, murmura-t-elle. C'est l'un des gros problèmes de la société moderne. Voulez-vous poursuivre ?

Toby consulta sa montre et secoua la tête.

– Nous avons promis à Ibrahim de rentrer avant la nuit afin qu'il nous serve notre repas. Nous lirons plus tard... Ibrahim sait que le cobra est magique, n'est-ce pas ? Vous avez bien vu sa réaction, quand vous lui avez demandé si la fiole était dans le coffre-fort. Si nous lui racontions les mésaventures de Louisa ?

– C'est une bonne idée. Il est sage, et il a beaucoup de connaissances en la matière. Je ne sais pas s'il est préférable que la présence de ce cobra soit le fait d'un occultiste du XIXe siècle plutôt que celui de deux prêtres plusieurs milliers d'années avant lui !

– A mon avis, ça n'a guère d'importance. Vous avez dit vous-même que Serena avait failli réussir ce genre d'exploit hier soir... Venez, conclut-il en lui tendant la main. Allons trouver une barque pour nous ramener à l'*Egret*.

Il commença à ranger leurs affaires dans son sac à dos.

– Vous faites donc confiance à Serena ?

– Oui, pas vous ?

– Elle a l'intention de tenter une nouvelle cérémonie. A Philae. Dans le temple d'Isis, expliqua Anna. Mais c'est Andy qui l'inquiète le plus.

– Comme nous tous, grommela-t-il. Dans le cas de Serena, c'est probablement parce qu'il la harcèle. A mon avis, il lui en veut parce qu'il la soupçonne de mettre Charley en garde contre lui. Comment allez-vous procéder, pour le journal, quand il reviendra ?

Elle ôta son chapeau et s'éventa.

– Je n'en sais rien encore. Je ne veux pas provoquer de scandale. Avertir la police ne servirait à rien : Andy nierait, raconterait que je le lui avais prêté. Il serait presque impossible de prouver le contraire. Non, je pense que je le garderai toujours avec moi et que je laisserai tomber l'affaire.

– Anna, il a cherché à vous voler un objet de grande valeur.

– Je l'ai récupéré. Serena, vous et moi savons qu'Andy est un voleur. Il ne saura pas à qui nous en avons parlé. Il aura des sueurs froides.

– Et vous allez vous contenter de cela ?

– Tant que nous serons en Egypte, oui.

– Bien ! souffla-t-il. Après tout, c'est à vous de voir.

Ils avaient longé le sentier jusqu'au quai envahi de touristes et de marchands. Ils parvinrent à se frayer un passage dans la foule et héler un matelot. Après un bref échange ponctué de multiples gesticulations, Toby le persuada de les ramener jusqu'à l'*Egret*. Ils montèrent dans la felouque en refoulant les vendeurs de statuettes en plastique et de chats sacrés en aluminium.

– Au début, cela m'exaspérait, mais je commence à m'y habituer, dit Anna. Je suis sûre que les touristes leur achèteraient leur pacotille s'ils se sentaient moins agressés.

Toby se cala, le regard sur la voile.

– Heureusement, tout se passe dans la bonne humeur. J'aime beaucoup les gens d'ici. Je suppose qu'ailleurs, on peut se déplacer sans être poursuivi. Après tout, personne ne nous a importunés dans l'île.

Ils dînèrent seuls à la lueur d'un chandelier, puis comme ils lui assuraient qu'ils n'avaient vraiment plus faim, Ibrahim les salua en leur souhaitant une bonne nuit.

– Nous avons tout le bateau pour nous, déclara Toby.

– N'oubliez pas que le commandant est à bord.

– Nous ne le voyons jamais. Peut-être n'existe-t-il pas ? A moins que ce ne soit Ibrahim, avec une autre casquette.

Ils montèrent sur le pont.

– J'aimerais savoir ce qu'Andy vous a raconté à mon sujet, murmura Toby, sans regarder Anna.

245

Elle se mordit la lèvre, mal à l'aise, puis décida de se jeter à l'eau :

– Il semblait dire que vous aviez été l'objet d'un scandale. Sur le moment, je n'y ai pas fait attention.

– Pourquoi n'êtes-vous pas venue me demander la vérité ?

– Parce que je... parce que j'espérais que c'était faux.

– C'est vrai, Anna. Je ne veux pas qu'il y ait de secrets entre nous.

Le cœur battant, elle le dévisagea.

– Que s'est-il passé ?

– J'ai tué quelqu'un.

– Pourquoi ?

– Il avait violé mon épouse.

Anna ferma les yeux et se cramponna à la rambarde. A ses côtés, Toby se tenait très droit, les yeux sur les collines lointaines.

– Je ne le regrette pas. Si je n'étais pas intervenu, il serait encore en liberté.

– Avez-vous fait de la prison ?

– Oui. Pour homicide en état de légitime défense.

– Et votre femme ?

– Elle est morte.

– Morte !

– Elle s'est suicidée pendant que j'étais derrière les barreaux. L'Etat a jugé bon de me punir. Il n'avait rien fait pour empêcher cet homme de l'attaquer. Il a choisi de ne pas la croire. Mon incarcération n'a rien arrangé. Elle était seule, face à son malheur et à son humiliation. Apparemment, elle était enceinte du violeur. Elle n'avait personne, pas de famille. Mon père était mort, ma mère à l'étranger.

Sur ces mots, Toby s'éloigna et disparut dans l'obscurité. Anna resta où elle était un long moment avant de se décider à le rejoindre.

– Merci de me l'avoir dit, chuchota-t-elle.

– Je suppose que Watson s'en serait chargé. Les gens n'oublient jamais ce genre d'histoires, même quand elles remontent loin dans le passé. Voulez-vous quelque chose à boire ?... A moins que vous ne souhaitiez pas vous désaltérer en compagnie d'un assassin.

— Vous n'êtes pas un assassin puisque vous étiez en état de légitime défense.

Elle avait envie de le toucher, de le réconforter, mais elle sentait que ce serait maladroit. Le moment était mal choisi. Elle préféra afficher un sourire et l'entraîner au bar.

Toby versa deux whiskies et porta un toast :

— A vous, à moi, aux mystères de l'Egypte, *Inch'Allah* !

— Toby...

Elle hésita. Comment exprimer les sentiments mêlés qui l'assaillaient ? La colère devant l'injustice de la vie. La compassion. La peine pour lui, pour sa femme, pour l'enfant jamais né, victime innocente d'un tel malheur. La rage envers celui qui avait gâché tant d'existences. C'était impossible, mais en plongeant son regard dans le sien, elle comprit qu'il comprenait.

— Et si nous poursuivions notre lecture ? suggéra-t-il.

Elle approuva sa proposition. Le cahier était enfermé à clé dans sa valise. Elle se leva.

— Préférez-vous aller dans ma cabine ou rester ici ?

Elle ne s'était pas rendu compte que ses paroles sonnaient comme une invitation.

— Et vous ?

Elle lui sourit et lui tendit la main.

Une fois chez elle, elle alluma la lampe de chevet. Un frémissement d'excitation la parcourut lorsqu'elle le sentit tout près d'elle. Elle chercha la clé de sa valise dans son sac. A cet instant, Toby la saisit par le poignet.

— Anna ?

Elle se tourna lentement vers lui. Ils restèrent enlacés un long moment.

— Est-ce vraiment ce que vous voulez ? murmura-t-elle, stupéfaite de s'apercevoir que c'était elle qui avait fait le premier pas, envahie par un désir si intense qu'elle en était comme foudroyée.

Jamais elle n'avait éprouvé une telle sensation.

— Absolument, confirma-t-il, la serrant contre lui et cherchant à tâtons la fermeture Eclair de sa robe.

Tandis que l'étoffe glissait à terre, elle savoura la fraîcheur des mains de Toby sur sa peau brûlante. Il lui caressa les épaules, laissa courir un doigt le long de sa gorge, jusqu'à ses seins. Elle gémit et lui offrit ses lèvres.

Beaucoup plus tard, alors qu'elle sommeillait, pelotonnée contre lui, Anna fut réveillée en sursaut par un coup violent à la porte. Toby bougea. Elle retint son souffle. Tous deux se regardèrent.

— Ce doit être Ibrahim, chuchota-t-elle en se rhabillant précipitamment.

Elle courut ouvrir. Charley faillit s'écrouler sur elle.

— Anna ! Il faut que vous m'aidiez ! s'écria-t-elle, le visage ruisselant de larmes. Oh, mon Dieu !

Elle jeta un coup d'œil derrière elle dans la coursive avant de claquer, puis verrouiller la porte. Elle ne semblait pas avoir remarqué Toby, qui enfilait subrepticement son pantalon. Elle tremblait si fort qu'Anna dut la guider jusqu'au tabouret de la coiffeuse.

— Qu'y a-t-il ? Que vous est-il arrivé ? Je vous croyais partie avec les autres.

Charley secoua vivement la tête, s'accrochant aux mains d'Anna comme si sa vie en dépendait.

— Ne le laissez pas entrer ! Chassez-le !

Toby boutonnait sa chemise. Il fronça le nez, perplexe.

— Qui ? De qui s'agit-il, Charley ? Que s'est-il passé ?

— J'étais endormie. Dans ma cabine. J'ai cru que je rêvais. Je rêvais, rectifia-t-elle. Et puis, je me suis réveillée. J'avais fermé la porte à clé. J'en suis certaine. Mais il était là.

Elle se mit à sangloter. Toby vint s'agenouiller devant elle.

— Charley, écoutez-moi. Vous êtes en sécurité. Vous n'avez rien à craindre.

Il marqua une pause. Calmée, elle leva les yeux vers lui. Elle était blême, les joues maculées de mascara, les yeux rougis et gonflés.

— Vous croyez ? murmura-t-elle, pitoyable comme une gamine.

— Je le sais. A présent, racontez-nous ce qui vous est arrivé. Qui était dans votre cabine ?

— Un homme en djellaba verte.

— Un Egyptien ?

— Evidemment !

248

— Il vous a agressée ? Qu'a-t-il fait ?

— Non, il ne m'a pas touchée, du moins je ne le pense pas. Mais il tendait les bras vers moi.

— Décrivez-le. Etait-ce un des hommes d'équipage ?

— Non, non. Il était très grand. Il avait une peau de bête drapée sur ses épaules et...

— Une peau de bête ? intervint Anna.

— Oui, enfin, il me semble.

Toby s'adressa à Anna.

— Dommage que Serena ne soit pas là.

Anna grimaça en opinant.

— Charley, pourquoi n'êtes-vous pas allée à Abou Simbel ?

— Je voulais y aller. Je me rappelle m'être levée tôt. Serena et moi nous sommes préparées. Ali nous a apporté du thé. Ensuite, je me suis sentie mal. Je suis allée aux toilettes en disant à Serena que je la rejoindrais dans quelques minutes. J'avais horriblement froid. J'étais épuisée. Je me suis assise une minute sur le lit. Serena est revenue me chercher. Elle m'a demandé comment je me sentais, et je suppose que j'ai manifesté le besoin de dormir.

Anna alla chercher sa boîte de mouchoirs en papier et en sortit un pour Charley.

— Ce qui explique la troisième personne à bord. Serena a dû prévenir Omar, qui a transmis le message à Ibrahim. Et ensuite ?

— Je ne me rappelle plus rien, jusqu'à mon réveil. Il était là, devant moi ! hoqueta Charley en cédant à une nouvelle crise de larmes.

— Et... ?

— J'ai hurlé. Je me suis assise, j'ai crié, et il a fait un pas vers moi. Puis il s'est mis à trembler, assez fort et... Et il n'était plus là.

— Vous voulez dire qu'il est sorti, ou qu'il a disparu ?

Elle haussa les épaules.

— Il n'a pas ouvert la porte, c'est moi. Je me suis ruée dans la coursive. Il n'y avait personne. Tout était si calme. Ils ne sont pas encore partis, j'espère ?

— Qui, les autres ? murmura Anna. Mais si. Hier. Cela fait vingt-quatre heures, Charley.

– Non ! J'ai sommeillé à peine une minute !

– Charley, si vous dormez depuis leur départ, Anna a raison.

– Non ! C'est impossible ! Non !

Elle se mit soudain à se balancer d'avant en arrière. Toby l'arrêta.

– Du calme, Charley ! Vous m'écoutez ? Bien. Vous avez dormi pendant tout ce temps. Mais ça n'a aucune importance. Vous deviez être à bout de forces. Vous aviez besoin de repos.

– Je n'avais pas bu, enchaîna-t-elle comme si elle ne l'avait pas entendu. Je n'avais pas bu. Je sais que je me suis mal comportée. Mais je n'avais pas bu. Andy m'avait accusée d'être ivre, mais je ne l'étais pas. Je vous l'assure !

Elle secouait la tête comme un automate.

– Quand avez-vous mangé pour la dernière fois, Charley ? voulut savoir Toby. Regardez, Anna, comme elle a maigri en une semaine. C'est incroyable !

Anna acquiesça.

– Vous êtes sûre que cet homme ne vous a pas touchée ? s'enquit-elle.

Charley eut un frisson.

– J'étais habillée comme ça. Pour prendre l'autocar. J'avais fait mon sac. J'étais prête à partir.

– Vous vous êtes assise un moment, et quand vous vous êtes réveillée, vingt-quatre heures s'étaient écoulées, compléta Anna, qui regrettait sincèrement l'absence de Serena. Vous avez dit que vous étiez en train de rêver. Vous souvenez-vous de quoi ?

Charley haussa les épaules.

– Croyez-vous que quelqu'un vous ait approchée dans votre rêve ?

– Vous voulez dire... Non ! Non, sûrement pas !

– Je ne parle pas de sexe, dit Anna.

Elle se tourna légèrement vers Toby, qui lui adressa un clin d'œil. Leur réveil avait été si brutal qu'elle en avait oublié leur étreinte. Elle rougit.

– A-t-il posé sa main sur votre ventre, ou sur votre bouche ? Sur votre tête ?

– Je ne sais pas. J'ai mal ici, précisa Charley en montrant son estomac. J'ai cru que j'avais une indigestion.

– La malédiction du pharaon, marmonna Toby. C'est possible. Mais Anna songe à autre chose... J'ai raison ? ajouta-t-il à l'intention de cette dernière. Ce serait le prêtre qui aspire toute son énergie ?

– C'est ce que craignait Serena.

– Quoi ? Qu'est-ce qu'elle craignait ? s'exclama Charley, les yeux ronds. Andy doit être furieux. Il avait promis de s'asseoir près de moi. Et maintenant, vous êtes avec Toby. Ce n'était donc pas mon Andy qui vous intéressait. A moins que vous ne vouliez les deux ? Savez-vous qu'il avait votre flacon ridicule ? Si vous l'avez perdu une fois de plus, ce n'est pas moi qui l'ai.

– Il l'aurait emporté avec lui ? Est-ce possible ? s'affola Anna.

– Personne ne peut s'en passer, ironisa Charley.

Anna était glacée d'effroi. Elle fixait la valise devant l'armoire, dans laquelle elle avait enfermé le journal. Elle songea au serpent-roi, programmé pour tuer tous les hommes qui toucheraient à la fiole sacrée.

– Le cobra, murmura-t-elle à Toby. Le gardien du flacon. Seules des femmes l'ont possédé : Louisa, ma grand-tante et moi.

– Bon sang ! gronda Toby en se frottant le menton. Qu'est-ce qu'on fait ? Ne me dites pas que nous devons tenter de les rattraper ?

– Nous n'avons pas le choix. Il est peut-être déjà trop tard. Il faudrait le prévenir, lui demander de me rendre cette bouteille maudite.

– Quoi ? Qu'est-ce qu'il y a ? geignit Charley en se cramponnant au bras de Toby.

– Le serpent que vous avez trouvé dans votre cabine, expliqua Anna. Il ne vous a fait aucun mal parce que vous êtes une femme. Si vous aviez été un homme, il vous aurait tuée.

– Hein ? Qu'est-ce que ça veut dire ?

– Le serpent veille sur le flacon. Ne posez pas de questions, Charley, contentez-vous de me croire. Toby, allez chercher Ibrahim. Il saura nous conseiller. Peut-être pourrons-nous téléphoner à Omar pour qu'il avertisse Andy.

— Non ! Ne me laissez pas ! Et l'homme dans ma cabine ?

— Nous ne vous abandonnerons pas, Charley, promit Toby. Restez ici avec Anna. Je pars à la recherche d'Ibrahim.

Dès qu'il eut disparu, Anna ferma les yeux et s'efforça de respirer avec calme.

— Si nous ne parvenons pas à contacter Omar, nous devrons y aller. Andy est un imbécile, mais il ne mérite pas de mourir. Nous devons trouver le moyen de le mettre en garde. Prendre un bus, ou un taxi, je ne sais pas. Combien avez-vous d'argent sur vous, Charley ? Il nous faudra du liquide.

Elle chercha sous le lit ses chaussures et son sac. Ouvrant la valise, elle en sortit le journal, qu'elle mit dans son fourre-tout.

— Vous voulez prendre vos affaires ? Nous passerons chez vous en montant. Où est passé Toby ?

— Vous venez de l'envoyer réveiller Ibrahim... Mon Dieu ! Je crois que je vais vomir !

— Les toilettes sont là, indiqua sèchement Anna en lui désignant le réduit.

Quand Toby revint, Charley émergea, plus blanche encore.

— J'ai discuté avec le commandant. Il n'est au courant de rien. D'après lui, Ibrahim a dû se rendre au village avec des amis. En revanche, il a pu me donner le numéro de téléphone d'un chauffeur de taxi. Il nous attendra au bout de la passerelle dans dix minutes.

— Ne me laissez pas ! s'écria Charley. Je ne veux pas retourner dans ma cabine. Vous ne pouvez pas m'y forcer ! Il me tuera !

— Vous allez venir avec nous si vous le souhaitez, Charley. Sinon, nous vous déposerons en chemin à un hôtel. Vous y serez en sécurité.

— J'en ai assez de tout ça ! Je veux rentrer chez moi.

— Cela peut s'arranger si vous y tenez, répondit Toby. La direction de l'hôtel s'en occupera. Je crois que c'est une sage décision, ajouta-t-il, pour Anna. Elle ne peut pas rester ici, elle n'est pas assez en forme pour nous accompagner. Nous en avons pour des heures.

Ce fut Anna qui pénétra dans la cabine de Charley, qui préféra rester à l'extérieur avec Toby. Elle était déserte. Elle s'immobilisa, tous ses sens aux aguets, se fiant entièrement à son intuition. Il n'y avait rien. Personne. Saisissant le bagage de Charley, elle éteignit la lumière et sortit en priant pour que le prêtre de Sekhmet ne les poursuive pas.

Une voiture noire ronronnait au bord de l'eau. Le jeune homme derrière le volant était habillé à l'occidentale. Il accueillit Toby avec déférence. En quelques secondes, ils quittèrent le quai, en route vers le sud, le long de la Corniche. Il se gara devant l'hôtel Old Cataract.

— Attendez-moi ici, dit Toby à Anna. J'en ai pour cinq minutes.

Il entraîna Charley avec lui. Anna haussa les épaules. Elle était trop lasse pour réfléchir. Si Toby pouvait se débrouiller pour qu'on prenne Charley en charge à une heure pareille, tant mieux pour lui. Elle s'interrogerait sur ses méthodes plus tard.

Il reparut un quart d'heure plus tard, s'installa aux côtés d'Anna et donna quelques indications au chauffeur.

— Tout va bien. Ils vont s'occuper d'elle, et j'ai donné quelques coups de fil. Quelqu'un passera demain prendre de ses nouvelles. Ce sera à elle de décider si elle préfère revenir à Louxor avec nous, ou monter dans le premier avion pour Londres. En ce qui nous concerne, tout est organisé. Il y a une zone militaire au sud d'Assouan. Je me suis renseigné, au cas où il nous faudrait des laissez-passer pour traverser cette partie du désert.

— Et alors ?

— C'est arrangé. Il n'y a aucun problème.

— Vous en êtes certain ?

— Absolument. Et maintenant, dormez. Je vous réveillerai à notre arrivée.

— Toby ?

Elle serra son châle sur ses épaules. La température avait considérablement chuté dans la voiture pendant l'attente.

— Que se passera-t-il, si elle est possédée par le prêtre de Sekhmet ? Et s'il resurgissait pendant qu'elle est à l'hôtel ?

— Le personnel veillera sur elle. Si besoin est, ils appelleront le médecin.

— Que pourrait-il faire ?

— Aucune idée, mais nous reviendrons très vite, Anna. Sans doute avant la fin de la nuit. Et nous pouvons toujours téléphoner depuis Abou Simbel. Ce n'est pas le bout du monde. Dès que nous aurons trouvé Andy et récupéré le flacon, le problème sera réglé. A condition que vous ne me demandiez pas d'y toucher !

Anna esquissa un sourire.

– Oh, non. Je serais anéantie si vous étiez avalé par un serpent.

Il la serra contre lui.

– Moi aussi.

La voiture fonçait à travers les rues éclairées de la ville.

– Toby ?

– Oui ? murmura-t-il en cherchant sa main.

– Et si nous arrivons trop tard ?

– Nous serons là à temps. J'en ai la certitude.

XII

Que ton nom soit béni,
O Râ, gardien des portes mystérieuses
D'où s'ouvre une voie vers Kêb et la balance
Qui porte en elle la vérité et la justice !

*L*A *maison est abandonnée. Chacun sait qu'elle est maudite :
tous ceux qui y ont vécu sont morts. Mais le temps passe. Les
villageois disparaissent peu à peu. Les briques jonchent le désert.
Les quelques objets oubliés sont avalés par le sable.*

*Privés de la force de vie puisée dans l'énergie de l'homme, les
prêtres faiblissent. Ils cherchent la force dans le soleil et dans la
lune, ils errent dans le désert, nourris seulement de leur haine.*

*Une fois de plus, les pilleurs passent par là, toujours à l'affût des tré-
sors d'antan. Un homme ramasse ici un tesson, là, une jarre. Le verre
scintillant de la fiole enfouie attire son attention. Il la libère. Elle est
jolie. Intéressante. Qui sait, peut-être est-elle authentique ? Il la dépous-
sière sur sa djellaba et l'empoche. Il se raidit soudain, saisi d'un frisson.*

*Les dieux veillent sur toi, homme du désert, bientôt, ton heure
viendra...*

★
★ ★

Ils se réveillèrent quelque temps après, quand le taxi freina brutalement au milieu de la route. Le chauffeur se retourna et se pencha sur le dossier de sa banquette pour secouer Toby.

– Vous voulez voir la naissance de Râ, dieu du soleil ?

Toby jeta un coup d'œil dehors avec un sourire amer. De toute évidence, les touristes réclamaient cet arrêt depuis la nuit des temps.

– Anna ! Réveillez-vous. Nous ne sommes plus à cinq minutes près. Venez voir le lever du soleil dans le désert.

Ils descendirent du véhicule. L'air était frais, la lumière, immobile et sans couleur. Le chauffeur n'avait pas pris la peine de les accompagner. Derrière son volant, il s'assoupit.

Les étoiles s'estompaient. Deux ou trois nuages lointains se teintèrent de rouge, puis tout s'effaça. Anna prit la main de Toby.

– On dirait que le monde entier retient son souffle.

Les yeux rivés sur l'horizon, ils patientèrent. Il y avait quelque chose d'inexorable, presque menaçant, dans l'évidence de ce qui allait suivre. Puis, soudain, l'arrondi du disque solaire fit irruption dans le lointain. La beauté du spectacle émut Anna aux larmes.

– Allons-y, murmura Toby. Il faut poursuivre. Il fera bientôt chaud, et nous avons encore du chemin à parcourir.

Lorsqu'ils atteignirent Abou Simbel, Anna s'était rendormie. Elle se réveilla alors que le chauffeur coupait le moteur.

– Vous êtes bien reposée ? s'enquit-il avec un sourire radieux.

Toby acquiesça et chercha son portefeuille.

– Vous avez bien roulé. Vous méritez une prime.

Tandis qu'il comptait les billets, Anna émergea de la voiture. La chaleur l'assaillit violemment. Elle scruta l'aire de stationnement remplie de véhicules.

– Comment allons-nous les retrouver ?

Toby salua le chauffeur, qui se mit à reculer.

– Il s'en va ?

– Pas s'il a le sens des affaires. Je ne lui ai payé que l'aller. S'il veut le reste, il nous attendra. Il va simplement se garer, puis il sommeillera jusqu'à notre retour. A mon avis, le groupe est déjà dans l'un des temples, ou alors sur la rive. Commençons par le site. Il y a tant de choses à voir !

Ils se joignirent à la longue queue devant l'entrée. Très concentré, Toby tentait de déchiffrer des bribes de phrases qui s'échangeaient dans toutes les langues.

– Si quelqu'un avait été menacé par un cobra, on en parlerait. Ils sont très rares dans cette région, et la rumeur aurait tôt fait de se répandre. Souriez, Anna, nous sommes arrivés à temps, j'en suis sûr.

Elle était tellement fatiguée qu'elle avait du mal à garder les yeux ouverts. Ils avancèrent lentement, achetèrent leurs tickets. Longeant un chemin qui contournait le pied d'une colline, ils virent soudain surgir devant eux l'un des monuments les plus célèbres du monde, les quatre statues colossales de Ramsès II sculptées dans la falaise, le regard fixé sur les eaux du lac Nasser.

Au pied du temple, une véritable marée humaine menaçait de noyer la façade. Anna ne put s'empêcher de gémir.

– Jamais on ne les repérera dans cette foule !

– Mais si, la rassura Toby. J'espère qu'Andy nous sera reconnaissant de nos efforts pour sauver sa peau. Il ne le mérite pas.

Ils se faufilèrent parmi les groupes. Chacun se pressait autour de son guide, qui racontait l'histoire du temple érigé par Ramsès pour son épouse préférée, Néfertiti.

– Avec un peu de chance, Carstairs a anéanti la malédiction, ajouta-t-il.

– Vous oubliez que Charley a vu le serpent.

Elle accéléra le pas, cherchant désespérément un visage familier dans la horde des visiteurs. Toby la rattrapa.

– Nous ne devons pas nous perdre ! Je n'imaginais pas qu'il y aurait autant de monde. Quand Omar nous a précisé que cette excursion était en option, je me suis dit que peu de gens seraient assez intrépides pour venir jusqu'ici et que nous ferions partie de l'élite !

– Ils doivent être à l'intérieur.

— Sans doute.

Toujours aux aguets, ils s'engouffrèrent dans une vaste salle creusée dans la falaise et flanquée de deux colonnades. Ils restèrent côte à côte sur le seuil, à scruter les touristes errant de pilier en pilier. Tous les murs étaient recouverts de bas-reliefs vantant les victoires de Ramsès.

— Il fait trop sombre, nous ne les reconnaîtrons jamais, murmura Anna, au bord des larmes.

Tout à coup, on lui effleura l'épaule.

— Anna ?

C'était Serena. Elles tombèrent dans les bras l'une de l'autre.

— Que faites-vous ici ? Vous avez changé d'avis ? Comment êtes-vous arrivée ?

— C'est une très longue histoire. Où est Andy ?

Serena haussa les épaules.

— Franchement, je n'en ai aucune idée, et ça m'est bien égal.

— Est-ce qu'il va bien ?

— Que je sache, oui. Je l'ai aperçu au petit déjeuner, à l'hôtel. Il m'a paru en forme. Pourquoi ?

— Il est venu avec vous ?

— En principe, nous sommes au complet. Hier, nous avons fait un tour de bateau sur le lac Nasser. Dans la soirée, nous avons vu les temples illuminés, puis écouté la conférence d'Omar. C'était passionnant. Il nous a montré un film dans lequel on explique comment les monuments ont été déplacés avant qu'on inonde la vallée... Pourquoi tant de panique au sujet d'Andy ?

— Il a laissé le journal dans le coffre-fort de l'*Egret*, mais il a emporté le flacon avec lui. Le cobra aussi, vraisemblablement. Il risque de mourir.

— Pourquoi ? s'enquit Serena en évitant de justesse une Italienne qui allait la bousculer pour prendre une photo malgré les aboiements du gardien qui lui reprochait d'utiliser son flash.

— Parce que Carstairs a conjuré ce serpent pour qu'il tue Hassan. C'est son rôle : protéger la fiole. Nous devons absolument la récupérer avant que cette créature ne morde Andy.

258

Ça n'a rien à voir avec les prêtres. Seuls les hommes sont visés, pas les femmes. C'est pour cela que Charley, vous et moi avons été épargnées.

– Je comprends. En somme, vous voulez que je vous aide à le retrouver pour le mettre en garde ?

Toby acquiesça en tapotant sa montre.

– Nous serons plus efficaces si nous nous séparons. Rendez-vous à l'entrée dans une heure.

– Il ne nous croira jamais, grommela Serena en se détournant. Je ne sais même pas s'il avouera qu'il a le flacon sur lui.

Les deux femmes avancèrent, chacune d'un côté de la salle, jusqu'à une pièce plus petite, au fond. Anna y entra la première. Dans la pénombre, aucune des silhouettes n'avait la carrure d'Andy. Elle s'aventura plus loin. Soudain, une voix la fit sursauter.

– Anna, ma chère, je pensais bien que c'était vous. Comment vous êtes-vous débrouillée pour nous rejoindre ? s'exclama Ben, les yeux brillants. N'est-ce pas un lieu fascinant ! Un véritable défi, quand on pense qu'il a fallu tout démonter, bloc par bloc, et les rassembler sur une colline artificielle... Quelque chose ne va pas, Anna ?

– Il faut absolument que je retrouve Andy. Je ne pourrai pas me concentrer sur quoi que ce soit avant de l'avoir vu. Savez-vous où il est ?

Ben secoua la tête.

– Je ne l'ai pas aperçu depuis hier soir. Je ne me rappelle pas l'avoir vu au petit déjeuner. Si je tombe sur lui, je le préviens, d'accord ?

– Ça risque de le faire fuir, répliqua-t-elle en grimaçant. Pourriez-vous le ramener à l'entrée ? Nous devons nous y rencontrer à la demie. C'est très important. Une question de vie ou de mort.

Ben opina distraitement. Il avait déjà rouvert son guide.

– Je le guetterai, je vous le promets.

La salle suivante était vide. Frappée par l'atmosphère d'immobilité, Anna hésita sur le seuil. Elle eut un frisson. Le silence était trop dense, après le brouhaha qu'elle venait de traverser. Les mains moites, elle se laissa envahir par un flot de sensations étranges.

259

Puis, subitement, un groupe de Français surgit derrière elle, l'entraînant dans son mouvement. Pendant une fraction de seconde, des flashes, pourtant interdits, éclairèrent la salle. Un éclat de rire fusa, suivi d'un échange de commentaires et d'un gloussement. Anna sortit.

Quatre autres personnes se trouvaient dans le sanctuaire, au cœur du temple. Ici, deux fois par an, le rayon du soleil venait se poser sur l'autel, illuminant trois des quatre statues géantes qui le gardaient. On avait reconstruit le bâtiment en respectant l'orientation originale, de façon à ce que ce miracle se reproduise, mais la quatrième statue, celle de Ptah, dieu créateur du monde, dieu de l'obscurité, restait à jamais protégée de la lumière.

Ptah, l'époux de Sekhmet...

Anna se figea. Ces paroles, qui semblaient flotter dans la pénombre, venaient d'être prononcées par les gens qui admiraient les statues.

Sekhmet.

Son estomac se noua de terreur. Psenisis viendrait-il jusqu'ici ? Reconnaîtrait-il ce temple entièrement rebâti et infesté de non-croyants d'un autre âge ?

A peine ces pensées lui avaient-elles traversé l'esprit qu'il apparut. Elle se réfugia dans un coin.

– Andy ?

Deux ou trois curieux se tournèrent vers elle. Andy n'était pas là. Deux personnes étaient en train d'examiner les statues assises. Autour d'eux, il y eut un miroitement, puis l'air devint glacial.

Anna essaya de revenir en arrière, mais elle était clouée sur place, incapable d'arracher son regard de cette vision. Il faisait de plus en plus sombre et, dans le froid qui l'enrobait, elle perçut au loin des voix, qui répétaient une litanie.

Une flamme vacilla auprès de l'une des statues. Anna distingua alors la lampe à huile, dans une petite niche. Devant, sur ce qui devait être l'autel, apparaissait la forme d'un bateau.

C'est alors qu'elle le distingua, un homme très grand, au teint basané, au visage dur, aux bras musclés. Torse nu, il était vêtu d'un simple pagne. Une peau de bête était drapée sur ses épaules. Ses pieds étaient chaussés de sandales dorées, et il tenait à la main un sceptre surmonté d'une tête de lionne.

Il fixait un point derrière elle, sans la voir. Très lentement, il pivota vers l'entrée du sanctuaire. Les chants s'amplifièrent, rythmés, modulés, comme portés par le vent du désert. Une odeur épicée d'encens imprégnait l'air. Il s'inclina devant Ptah, plaça quelque chose devant lui, puis salua tour à tour les statues voisines.

Paralysée par la peur, Anna prit conscience tout à coup qu'il y avait quelqu'un auprès d'elle. La silhouette s'avança jusqu'au milieu de la pièce. A l'autre bout, les deux personnes continuaient de murmurer. L'espace d'un instant, les deux scènes, les deux ères, se superposèrent.

– Ça va ?

Anna revint sur terre en reconnaissant une des passagères de l'*Egret*. Celia Greyshot, se rappela-t-elle. Son mari était un vicaire à la retraite, et leurs dix petits-enfants s'étaient cotisés pour leur offrir ce voyage.

Anna chancela, porta une main à son front. La femme se rapprocha pour la soutenir.

– Voulez-vous que je vous emmène dehors ? Il fait si chaud, et cette odeur n'arrange rien.

– Une odeur ? répéta Anna, étourdie.

– On se croirait dans une cathédrale. C'est l'encens.

– De l'encens ? Comment est-ce possible ?

Ptah était de nouveau seul. Il n'y avait aucune offrande à ses pieds. Aucun prêtre.

– Euh... vous avez raison, dit Celia, perplexe, en reniflant. C'est drôle, ça ne sent plus rien. C'était peut-être le parfum d'une touriste. Ou mon imagination. Cet endroit est magique, n'est-ce pas ?

Anna fit de son mieux pour sourire.

– J'aimerais aller dehors. J'ai mal au cœur.

Elle consulta sa montre. Elle avait déjà dépassé l'heure du rendez-vous avec Toby et Serena.

Serena était assise sur un banc. Elle se leva d'un bond en apercevant Anna.

– Qu'avez-vous ? lui demanda-t-elle aussitôt, consternée.

— Ce doit être la chaleur et le manque de soleil. Celia a eu la gentillesse de me raccompagner... Savez-vous où est Andy ? Et Ben et Toby ?

— Tous volatilisés.

Celia Greyshot leur souhaita une bonne fin de visite et s'éclipsa.

— J'ai vu Psenisis dans le sanctuaire, devant la statue de Ptah, s'empressa de raconter Anna. J'ai entendu quelqu'un dire que c'était le mari de Sekhmet !

Serena réfléchit un moment.

— Avez-vous ressenti une faiblesse ?

— J'ai failli m'évanouir. Mais c'était la peur, Serena, j'étais terrifiée.

— J'ai pris une décision, Anna. Je veux essayer de rappeler les prêtres. Mais à mes conditions. Je pense pouvoir y parvenir, cette fois, et je suis certaine que c'est la solution. Nous tenterons notre chance ce soir à Philae. Tout va s'arranger, je vous le promets... Devons-nous continuer à chercher Andy ?

Paupières closes, Anna eut un soupir las.

— Toby et moi avons parcouru deux cent cinquante kilomètres pour le sauver. Il faut le prévenir !

— Vous êtes sûre qu'il risque d'être mordu par un serpent ?

— Oui. C'est pour cela que Carstairs l'avait rappelé. Pour qu'il tue Hassan.

— Est-ce qu'il est mort ?

— Je n'en sais rien. Je n'ai pas lu la fin. Je ne le crois pas.

— Vous avez le journal avec vous ?

— Je ne m'en séparerai plus.

— Dans ce cas, je propose que nous nous installions à l'ombre avec une boisson fraîche et que nous y jetions un coup d'œil. Il se peut que Louisa ait dominé le problème et que nous nous affolions pour rien.

— C'est possible, en effet.

*
* *

262

— Je l'ai caché derrière un lambris, dit Hassan. Regardez, il est là...

Il s'assura que personne ne les observait avant d'extirper le petit paquet de sa cachette et de le lui remettre.

— Que faut-il en faire ?

Sa blessure à la tête était presque guérie. Le matin même, l'*Ibis* avait jeté l'ancre au large d'Abou Simbel, parmi d'autres bateaux, dont le *Scarabée* de Carstairs.

Après que l'équipe de secours avait ramené Hassan du kiosque de Kartassi, Louisa, frémissante de rage, avait exigé que l'un des matelots l'emmène sur la dahabiah de Carstairs. Il n'y était pas. Lorsqu'elle avait interrogé le *reis*, celui-ci avait haussé les épaules.

— Il a dit qu'il s'absentait trois ou quatre jours. Il n'a pas dit où il allait. Est-ce que je peux vous aider ?

— Non, merci. Je pense que je le verrai bientôt.

Elle avait alors prié le barreur de la transporter jusqu'au *Lotus*. Venetia l'avait interpellée de mauvaise grâce depuis le pont. Ni David si sa femme n'avaient daigné se lever pour elle.

— Katherine se repose. Elle n'a pas la force de recevoir des visites, avait lancé Venetia.

Louisa avait incliné légèrement la tête. Il n'était pas facile de rester digne, en équilibre dans une barque, en s'adressant à quelqu'un qui vous toisait de haut.

— Je ne la dérangerai pas. En fait, c'est à vous ou à votre frère que je souhaitais parler. Savez-vous où est Roger Carstairs ?

Venetia s'était empourprée.

— Je n'en ai aucune idée. C'est vous qui êtes au courant de ses déplacements, non ?

— Vous savez probablement déjà, qu'il s'est attaqué à Hassan, mon drogman, et qu'il l'a battu violemment, déclara Louisa d'une voix haute et claire, afin que David et son épouse l'entendent. Si vous le voyez, je vous saurais gré de lui annoncer qu'il n'est plus le bienvenu à bord de l'*Ibis*. Je ne veux plus jamais entendre parler de lui, et sir John refuse qu'il mette les pieds sur son bateau. La voie est libre, Venetia, avait-elle ajouté avec un sourire glacial. Cependant, méfiez-vous : cet homme est un démon.

En regagnant l'*Ibis*, Louisa avait senti le regard perçant de Venetia dans son dos.

– Sitt Louisa ? Vous n'auriez pas dû y aller, lui reprocha Hassan, qui l'attendait.

Il était visiblement furieux. Louisa avait eu un geste désabusé.

– Je n'allais pas en rester là. Il a essayé de vous tuer. Carstairs est dangereux... De toute façon, il n'était pas là. Personne ne sait où il est allé.

Elle lui avait effleuré le bras.

– Ne pensons plus à lui, Hassan. Il est parti. Soyons heureux. Nous allons rester ici un moment afin que je puisse peindre le temple du soleil. Ensuite, nous franchirons la deuxième cataracte.

– Bien sûr, ma Louisa. Tout ce que vous voudrez.

A présent, il lui montrait l'endroit où il avait dissimulé la fiole.

– Qu'allons-nous en faire ? insista-t-il.

– Pour l'heure, je vais la mettre avec mon matériel de peinture. C'est un cadeau qui m'est précieux, mon amour. Je le chérirai jusqu'à la fin de mes jours. Carstairs ne l'aura jamais.

– Jusqu'à la fin de vos jours ? Vous voulez donc la ramener en Angleterre ?

Louisa se mordit la lèvre. Elle préférait éviter d'envisager l'avenir, pourtant, elle savait que, tôt ou tard, il faudrait y songer.

Hassan hocha la tête comme si lui non plus ne supportait pas d'imaginer l'inévitable séparation.

– Bientôt, il fera trop chaud. Sir John agira comme les autres, il remontera vers le nord. Que déciderez-vous à votre retour au Caire ?

Louisa se détourna et se dirigea vers la proue.

– Il faut que je rentre dans mon pays, Hassan. Mes enfants m'y attendent. Mais comment puis-je vous quitter ? Je ne sais plus où j'en suis ! avoua-t-elle d'une voix tremblante d'émotion. Jamais je n'ai éprouvé un tel amour.

Au bord des larmes, elle ferma les yeux. Un mouvement derrière elle la fit tressaillir. Augusta venait de surgir, et Hassan s'écarta discrètement.

– Ne pleurez pas, ma Louisa, lui murmura-t-il. Nous serons ensemble dans nos cœurs, si c'est la volonté de Dieu. Cet après-midi, je vous emmène au temple. Nous nous promènerons dans les collines. Nous savourerons notre bonheur pendant que nous le pouvons. Si sir John le permet, je vous suivrai jusqu'au Caire. Et l'année prochaine, quand vous reviendrez en Egypte, Hassan sera là.

– *Inch'Allah !* chuchota-t-elle, le regard au loin.

– Louisa, ma chère, il ne faut pas rester là en plein soleil ! s'exclama Augusta en se précipitant vers elle avec un parasol.

Louisa s'essuya furtivement les joues, tandis qu'Hassan s'éclipsait.

– Je vous ai vue dans la barque, tout à l'heure. Vous ne m'aviez pas dit que vous alliez voir les Fielding. J'y serais allée avec vous.

Louisa s'obligea à sourire.

– J'avais un message à porter à lord Carstairs. Je ne savais pas qu'il s'était absenté.

– Ah, bon ? s'étonna Augusta. Comment est-ce possible ? Où est-il ?

– Je n'en sais rien. J'ai demandé au matelot de me transporter jusqu'au *Lotus* pour interroger les Fielding. Venetia n'était au courant de rien.

Augusta haussa un sourcil.

– Elle est agacée par l'intérêt que vous porte lord Carstairs. Je crains qu'elle ait encore des vues sur lui.

– Il est à elle si elle en veut !

– Vous ne changerez donc pas d'avis, ma chère ? C'est dommage, car c'est un bon parti. Il a un titre, de l'argent, il est séduisant.

– Et odieux.

Augusta poussa un profond soupir. Elle jeta un regard vers la poupe, où Hassan était en grande conversation avec le *reis*.

– Une fois en Angleterre, vous verrez les choses autrement, vous savez. Et l'heure du départ ne va pas tarder à sonner, ajouta-t-elle en s'éventant le visage. Sir John a décidé de ne pas poursuivre vers le sud. La chaleur devient intenable. Quant à David Fielding, il est pressé d'atteindre Alexandrie avant l'accouchement de Katherine. Elle aussi souffre du climat. Nous partons dès cet après-midi.

Louisa la suivit dans le salon.

– Mais Hassan devait me conduire au temple de Ramsès !

– Ma chère, vous en avez déjà visité tellement ! Vous pouvez le peindre d'ici, non ? Vous n'êtes pas obligée d'aller à terre.

– Mais si ! Il le faut ! s'écria Louisa, submergée par la panique à la perspective d'être privée de son intimité avec Hassan.

Sir John entra à son tour.

– Que se passe-t-il ? Qu'est-ce qui vous tracasse, Louisa ?

– Je viens de lui dire qu'elle ne pourrait pas se rendre au temple cet après-midi, répondit sa femme.

– Non, non, nous devons nous y rendre, Augusta. C'est l'une des merveilles du monde, ou en tout cas, ce devrait l'être. J'irai avec Louisa. Pourquoi ne pas nous accompagner ?

Augusta frémit.

– Sûrement pas ! J'ai horreur de ces lieux. Je resterai à bord.

– Très bien, approuva-t-il. Nous n'en avons pas pour très longtemps. Si j'ai bien compris, en dépit de tout le sable qui s'est accumulé autour des bâtiments, on peut y pénétrer pour admirer les colonnades et le sanctuaire. Nous lèverons l'ancre aussitôt après. Le voyage vers le nord risque d'être long, même si nous ne nous arrêtons pas en route, car nous naviguerons contre le vent. Heureusement, le courant sera avec nous.

Il se tourna en souriant vers Louisa.

– Vous êtes bien sérieuse. Ma proposition ne vous satisfait-elle pas ?

– Je suis désolée. Je pensais peindre. Je n'imaginais pas que vous seriez avec nous.

Il eut l'air vexé.

– Vous pouvez faire quelques esquisses, non ? Vous les travaillerez ensuite.

– Je sais que John voudra me rejoindre très vite, intervint Augusta. Si vous souhaitez rester plus longtemps à terre, ce devrait être possible. Vous pourriez toujours rattraper l'*Ibis* en felouque. Ainsi, vous pourriez profiter davantage de... de vos pinceaux, acheva-t-elle maladroitement.

Louisa lui adressa un regard reconnaissant, mais Augusta avait déjà l'esprit ailleurs.

Après avoir exploré le temple pendant une heure, Hassan abandonna Louisa devant les quatre statues de Ramsès pour ramener sir John à l'*Ibis*. Lorsqu'il revint, seul, il portait un sac sur son épaule.

— J'ai la permission de vous escorter où vous voudrez, à condition que nous soyons à bord à la tombée de la nuit. Ils ne vont pas tarder à jeter l'ancre, mais leur allure sera ralentie par le vent. Nous n'aurons aucun mal à les rattraper. Venez. Rangez vos affaires, je veux vous montrer les collines.

Bientôt, ils perdirent de vue le fleuve et les bateaux.

— J'ai discuté avec un autre drogman, qui m'a signalé une entrée secrète, tout là-bas. Nous y serons à l'abri du soleil et parfaitement seuls.

Louisa s'immobilisa. Tous deux étaient hors d'haleine et ruisselants de transpiration.

— Ce sera peut-être la dernière fois.

— Il y en aura d'autres. Ils ne peuvent pas vous garder prisonnière.

— Mais nous n'aurons plus jamais l'occasion d'être tranquilles sur les sites.

— Nous nous arrangerons, sitt Louisa. N'ayez crainte.

Il lui prit la main. Ils n'eurent aucun mal à repérer l'ouverture dans la falaise.

— On dirait la Vallée des Rois, chuchota Louisa.

Hassan posa leurs affaires et chercha dans son sac une bougie. Louisa secoua la tête, mal à l'aise.

— Je préfère rester ici, à la lumière du jour.

— Ne me dites pas que ma Louisa a peur du noir ? sourit-il.

— Pour l'instant, oui. Asseyons-nous ici. Personne ne nous verra.

Sans protester, il étala le tapis, puis plongea la main dans le panier contenant les boissons et les gobelets.

— Qu'est-ce que c'est que ça, ma Louisa ?

— Le flacon. Je ne savais pas où le mettre. Même votre cachette dans le salon me semblait trop facile à découvrir.

Hassan fut secoué d'un spasme.

– Cette fiole est maudite, ma Louisa. Vous ne devriez plus y toucher.

– Je sais. Comment un objet aussi minuscule peut-il causer autant de malheurs ?

Derrière eux, dans l'obscurité, quelque chose bougea. Ils ne s'en aperçurent ni l'un ni l'autre. Tous deux contemplaient le petit paquet enveloppé de satin.

– C'est vous qui m'avez offert ce cadeau, tout au début, murmura-t-elle.

– Je vous ai aimée dès le premier instant, ma Louisa. Mais vous étiez une lady anglaise, et moi, un simple guide. Quoi qu'en pensent les gens, vous étiez mon amie, et maintenant, vous êtes mon amour.

Elle se rapprocha de lui, et leurs lèvres se frôlèrent. Tout doucement, ils s'allongèrent. Les yeux dans les yeux, ils ne virent pas l'ondulation sur le sable, ils ne perçurent pas le froissement des écailles.

Le serpent était jeune, il ne mesurait qu'un mètre et se déplaçait à vive allure. Ignorant Louisa, il s'attaqua à l'homme qui tenait encore le flacon à la main.

La douleur fulgurante propulsa Hassan sur ses pieds. Il fit volte-face, lâchant la fiole, qui roula jusqu'au bord du tapis. Pendant un moment, il fixa la trace sur son bras, presque à hauteur de son épaule, puis il poussa un hurlement en se contorsionnant d'angoisse et de souffrance.

– Hassan !

Le serpent s'était déjà faufilé entre les rochers.

– Hassan ! Qu'est-ce que je dois faire ! Dites-le-moi, vite !

Il était blême. Sa peau luisait de sueur. Il la dévisageait, très concentré, en cherchant sa respiration.

– Louisa ! Ma Louisa !

Les muscles de sa bouche se raidirent. Il tomba à genoux, puis sur le côté.

– Hassan ! Parlez-moi, Hassan ! Hassan, mon amour...

Petit à petit, tout son corps se paralysait. Le regard vague, il poussa un ultime soupir, puis son cœur cessa de battre.

– Hassan, hurla-t-elle.

Elle resta longtemps prostrée près de lui. Le soleil n'éclairait plus l'entrée, mais la chaleur demeurait intense. Après avoir pleuré abondamment, elle s'assit, le regard dans le vague. Le serpent ne reviendrait plus. Le serviteur des dieux avait accompli sa mission et regagné les royaumes d'où il avait émergé.

Enfin, elle trouva la force de bouger. Elle embrassa Hassan, recouvrit son visage d'une couverture et prononça une brève prière. Se redressant péniblement, elle le contempla une dernière fois, terrassée par la douleur, puis tourna les talons et s'enfuit.

Elle redescendit la colline jusqu'à la façade du temple et s'adressa aux visiteurs qui s'y trouvaient en compagnie de leur drogman. Il accepta de l'aider, envoya chercher le corps d'Hassan, s'arrangea pour que quelqu'un le transporte sur l'*Ibis* et que des pleureuses du village se réunissent autour du mort qu'elles n'avaient jamais connu. Elle ne le reverrait jamais, ne saurait jamais où on l'enterrerait.

Augusta la serra dans ses bras, Jane Treece l'aida à se déshabiller et à se coucher. On remonta l'ancre et, bercée par le mouvement, elle s'endormit enfin.

★
★ ★

Anna dévisagea Serena. Toutes deux avaient les larmes aux yeux.

— Pauvre Louisa. Elle l'aimait tant ! murmura Anna.

— A votre avis, les Forrester savaient-ils qu'ils étaient amants ?

— J'ai l'impression qu'Augusta avait deviné. Je ne pense pas que ce soit venu à l'esprit de sir John. Si seulement ils n'étaient pas partis seuls !

Elles se réfugièrent quelques minutes dans leurs propres pensées, puis Serena prit la parole.

— Nous ferions mieux d'aller à la recherche d'Andy.

— Oui. Je voudrais tant que ce ne soit qu'une légende, s'écria soudain Anna. Je ne veux pas que ce soit vrai !

— Mais ça l'est. Hassan est mort quelque part par là-bas, dit Serena en désignant d'un signe de tête les eaux scintillantes du lac. Les collines sont noyées, désormais. Sa tombe, s'il en eut une, a disparu.

Une ombre les enveloppa, et elles se redressèrent : Toby et Omar.

– Ça va ? s'enquit le premier en posant une main sur l'épaule d'Anna.

– Nous venons de lire le récit de la mort d'Hassan, expliqua Serena.

– Ainsi, ce démon a réussi à se débarrasser de lui. Pauvre Hassan. Omar est au courant. Il pense qu'Andy se trouve à l'arrière du temple. Il va nous y conduire.

Tous ensemble, ils se joignirent à la foule qui paraissait de plus en plus dense. Omar leur indiqua une ouverture dans la falaise.

– Il doit être là-dedans. Je vais m'assurer qu'il n'est pas ailleurs, puis je vous rejoindrai.

Il les salua et se fondit dans la masse des touristes.

– Il ne croit pas qu'il y ait le moindre danger, n'est-ce pas ? devina Anna.

– Non, il nous prend pour des cinglés. Il affirme qu'il n'y pas de serpents ici. Ce sont des créatures sauvages, craintives, qui fuient les hommes. Mais Omar est un professionnel, il accepte tous nos caprices. Il fera de son mieux pour nous rendre service, et c'est tout ce qui compte.

Ils plongèrent dans les profondeurs de la montagne artificielle. Anna scruta le dôme au-dessus de leurs têtes, fascinée par l'étrange juxtaposition de la technologie moderne avec un monument vieux de plusieurs milliers d'années.

Au fur et à mesure qu'ils avançaient dans l'escalier, leur vision s'accommoda à la pénombre. Ici aussi, les visiteurs abondaient, s'attardant devant les boutiques de souvenirs et les distributeurs de boissons. Ils atteignirent enfin une large passerelle. Une fois de plus, Anna s'affola :

– Nous ne le repérerons jamais avec tout ce monde !

– Si, promit Serena.

Les yeux plissés, Toby inspecta de loin les différentes plates-formes.

– Je n'ai pas l'impression qu'il soit là. Il a dû ressortir. De toute façon, d'après Omar, ils ont tous rendez-vous dans une heure devant l'autocar.

– C'est ici que cela va se passer. A Abou Simbel. J'en ai la certitude, insista Anna. Nous devons absolument le retrouver. Andy !

Elle repartit en sens inverse, de plus en plus affolée. Elle ne parvenait pas à chasser de sa mémoire l'image d'Hassan gisant sur le tapis, le corps pétrifié par le venin du cobra – s'il s'agissait bien d'un cobra – ondulant vers les amants enlacés.

Elle avait beau en vouloir à Andy, elle ne souhaitait pas sa mort. Elle en venait même à se sentir coupable : s'il lui arrivait malheur, ce serait à cause d'elle, parce qu'il lui avait pris son flacon. Elle n'aurait pas dû l'emporter en Egypte, en parler. Elle n'aurait pas dû lui montrer le journal, le laisser en lire des extraits.

Elle se dirigea vers le seul endroit qu'elle n'avait pas encore exploré, le petit temple que Ramsès avait construit pour son épouse. Il était nettement moins fréquenté que le grand.

Une frise ornait la porte d'entrée. Une frise de cobras. Anna s'immobilisa, une boule dans la gorge. Elle hésita puis, maîtrisant sa peur, s'avança dans l'obscurité.

La première personne qu'elle distingua fut Andy, planté devant l'un des piliers. Incrédule, elle s'approcha de lui et lui effleura le bras. Serena s'était arrêtée à dix pas derrière elle.

– Andy ?

Il sursauta.

– Anna ! Que faites-vous ici ? Vous n'étiez pas dans l'autocar !

– Je ne me sentais pas bien. Je suis arrivée plus tard, en taxi avec Toby. Je... Andy, il faut que vous me rendiez mon flacon. Immédiatement.

– Quel flacon ?

– Je vous en prie, Andy, c'est important.

– Je l'ai laissé à bord, en sécurité. Vous ne vous imaginez tout de même pas que je l'avais pris avec moi ?

Un sentiment de soulagement la submergea.

– Où l'avez-vous mis ?

– Je l'ai confié à Omar pour qu'il le mette au coffre.

– Il n'y est pas. J'ai cherché.

Le regard d'Andy se durcit.

– Pas possible ! Ainsi, vous êtes restée parce que vous vouliez fouiller mes affaires.

– Andy, je n'avais pas le choix. Vous vous êtes approprié deux objets qui m'appartiennent. Vous n'en aviez pas le droit. J'ai retrouvé le journal, précisa-t-elle.

Il demeura impassible.

– Il était dans le coffre-fort, à l'intérieur d'une enveloppe à votre nom. Mais la fiole n'y était pas, et je veux la récupérer. Où est-elle ?

– Dans ma cabine.

– Faux. J'y suis allée aussi.

– Vous ne manquez pas d'audace !

– Vous n'aviez pas à me prendre mes affaires. C'était du vol, Andy, ni plus ni moins. Je vous ai demandé si vous aviez mon journal et vous m'avez affirmé que non. Comme vous me l'avez vous-même fait remarquer, il a une grande valeur.

– Une petite minute ! s'insurgea-t-il. Je n'avais pas l'intention de le garder. Vous m'accusez sans savoir...

– Vous auriez dû m'en parler, au lieu de me faire croire que le coupable était Toby, coupa-t-elle.

– Ah, Toby ! Le héros de la traversée du désert en taxi ! cracha-t-il en croisant les bras. Figurez-vous que je ne m'étais pas trompé à son sujet !

Il y eut un bref silence. Un groupe d'Italiens défila devant eux et s'enfonça dans les entrailles du temple.

– Tout cela est du passé. Toby a payé pour son crime.

– Ah, oui ? C'est ce qu'il vous a raconté ? En tout cas, ça ne lui a pas servi de leçon. Comme vous n'étiez pas dans l'autocar, j'ai fait le voyage avec un certain Donald Denton, un médecin à la retraite qui habitait près de chez Toby, autrefois. Il se rappelait parfaitement l'épisode. Toby a tué un homme en prétendant devant les juges qu'il avait violé sa femme. La vérité, c'est que ce type et sa femme avaient une liaison, et qu'ils s'apprêtaient à fuir ensemble. Et que Toby a assassiné sa femme par la même occasion. Je suis navré, Anna, je sais combien cela vous déçoit mais...

– C'est faux ! Elle s'est suicidée.

– C'est ce qu'il vous a raconté ?

– Oui !

– Naturellement, vous l'avez cru. Je ne vous ferai sans doute pas changer d'avis, murmura-t-il en fourrant les mains dans ses poches. Il vous plaît, n'est-ce pas ? A toi aussi, Serena ? Décidément, je ne comprendrai jamais les femmes !

Il sourit. Il était de nouveau décontracté, sûr de lui.

– Je vous suggère de parler à Toby, puisqu'il est dans les parages. Cela m'intéresserait de voir comment il réagit à vos accusations.

– Oh, non, ma chère, je refuse de me soumettre à un deuxième combat de boxe. D'ailleurs, le car va bientôt partir. Il est temps d'y aller.

Il croisa Anna et se dirigea vers la sortie. Anna se tourna vers Serena.

– Je ne crois pas qu'il ait le flacon avec lui. Que de frayeurs pour rien !

– Tant mieux pour lui, marmonna Serena.

– Vous savez, je ne le crois pas, à propos de Toby.

– Bravo ! Il ment comme il respire, déclara Serena en la prenant par le coude. Venez ! Vous allez rentrer en autocar avec le groupe.

– Nous sommes venus en voiture. Toby a demandé au chauffeur de nous attendre.

Serena fronça le nez.

– Il est drôlement riche, pour un ex-criminel !

– Ça m'étonnerait, murmura Anna, rougissante. Il a fait ça pour moi. Il tient à moi. Vous l'avez constaté vous-même.

Elles émergèrent sous un soleil de plomb. Andy était invisible. Omar se tenait à une cinquantaine de mètres, entouré de ses ouailles. Il fit signe aux deux jeunes femmes de les rejoindre.

– C'est l'heure ! Il faut partir, à présent. Anna, j'ai rencontré Andy. Il m'a dit que vous l'aviez retrouvé.

– En effet.

– Et vous n'avez pas vu de cobra ?

– Non.

– Tant mieux ! Tant mieux ! Et maintenant, dépêchons-nous.

Anna pivota vers Serena.

– Où est passé Toby ?

– Il va sûrement reparaître bientôt.

– Je ne sais pas quoi faire. Il avait prévu de rentrer avec moi.

– Il va falloir choisir, Anna, lui ou nous. Je l'apprécie beaucoup. J'ai confiance en lui, mais faites attention. Au bout du compte, nous ne savons pas grand-chose de lui.

Anna ébaucha un sourire désemparé et emboîta le pas à Omar. Andy les attendait dans le parking, l'air triomphant.

– Vous ne devinerez jamais ce qui vient de se passer !

Anna se raidit. Il paraissait enchanté.

– Quoi ?

– Votre ami Toby. Il a été emmené par des policiers. Votre chauffeur est parti. Vous allez devoir vous contenter de notre compagnie en autocar.

Il s'inclina, ironique.

– Toby a été arrêté ? Vous mentez !

– Malheureusement pour vous, non... C'est un choc pour vous, ma pauvre. Il vous a bien eue, n'est-ce pas ? Il nous a tous trompés !

– Mais qu'a-t-il fait ? Je ne comprends pas. Il n'a pas laissé un message pour moi ?

– Nous en saurons davantage tôt ou tard, répondit Andy, l'air nonchalant.

– Montons, murmura Serena à Anna. Vous ne pouvez rien faire pour le moment.

– Oubliez-le, Anna ! lança Andy. Remerciez le ciel qu'il ne vous ait pas prise dans ses filets.

Anéantie, Anna s'installa tout au fond avec Serena. Ils s'arrêtèrent à deux reprises sur la route, la première fois pour photographier un mirage spectaculaire, la seconde pour admirer le passage d'une caravane.

– J'en ai assez, confia-t-elle à Serena après cette seconde pause. Ces vacances devaient me remonter le moral. C'est un échec total.

– Vous tenez énormément à Toby, n'est-ce pas ?

– Oui.

– Je suis vraiment désolée. Andy est un crétin. Je parie qu'il a tout inventé. Je vais me renseigner.

Derrière ses lunettes noires, Anna était en larmes.

– Je n'y comprends rien, souffla-t-elle. Il doit y avoir un moyen de l'aider.

L'accueil de l'équipage fut particulièrement chaleureux, après cet interlude de quarante-huit heures. Comme toujours, on offrit aux passagers des serviettes chaudes pour se dépoussiérer, puis un jus de fruits frais.

Andy ne tarda pas à se présenter devant Anna. Il posa les mains sur ses épaules.

– Je suis navré, dit-il. J'ai été maladroit de vous annoncer cette nouvelle comme ça. J'espère que vous me pardonnez de vous avoir pris le journal ? J'ai agi sans réfléchir. Retrouvez-moi au bar tout à l'heure, nous boirons un verre ensemble. S'il vous plaît..., ajouta-t-il, l'air sincère et gentil.

– Andy, je suis épuisée. J'ai envie de me reposer.

– Vous le ferez après le repas. Nous déjeunons tard, car ensuite, nous nous rendons à Philae pour le « son et lumière ». Je vous en prie, Anna. J'aimerais que nous restions amis.

Il se tut pour adresser un sourire inquisiteur à Omar, qui venait de s'arrêter auprès d'eux.

– Votre sac, Andy. Vous l'aviez oublié dans l'autocar. Heureusement que le chauffeur l'a vu.

Andy le hissa sur son épaule machinalement.

– Alors ? Rendez-vous au bar dans une demi-heure ?

Anna avait l'œil rivé sur le sac. Comme il le soulevait, la pochette avant s'était entrouverte, et elle avait aperçu un bout d'étoffe rouge. Elle tendit la main.

– C'est curieux, cette écharpe ressemble furieusement à la mienne.

Avant qu'il ne puisse réagir, elle arracha le paquet de la pochette et le déballa pour révéler le flacon.

– Vous l'aviez avec vous ! s'écria-t-elle avec mépris. Vous ne vous rendez pas compte de ce qui aurait pu vous arriver ! Pourquoi avez-vous menti, Andy ? Pourquoi les hommes mentent-ils toujours ?

XIII

Mes demeures mystérieuses ont été profanées ;
Mes cachettes ont été révélées.

*L*E *commerce des objets anciens se développe. Les acheteurs
affluent du monde entier pour acquérir ceux qui ornaient les
tombes. Le flacon remonte les eaux du Nil jusqu'à Louxor, dans
une caisse remplie de tessons, de perles et d'amulettes. L'argent
change de mains.*

*Pendant des mois, la caisse reste dans un dépôt. Quand il
l'ouvre enfin, le marchand s'empare immédiatement du flacon. Il
ne l'avait pas remarqué auparavant, et un frémissement d'excitation le parcourt. Le verre des temps légendaires est rare. Il le dépose
sur sa table et l'examine à la loupe.*

*Le bouchon est bien enfoncé et scellé. Il prend un couteau, hésite,
se ravise. Plutôt que de l'ouvrir lui-même, il envoie un message à
un ami. Il fait soudain très froid dans sa maison. Une brume irisée
effleure les étagères et le bureau.*

Le nouveau venu, drapé d'un châle blanc, touche sa poitrine, sa

276

bouche et son front en guise de salut et s'avance. Il est vénérable et cultivé. Il a étudié les arts de la magie. Il contemple la fiole.

Le silence se prolonge. Les rayons du soleil filtrent à travers les jalousies, jetant des ombres affolées sur le sol.

L'homme relève la tête, le visage blême.

Ce flacon sacré détient un pouvoir incommensurable. Il est gardé par des prêtres qui ne l'ont jamais quitté.

— Apportez-moi du papier et de l'encre, afin que je transcrive leurs vœux. Ceux qui ont profané cet objet l'ont payé de leur vie.

★
★ ★

Anna était assise sur son lit quand Serena poussa la porte.

— Ça va ?

Elle acquiesça. Le flacon était près d'elle, sur la couette.

— J'ai parlé avec Omar, poursuivit Serena. Il a été un peu surpris par votre éclat, et j'ai cru bon de lui donner des explications. Il ne sait rien au sujet de l'arrestation de Toby. Quand je lui ai appris la nouvelle, il était stupéfait. Il s'en est immédiatement entretenu avec le commandant, puisqu'il était là pendant notre absence. Apparemment, personne n'est venu réclamer Toby, et son passeport est toujours dans le coffre-fort.

— Qu'est-ce que cela signifie ?

— Qu'il y a de grandes chances pour qu'Andy vous ait menti.

Serena ramassa la fiole et la caressa délicatement.

— Je trouve bizarre que Louisa l'ait conservée après la mort d'Hassan. A sa place, j'aurais cherché à m'en débarrasser.

Anna hocha la tête.

— Elle est si petite, pourtant elle lui a causé tant de malheurs. Je suppose qu'elle l'a gardée parce que c'était un cadeau d'Hassan. Je me demande si elle a revu Carstairs ?

Serena eut un geste vers le sac d'Anna.

— Cette histoire me fascine autant que vous. Peut-être avons-nous le temps de lire un peu avant le repas ? Cela vous distrairait de vos soucis...

*
* *

Sir John frappa à la porte de Louisa et entra.

— Comment vous sentez-vous, ma chère ?

Allongée sur le divan, elle souffrait d'une migraine atroce, et son front était brûlant de fièvre.

— N'avez-vous pas envie de manger un peu ? Mohammed se donne beaucoup de mal pour aiguiser votre appétit, dit-il, le regard sur l'assiette à laquelle elle n'avait pas touché.

Elle eut un sourire las.

— Excusez-moi. Je n'ai pas faim.

— Je comprends, mais je ne me décourage pas. Louisa, un groupe de Nubiens est monté à bord ce matin. Ils ont apporté tout ce que vous aviez laissé sur place.

Il fixa le bout de ses chaussures avant d'enchaîner :

— Ce sont des gens honnêtes. Je les ai récompensés généreusement. Voulez-vous que je laisse votre sac là ?

Il attendit une seconde, mais comme elle ne réagissait pas, il haussa les épaules et le posa contre le mur, sous une petite table.

Puis il sortit discrètement. Lorsqu'il revint, la nuit était tombée. Ils s'étaient arrêtés au-dessus de la cataracte proche de Philae.

— Louisa, lord Carstairs est au salon. J'ai cru comprendre qu'il était remonté à Assouan en bateau à vapeur. Etes-vous en mesure de le recevoir ?

Elle se redressa, repoussa ses cheveux.

— Il est ici ? Je croyais que vous lui aviez interdit l'accès de l'*Ibis* !

Sir John parut mal à l'aise.

— Il a su ce qui s'était passé. Il souhaite vous voir.

Rassemblant ses forces et son courage, elle se leva péniblement.

— Je monte.

— Voulez-vous que Jane Treece vous aide à vous habiller ?

— Non, c'est inutile. Ce que j'ai à dire à lord Carstairs n'exige aucune formalité de ma part.

Il savourait un sorbet en compagnie d'Augusta quand Louisa fit irruption dans la pièce. Tous deux se tournèrent vers elle, et

Carstairs écarquilla les yeux. Echevelée, la figure blanche et maculée de larmes, elle offrait un spectacle étrange.

– Augusta, laissez-nous, je vous prie, ordonna-t-elle.

Intimidée par son ton péremptoire, Augusta s'éclipsa sans commentaire. Louisa se planta en face de Carstairs.

– Alors, êtes-vous satisfait ?

Il la dévisagea froidement.

– C'est un accident malheureux. Vous aviez les moyens de l'empêcher.

– En somme, tout est ma faute ?

– En effet ! confirma-t-il en croisant les bras. Je ne supporte pas qu'on s'oppose à moi, madame. Et maintenant, si vous voulez éviter de nouvelles tragédies, je vous conseille de me remettre la fiole sacrée.

– Jamais ! explosa-t-elle, une lueur de rage dans les prunelles. Vous ne l'aurez jamais. Tous les dieux de l'Egypte vous ont vu à l'œuvre, Roger Carstairs, et ils vous vilipendent ! Le prêtre qui veille sur le flacon, le prêtre d'Isis vous hait.

Carstairs ricana.

– Isis n'est pas la déesse de l'amour, ma chère Louisa, mais celle de la magie. Et son serviteur – mon serviteur – est le cobra. Où est le flacon ? ajouta-t-il avec un sourire cruel.

– Je ne l'ai plus. Je l'ai perdu là où Hassan est mort, et c'est là qu'il restera, enfoui dans le sable sous la surveillance de votre serpent ! Si vous le cherchez, j'espère que le cobra d'Isis vous tuera !

Décroisant les bras, il s'inclina brièvement.

– Je n'avais pas imaginé que vous l'abandonneriez à Abou Simbel. Dans votre intérêt, j'espère qu'il est en sécurité.

Il se dirigea vers la sortie, mais elle était sur son chemin.

– Ne remettez plus jamais les pieds ici. Plus jamais. Les Forrester me soutiennent. Je répandrai partout la vérité sur votre personne. A Louxor, au Caire, à Alexandrie, à Paris comme à Londres. Je ferai en sorte que votre nom soit méprisé à travers le monde !

Il fronça les sourcils, pris de court par sa véhémence, puis ébaucha un sourire.

– Personne ne vous croira.

– Oh, si ! Vous pouvez compter sur moi.

279

Elle pivota sur ses talons, s'écarta de lui, s'immobilisa. Carstairs parut hésiter, puis elle l'entendit quitter le salon. Dans le silence qui suivit, elle perçut la voix d'Augusta, sur le pont. Elle avait surpris toute la diatribe de Louisa.

— Ne revenez plus, lord Carstairs. Louisa a raison. Vous n'êtes plus le bienvenu parmi nous !

Il ne répondit pas. Louisa s'approcha du seuil juste à temps pour le voir sauter dans sa barque. Emergeant sous le soleil, elle fut sensible aux regards emplis de compassion du *reis* et des autres membres de l'équipage.

— Quel homme abominable ! lança Augusta.

Louisa opina. Elle lui était reconnaissante de lui avoir accordé le bénéfice du doute. Après tout, l'histoire qu'elle lui avait racontée était à peine croyable.

— Il se dirige vers le *Lotus*. Il va sans doute faire part aux Fielding de nos griefs contre lui.

— Ils apprécient lord Carstairs.

— Ils sont impressionnés par son titre, ma chère. Quand ils découvriront la créature méprisable qui se dissimule derrière cette façade, ils seront d'accord avec nous. Tiens ! Il a changé d'avis. Il repart en direction du *Scarabée*, qui semble prêt à mettre les voiles.

— Il va fouiller les sables d'Abou Simbel à la recherche du flacon.

Augusta haussa un sourcil.

— C'est grotesque ! Il croit vraiment à toute cette magie, n'est-ce pas ?

— Oh, oui, murmura tristement Louisa.

Elle regagna sa cabine. Ramassant sa brosse, elle commençait à se démêler les cheveux, quand son regard tomba sur le sac sous la table. Elle hésita, puis alla le chercher et le vida sur son lit. Crayons et carnets à dessins tombèrent en cascade. Sous ce tas informe : godet, bouteille d'eau, boîte de couleurs, pinceaux, fusains, et le couteau pour aiguiser ses mines, elle aperçut soudain le petit paquet enrobé de satin et noué avec un ruban qui contenait la fiole. Elle s'en empara, la tint quelques instants dans ses mains, puis se mit à pleurer en silence.

280

★

★ ★

– C'est donc cela, murmura Serena. Et Carstairs avait déjà mis les voiles. On l'a banni, bien sûr. Son nom est célèbre. Je ne pense pas qu'il soit retourné en Angleterre.

– Et il n'a jamais récupéré la fiole. Je me demande si je ne devrais pas la jeter dans le Nil.

Serena grimaça.

– Oh, non ! Ne faites pas ça ! J'aimerais beaucoup tenter une nouvelle cérémonie. M'adresser aux prêtres. Cet objet leur appartenait, Anna. Ils ne connaîtront jamais le repos, tant que le problème ne sera pas résolu. Nous devons les conjurer et leur demander conseil. Je vous en prie, laissez-moi essayer une dernière fois.

– Et le serpent ?

– Il ne nous fera aucun mal.

– Qu'en savez-vous ? Dans sa fureur, Carstairs lui a peut-être ordonné de tuer quiconque toucherait au flacon ?

– Apparemment, ce n'est pas le cas. Pour l'heure, personne n'est mort. Nous pourrions intervenir après le déjeuner, quand les passagers feront la sieste. Je veux parler à Amenanhotep.

Anna arrondit la bouche.

– Vous aviez dit que nous attendrions d'être à Philae.

– C'est inutile. Je vous en supplie, Anna. La dernière fois, ça a failli marcher. J'ai le sentiment qu'aujourd'hui, je vais réussir. Mais avant cela, nous devons prendre des nouvelles de Charley. Allons voir Omar.

Omar téléphona à l'hôtel. Il écouta, hocha la tête, débita un flot de paroles incompréhensibles, puis raccrocha.

– Elle va revenir. Elle s'est reposée, elle se sent beaucoup mieux. Ils vont la mettre dans un taxi. Il paraît que la note a été payée par Toby Hayward. Il y est passé cet après-midi.

– A l'hôtel Old Cataract ? s'exclama Anna.

Omar opina.

– Et il a vu Charley ?

– Il a discuté avec elle et a réglé toutes les factures.

– Mais alors, où est-il maintenant ?

Omar haussa les épaules.

Deux minutes plus tard, Serena et Anna étaient devant la cabine de Toby. Anna frappa. Comme il n'y avait pas de réponse, elle appuya sur la poignée. La porte s'ouvrit.

– Tout est là, constata Serena. Ses tableaux, ses couleurs, ses bagages. Il n'a pas déménagé.

– Pourquoi l'aurait-il fait ? Où serait-il allé ? Nous avions prévu de rentrer ensemble, maugréa Anna. S'il était à l'hôtel, il n'était pas entre les mains de la police. Omar assure que son passeport est encore dans le coffre.

– Charley est peut-être au courant.

Un bruit dans la coursive les fit se retourner. Andy surgit sur le seuil.

– A table, mesdames.

– Vous ne savez pas où se trouve Toby, par hasard ? lui demanda Anna, en s'efforçant de masquer son hostilité.

– Je suppose qu'il est toujours au commissariat.

– Il n'a pas été arrêté, Andy. Il est à Assouan. Du moins, il l'était encore tout à l'heure.

Pris de court, Andy se ressaisit rapidement.

– Je ne sais pas, moi. Si nous allions déjeuner, au lieu de nous lamenter sur le sort de Toby Hayward ?

Le repas se déroula dans une ambiance calme. Conscients de la fatigue des convives, Ali et Ibrahim les servirent rapidement. A peine quarante minutes plus tard, Anna et Serena, après s'être assurées qu'Andy s'était retiré, se rendirent chez Anna.

Cette fois, les préparatifs furent plus aisés. Anna accrocha le châle par-dessus les rideaux, pendant que Serena arrangeait l'autel. Une fois les bougies, l'encens et les statuettes en place, Anna déballa le flacon et le posa respectueusement auprès de la clochette.

– Vous êtes prête ? souffla-t-elle, les mains tremblantes.

Serena acquiesça, puis alluma les bougies.

Anna se cala sur le lit, le menton sur les genoux, le plus loin possible de son amie.

– Quoi qu'il arrive, n'essayez pas d'intervenir, prévint celle-ci. Ne cherchez pas à me réveiller si je suis en transe. Ce pourrait être dangereux pour moi.

Une mélopée rythmée par les clochettes emplit l'espace confiné. L'atmosphère s'alourdit considérablement. Anna avait les yeux rivés sur la fiole, sur laquelle dansaient les ombres des flammes. Une spirale de fumée jaillit de l'encensoir, s'élevant paisiblement vers le plafond.

Anna crispa les poings. Un filet de transpiration coulait le long de ses tempes et entre ses seins. La voix de Serena s'amplifiait, soit parce qu'elle prenait confiance en elle, soit parce qu'elle avait déjà oublié la présence d'Anna. Lorsqu'elle se tut, sa litanie parut résonner un moment, puis les flammes vacillèrent, comme soufflées par un violent courant d'air. Anna retint sa respiration et porta la main à son amulette.

Il était là, translucide, à peine plus visible qu'un miroitement près de la fenêtre.

Serena renversa la tête et agita sa clochette.

– O Amenanhotep, serviteur d'Isis, viens ! Montre-toi devant moi et devant cette fiole remplie de larmes sacrées !

La silhouette s'affirma. Les mains sur l'autel, paupières closes, Serena s'agenouilla. Soudain, Amenanhotep fut près d'elle. Il la dominait de toute sa taille. Comme elle se relevait, leurs deux formes se fondirent l'une dans l'autre.

Secouée d'un spasme, elle plongea en avant, se redressa lentement, ouvrit les yeux.

– Salut à toi, Amenanhotep.

Le timbre de sa voix était méconnaissable, grave, imprégné de trois mille couchers de soleil dans le désert.

– Je suis Amenanhotep, serviteur des serviteurs des dieux. Je suis venu prendre possession de ce qui m'appartient.

Anna avait la gorge sèche. Terrifiée, elle fixa le personnage, tout en prenant conscience qu'elle se trouvait seule avec lui. Le corps de Serena était inerte, vidé, comme si elle s'en était détachée pour lui prêter sa chair, ses muscles et tous les organes dont il avait besoin pour fonctionner sur la terre.

– Qui se présente devant l'autel de la déesse ?

– Je suis Anna. C'est moi qui ai rapporté la fiole sacrée en Egypte. Je... Nous voulons savoir ce que nous devons en faire.

Une main s'étira vers les bougies, resta suspendue au-dessus du flacon. C'était la main de Serena, pourtant, en passant entre la bouteille et la flamme, elle ne projeta aucune ombre.

La porte s'ouvrit brusquement et, l'espace d'un instant, tout s'arrêta.

— Aidez-moi ! s'écria Charley. Ça recommence. Je ne sais pas quoi...

Elle chancela avant de tomber en avant dans la cabine. L'apparition devant l'autel fit volte-face en sifflant :

— Psenisis !

Charley parvint à se relever, frissonnante.

Quoi qu'il arrive, n'intervenez pas ! Paralysée de terreur, Anna se répéta les recommandations de Serena.

— Psenisis ! Maudit sois-tu, traître !

Quelqu'un d'autre avait surgi sur le seuil. Arrachant son regard des deux femmes, Anna reconnut Toby.

— Maudit sois-tu pour avoir fait pleurer les mères ! Maudit sois-tu pour avoir trompé et tué, maudit sois-tu pour avoir prononcé les mots du démon !

Charley recula d'un pas. Tout à coup, elle parut reprendre des forces. Elle se tint très droite.

— Tu n'es qu'un sot, Amenanhotep !

Elle se pencha vers l'autel sur lequel les bougies répandaient leur cire colorée. Comme elle s'apprêtait à saisir le flacon, Amenanhotep poussa un hurlement de rage et se jeta sur elle.

Les deux femmes s'empoignèrent. Charley poussa un cri et effectua un bond en arrière. Serena s'écroula. Les deux prêtres avaient disparu.

— Anna, allumez les lumières, pour l'amour du ciel ! ordonna Toby en attrapant Charley par les bras.

Elle se débattit avec frénésie tandis qu'il la dirigeait vers le lit. Anna se précipita pour enlever le châle recouvrant la fenêtre, puis poussa les jalousies.

— Serena ! s'exclama-t-elle en s'accroupissant devant son corps inerte. Serena, est-ce que ça va ?

Derrière elle, Charley sanglotait bruyamment. Elle drapa la couverture sur sa tête et se balança d'avant en arrière.

— Comment va-t-elle ? demanda Toby en étreignant Charley pour la réconforter.

— Elle respire, mais elle est inconsciente.

— Mettez-lui un oreiller sous la tête. Allez lui chercher un verre d'eau.

— Qu'est-ce qu'elle a ?

— Vous ne le savez pas ? Vous l'avez entendue, pourtant. Elle a permis au prêtre de s'exprimer à travers elle, sans toutefois se laisser posséder. Elle sait se protéger, c'est indispensable, dans son métier. Il faut attendre qu'elle revienne à elle. Il n'y a rien à craindre.

— Et Charley ?

— Charley ne s'est pas soumise volontairement. Elle est peut-être possédée par Psenisis. Je n'aurais pas dû la ramener à bord.

— Non, en effet ! Où étiez-vous ? Que vous est-il arrivé ? Pourquoi vous êtes-vous volatilisé sans me prévenir ? Nous avions besoin de vous !

Il était en train de bercer Charley comme un bébé.

— Plus tard, Anna. Je suis navré de vous avoir abandonnée, mais je n'y pouvais rien. Je vous expliquerai tout cela, mais commençons par régler le présent.

Serena gémit, et Anna se tourna vers elle.

— Serena ? Pouvez-vous me parler ?

Elle alla chercher le verre d'eau suggéré par Toby, puis aida la jeune femme à boire en lui soutenant les épaules.

— Que s'est-il passé ? s'enquit Serena d'une voix rauque, en remuant la tête de droite à gauche.

Charley se cramponna de plus belle à Toby.

— Amenanhotep est-il venu ?

— Oui.

— A-t-il donné des conseils ?

— Il n'en a pas eu le temps.

Le teint gris, les yeux rougis, Serena baissa le nez.

— Pourquoi ?

— Psenisis s'est interposé.

— Comment ?

— Charley a fait irruption. C'était terrifiant. On aurait dit qu'il l'avait possédée.

Serena se tourna vers le lit, s'aperçut enfin de la présence de Toby et de Charley.

— Vous ? Vous êtes revenu avec elle ?

— Je suis navré. Le moment était mal choisi.

— Je vous croyais en prison !

Serena se leva, tangua légèrement, puis se laissa choir sur le tabouret de la coiffeuse. Toby fit la grimace.

— Pas ces temps-ci, heureusement.

— Où étiez-vous, alors ?

— Avec une amie. Je vous raconterai tout ça, mais pas maintenant. Procédons par ordre. Que devons-nous faire de Charley ?

— Je veux rentrer chez moi ! hoqueta cette dernière.

— Ça peut s'arranger, répondit Toby en l'écartant avec douceur. J'ai un ami au consulat du Caire. Je l'ai déjà eu au téléphone aujourd'hui. Il va lui prendre un billet et trouver quelqu'un pour l'accompagner. Pauvre Charley. Voulez-vous retourner à l'hôtel pour cette nuit ?

— Oui, l'hôtel, c'était bien, marmonna-t-elle en recommençant à se balancer.

— Comment lui avez-vous obtenu une chambre ? s'étonna Serena. Il paraît qu'il faut réserver des mois à l'avance !

Toby sourit et se tapota le bout du nez.

— Occupez-vous de l'Egypte ancienne. Je me charge de la moderne.

Il emmena Charley avec une infinie précaution. Anna ferma la porte derrière eux et s'y adossa. Seul, le parfum de l'encens laissait deviner la scène qui venait de se dérouler.

— Est-ce un succès ou un échec ? murmura Serena.

— Un échec, je crois. Sans Charley, il me semble que nous aurions réussi. Il est venu. Il était là. Il était... j'allais dire : en vous, mais en fait ce n'est pas ça. Il s'est glissé sur vous comme un gant. Etes-vous certaine que nous ne risquons rien ? Il a répondu à votre appel, mais... si nous n'avions pas pu nous débarrasser de lui ?

Elle s'assit, ivre de fatigue.

— Je n'étais pas possédée, Anna. Je lui ai simplement permis de se servir de moi. La possession, c'est comme un viol.

— Justement, Charley...

— Je crains qu'elle n'ait été totalement aspirée par Psenisis.

— En est-elle libérée, à présent ?

— Je n'en sais rien, dit Serena en rangeant ses affaires dans son fourre-tout. Rien du tout... Il faudra que je la voie avant son départ.

286

– Il ne va tout de même pas la poursuivre jusqu'en Angleterre ?

– Je n'en ai aucune idée. Tout cela me dépasse... Je regrette, je n'aurais pas dû intervenir.

– Au contraire, sans quoi on m'aurait déjà transportée à l'hôpital psychiatrique !

– Vous savez, Andy n'avait pas tout à fait tort. Au début, c'était un jeu, pour moi. C'était amusant, romantique, un peu farfelu. Une veuve, fille d'un respectable pasteur... la méditation, les prières à Isis, les rites à la lueur des bougies... c'était mon secret, mais ça n'avait rien de sérieux.

– Mais au cours de ce séjour en Egypte, vous avez découvert que vous aviez les pouvoirs d'une prêtresse.

Serena se mordilla la lèvre.

– Une prêtresse, quel exotisme ! L'idée d'être celle d'Isis m'a séduite.

– Tant mieux ! décréta Anna. Parce que vous êtes mon seul atout.

– Que voulez-vous faire ?

Elles se dévisagèrent, moroses. Anna haussa les épaules.

– Avez-vous la force de recommencer ? Nous ne savons pas si Psenisis suivra Charley jusqu'à Londres. Et s'il s'en prenait à vous ou à moi ? Si le cobra revenait ? Il semble que ma présence ait déclenché toute cette sinistre mascarade. Dans le taxi, j'ai rêvé que c'était organisé par l'agence de voyages, comme un de ces week-ends policiers dans les Cotswolds – et que le dénouement aurait lieu juste avant notre départ !

– J'aimerais bien que ce ne soit qu'un rêve, avoua Serena. Nous devons agir. Je suppose que nous pourrions essayer ce soir, à Philae, comme nous l'avions prévu. Dans le temple d'Isis.

– Si vite ?

– Oui. Ce serait parfait. Nous devons assister au « son et lumière », non ? Nous aurons peut-être un peu de mal, mais nous nous arrangerons pour nous éclipser. J'espère seulement que personne ne nous verra.

– Mais comme Abou Simbel, Philae n'est plus sur son lieu d'origine.

– Je sais. La terre sacrée d'Isis est sous l'eau, mais ça n'a pas d'importance. Après tout, les prêtres sont apparus. Ils étaient aussi à Abou Simbel. Ce sera plus facile pour moi de me concentrer aux abords d'un temple. S'ils veulent que vous leur rendiez le flacon, ce sera l'endroit idéal. Vous vous en séparerez s'ils l'exigent, n'est-ce pas ?

– Bien entendu... Je me demande ce qui se passerait s'il se cassait ?

– Je préfère ne pas le savoir... Sur ce, je vais me reposer, je suis éreintée. A tout à l'heure.

Anna décida de s'allonger, elle aussi, mais au bout de vingt minutes, comprenant qu'elle ne dormirait pas, elle ouvrit le journal. Il ne lui restait plus que quelques pages à lire.

★

★ ★

Louisa s'était enfin assoupie. Quand elle se réveilla, elle contempla le plafond de sa cabine. A bord, tout était silencieux, mais un délicieux arôme s'échappait des cuisines, et au loin, les villageois jouaient de la musique sur la rive.

Tournant la tête, elle vit ses esquisses empilées sur la table, là où Jane Treece les avait posées après les avoir enlevées du lit. Le petit paquet enrobé de satin était là aussi. Louisa ferma les yeux, et une larme roula sur sa joue.

On frappa timidement. Augusta passa la tête dans l'entre-bâillement, une bougie à la main.

– Venez vous joindre à nous pour le dîner, Louisa. Le *reis* me dit que Mohammed se fait beaucoup de souci. Vous tomberez malade, si vous ne mangez pas.

Louisa s'assit. Un vertige l'assaillit. Augusta avait raison. A quoi bon se laisser mourir de faim ? Elle devait rentrer en Angleterre, retrouver ses fils.

– Voulez-vous que je vous envoie Jane Treece ?

– S'il vous plaît, oui. J'arrive dans quelques minutes.

Restée seule, Louisa cacha son visage dans ses mains. Elle entendait toujours la musique, mais elle semblait s'être éloignée.

La bougie diffusait une faible lumière dans la cabine lambrissée. Quand Louisa releva enfin la tête, la silhouette presque transparente était penchée sur la table, la main tendue.

– Hassan ?

Troublée, elle fut incapable tout d'abord de réagir. Puis elle se leva d'un bond, les bras devant elle. Mais l'ombre s'était dissipée.

La porte s'ouvrit derrière elle, et Jane Treece entra avec une bassine et un broc d'eau chaude qui sentait la rose. Louisa se laissa éponger les mains et la figure, habiller et coiffer. En quittant la cabine, elle entendit la servante pousser un soupir d'exaspération en ouvrant les jalousies pour jeter l'eau sale dans le fleuve.

– Quelle histoire ! Tout ça, pour un indigène !

La colère ranima Louisa, qui fonça sur le pont où les autres l'attendaient en buvant l'apéritif. Elle accepta le verre que lui offrait sir John et prit place sur un siège en se tournant légèrement. Ici, le fleuve s'élargissait, et les palmiers qui le bordaient s'agitaient doucement dans la brise du soir.

Les bateaux des Fielding et de Carstairs étaient brillamment éclairés, et Louisa se rendit compte tout à coup que les musiciens étaient à bord du *Scarabée*.

Elle alla s'appuyer contre la rambarde. Sir John l'y suivit.

– Ignorez-les, ma chère. Restez avec nous. Nous allons bientôt passer à table.

– Ils ont organisé une soirée ?

– Rien de grandiose. Ils ont simplement invité quelques musiciens à jouer pour eux. Ils en ont le droit...

– Ils sont avec Roger Carstairs ! Sur le *Scarabée* !

– En effet, marmonna-t-il, visiblement mal à l'aise.

– Je le croyais reparti pour Abou Simbel !

– Il semble que non.

– Pourquoi ?

– Ma chère, je ne sais pas ce qui aurait pu l'y inciter. Il nous a accompagnés, comme les Fielding, jusqu'à aujourd'hui.

– Je lui avais demandé de partir, gronda-t-elle. Il ne m'a pas écoutée.

– Louisa, il sait qu'il ne doit plus se présenter devant nous. Mais je ne peux pas l'empêcher de naviguer près de nous.

– Vous non, mais moi, je le peux ! Mohammed ! lança-t-elle en fonçant vers les quartiers de l'équipage. Appelez le matelot. Je veux une barque immédiatement.

– Louisa, non ! s'écria sir John, sur ses talons.

Elle s'arrêta brutalement et fit volte-face.

– Vous ne m'en empêcherez pas ! Je n'ai pas besoin de vous.

Les hommes avaient abandonné le brasier sur lequel chauffait le repas. Mohammed s'avança, l'air anxieux.

– Si madame Louisa veut traverser la rivière, je prendrai moi-même les rames.

– Merci, Mohammed. Je veux y aller tout de suite.

Elle courut chercher son châle.

Ce fut David Fielding qui l'assista quand elle grimpa sur le pont. Derrière lui, elle aperçut Venetia et Katherine, enfoncées dans d'énormes coussins de soie, qui suivaient mollement le spectacle en sirotant leur thé. Roger Carstairs, assis près d'elles, se leva. Coiffé d'un turban blanc, il portait une djellaba noire avec une large ceinture à franges, au bout de laquelle était suspendu son couteau de chasse.

Katherine lui tendit les bras en souriant, mais Louisa ignora son geste. Elle n'avait d'yeux que pour Carstairs. Le sourire de Katherine s'effaça, et elle posa les mains sur son ventre rebondi.

– Bonsoir, madame Shelley ! proclama Carstairs en s'inclinant profondément.

La musique se tut.

– Bonsoir, lord Carstairs.

Mohammed se tenait juste derrière elle. Lorsqu'elle fit un pas en avant, il en fit autant. Sa présence la réconforta.

– Je vois que vous êtes toujours accompagnée d'un indigène, madame. Il peut rejoindre les autres serviteurs, si vous souhaitez rester un moment avec nous et profiter du divertissement.

– Je ne suis pas venue pour me divertir, rétorqua-t-elle. Quant à Mohammed, il peut rester où il est. Il est l'ami de mon ami... Pourquoi avez-vous renoncé à retourner au temple ?

Carstairs eut un sourire cruel.

– Parce que j'ai appris que la fiole n'y était plus. Vous avez voulu me duper, madame.

– Vous qui étiez prêt à tuer pour obtenir cet objet !

– C'est exact, madame Shelley. Pour finir, c'est le serpent qui a agi pour moi.

Elle rit amèrement.

– Le serpent a agi pour vous ! répéta-t-elle. Avez-vous expliqué à vos amis à quel point vous vouliez mon flacon ? Leur avez-vous dit comment vous avez procédé pour vous en emparer ? Savent-ils que vous êtes un être vile et cruel ?

– Louisa ! s'exclama Katherine, effarée. Je vous en prie...

– Je vais vous raconter ce qui s'est passé ! enchaîna Louisa. Cet homme, qui se prétend votre ami, est un monstre. Il pratique la magie noire. Vous n'êtes pas en sécurité chez lui.

Tous les regards s'étaient tournés vers elle, même ceux des musiciens et des hommes d'équipage. Elle ne savait pas s'ils comprenaient l'anglais, mais ils semblaient terrorisés.

– Vous êtes en danger ! hurla-t-elle. N'en avez-vous pas conscience ?

David Fielding posa une main sur son bras.

– Louisa, nous sommes sensibles à votre souffrance, mais ce qui s'est passé dans le désert était un accident tragique. Cette région est infestée de serpents et de scorpions.

– Non ! insista Louisa avec véhémence. Il ne s'agissait pas d'un accident. Hassan s'y connaissait en serpents et en scorpions. C'était son rôle ! Il devait m'escorter et me protéger. Vous ne comprenez donc pas ? C'est lui, le coupable, lui qui a tué Hassan aussi sûrement que s'il avait plongé sa lame dans son cœur.

Carstairs hocha la tête lentement.

– Vous vous laissez entraîner par votre imagination, madame.

– Vraiment ? Dans ce cas, vous ne voulez plus de mon flacon ?

Il se raidit soudain, une lueur de méfiance dans les prunelles.

– Vous savez que j'y tiens énormément. Je vous ai proposé de vous l'acheter. J'ai précisé que votre prix serait le mien.

– Très bien ! Mon prix, c'est Hassan ! Vous qui êtes si puissant, ressuscitez-le donc ! Alors, lord Carstairs ? En êtes-vous capable ?

– Vous savez bien que non. On ne ramène pas les morts parmi les vivants.

– Et les prêtres qui veillent sur la fiole ? Je les ai vus. Ils ont du pouvoir. N'étaient-ils pas morts, eux aussi ?

Carstairs baissa le nez. Immobile comme une statue, il paraissait avoir cessé de respirer.

– Ces prêtres ne sont pas des êtres vivants. Ils sont morts, bien qu'ils errent sur cette terre.

Un gémissement fusa derrière eux ; les hommes avaient les yeux ronds. Certains d'entre eux suivaient sans peine la conversation.

– Ainsi, vous ne pouvez pas me payer ce que j'exige.

– Je vous ai offert de l'argent, Louisa. Autant que vous voudrez.

– L'argent ne me serait d'aucune utilité.

– Vous préférez peut-être des bijoux. Des terres. J'étais prêt à vous donner mon titre et mon nom !

Un cri s'échappa des lèvres de Venetia.

– Roger ! Vous m'aviez demandée en mariage !

Il feignit de ne pas l'entendre.

– Madame Shelley ? Que voulez-vous ?

– Rien, lord Carstairs. Sinon la vengeance.

Secouée de sanglots, Venetia s'était jetée dans les bras de Katherine. Cependant, les dernières paroles de Louisa, tranchantes comme un couperet, captèrent leur attention.

Un grand silence tomba sur l'assemblée. Louisa soutint sans ciller le regard de lord Carstairs.

– J'ai le flacon avec moi, prononça-t-elle enfin, tout bas, en sortant le paquet de sa poche.

Une expression de triomphe illumina son visage.

– Vous allez me le donner !

Elle réfléchit un instant.

– Non ! Non, je vais le donner aux dieux que vous prétendez servir. Vous ne le reverrez plus jamais, lord Carstairs.

D'un mouvement preste, elle lança la bouteille le plus loin possible dans l'obscurité. Tout le monde retint son souffle en attendant sa chute dans l'eau.

– Non ! rugit Carstairs en se ruant vers la rambarde. Vous rendez-vous compte de ce que vous venez de faire ?

Il se retourna vers elle, ivre de rage, et la secoua violemment par les épaules.

– Lâchez-la ! intervint David Fielding en le saisissant par le bras, tandis que Mohammed brandissait son couteau.

292

– Non ! hurla Katherine. Non ! Vous allez vous blesser ! David, attention ! Roger, laissez-la tranquille ! A quoi bon ? Le flacon a disparu à jamais. Pour l'amour du ciel, cessez ! Cette histoire a assez duré. Louisa, ajouta-t-elle en venant vers elle, vous devriez partir maintenant. Vous avez...

Elle se tut brusquement et se plia en deux.

– Kate ? Mon amour, qu'avez-vous ? s'affola David.

Elle se redressa, blanche comme un linge, et alla se rasseoir sur les coussins.

– Ça va... Partez, Louisa !

Celle-ci s'adressa à Mohammed.

– Pouvez-vous m'aider à descendre dans la...

Elle fut interrompue par un cri déchirant. Katherine se tordait de douleur.

– Mon bébé ! Mon bébé !

Elle tenta de se relever. Pivotant sur elle-même, Louisa aperçut, horrifiée, la tache de sang qui s'agrandissait sur la jupe de Katherine. L'espace d'un éclair, personne ne bougea. Puis Venetia porta une main à son front et s'évanouit.

– Vite ! Transportez-la dans une cabine ! ordonna-t-elle en écartant Carstairs de la main.

– Il faut retourner au *Lotus* ! dit David. C'est là-bas qu'elle devrait être.

– Nous n'avons pas le temps. Descendez-la, David. Lord Carstairs, dites à vos hommes de quitter le bateau. Mohammed, pouvez-vous aller me chercher lady Forrester ? Venetia, reprenez-vous ! Je vais avoir besoin de votre aide. Bougez !

Les matelots se dispersèrent comme des hirondelles affolées. Pour finir, Carstairs bouscula David, cloué sur place, et transporta lui-même Katherine jusqu'au divan du salon.

Venetia frappée de stupeur semblait changée en statue.

– Faites bouillir de l'eau ! lui lança Louisa. Et trouvez-moi des draps propres.

Katherine geignit, tandis que David s'approchait.

– Que dois-je faire ?

– Accompagnez Venetia.

Louisa entreprit d'installer Katherine plus confortablement, tout en lui murmurant des paroles de réconfort. Non sans mal, elle parvint à l'asseoir pour dégrafer sa robe et la lui enlever, avant de lui caler le dos contre les coussins. La frayeur de Katherine était contagieuse, Louisa, elle, avait du mal à dissimuler son angoisse.

— Tout va bien, Katherine.

— Et le bébé ? Je ne devais pas accoucher avant deux mois ! sanglota-t-elle. C'est la faute de David. Il n'a pas voulu m'écouter. C'est lui qui a tenu à faire ce voyage. Je l'ai supplié de le remettre à plus tard, mais il voulait emmener Venetia. Il espérait lui trouver un mari.

Elle s'interrompit, grimaçant de douleur. Louisa lui prit les mains. La contraction suivante fut encore plus forte et Katherine, à l'agonie, poussa un hurlement.

— Voici les draps, annonça Venetia en prenant soin de ne pas regarder sa belle-sœur.

— Gardez-les pour tout à l'heure. Apportez-moi une bassine d'eau et une éponge.

Louisa leva les yeux vers elle et fut soudain envahie par un flot de pitié. Ce n'était pas un spectacle pour une femme non mariée, surtout si le bébé risquait de mourir. Elle se mordit la lèvre. Haletante, Katherine s'était calmée entre deux spasmes, mais elle transpirait abondamment.

— Tout ça, c'est à cause de vous ! s'écria-t-elle soudain. Si vous n'aviez pas agressé Carstairs, ce ne serait jamais arrivé ! Pourquoi avez-vous fait cela ?

Louisa perçut un mouvement derrière elle. Mohammed hésitait sur le seuil.

— Lady Forrester a refusé de se déplacer, sitt Louisa. Elle dit qu'elle n'y connaît rien. Mais ce n'est pas grave ! J'ai amené quelqu'un du village.

Derrière lui, une femme voilée scrutait anxieusement la cabine. Elle avait des yeux noirs, immenses. Son regard se posa sur Katherine, et elle fronça les sourcils.

Louisa lui sourit. Hassan lui avait expliqué que les villageoises avaient de grandes connaissances en matière de médecine et d'obstétrique. Mohammed lui chuchota quelques mots, et elle vint s'incliner devant Louisa.

— Parlez-vous anglais ?

Elle haussa les épaules et posa son panier sur la table. Katherine agrippa le bras de Louisa.

– Je ne veux pas qu'elle me touche ! Mon Dieu, je vais mourir, et vous m'amenez une indigène ! Où est David ? Seigneur, ayez pitié de moi !

La femme avait fermé la porte. Elle ôta son châle et son voile. Elle était plus âgée qu'au premier coup d'œil et comprit immédiatement la gravité de la situation. Elle posa une main fraîche sur le ventre de Katherine. Cette dernière se rétracta, mais la femme hocha la tête en souriant.

– Bien ! Bien ! Le bébé bien ! *Inch'Allah !*

– Chassez-la ! souffla Katherine.

Mais les contractions reprenaient de plus belle, et elle n'eut pas la force d'insister.

Quand la porte s'ouvrit quelques minutes plus tard, les femmes se redressèrent. En silhouette contre le ciel, le personnage se fondait dans la nuit. Ce fut la villageoise qui le reconnut la première, et elle gémit en se cachant le visage.

– Roger ? Est-ce vous ? Qu'y a-t-il ? s'enquit Venetia, visiblement soulagée de voir que l'indigène remettait précipitamment son voile.

– Je vous apporte de l'aide. J'ai invoqué le prêtre de Sekhmet. C'est la déesse de la guérison, et grâce à lui, nous allons secourir la malade !

– Eloignez-le d'ici ! supplia Katherine. Ne le laissez pas entrer !

– Vous l'avez entendue ? N'avancez pas ! Allez-vous-en, avec vos pratiques occultes. Votre présence est indésirable !

– Croyez-moi, madame, seule la magie pourra la sauver.

– La vôtre ne peut rien pour elle ! Elle est destructrice, assassine !

– Renvoyez-le, je vous en prie, David !

Le cri de Katherine fut si perçant que la villageoise en oublia sa frayeur. Elle plaça la main sur le ventre de Katherine et donna des ordres incompréhensibles à Louisa, qu'elle illustra de grands gestes. Tout doucement, elle hissa Katherine sur ses pieds et lui fit signe de s'accroupir.

Ce fut Venetia qui poussa Carstairs hors de la pièce, jusqu'à la proue, où s'était réfugié David. Au bout d'un moment, les deux hommes entendirent clairement le vagissement du nouveau-né.

– Qu'est-ce que c'est ? C'est mon bébé ? s'enquit David, tremblant.

Carstairs haussa les épaules et s'éloigna vers la poupe. Là, il leva les bras vers le ciel.

Quand David fut autorisé à entrer dans le salon, tout était en ordre. La femme du village avait remballé ses onguents, et Katherine tenait le bébé minuscule entre ses seins.

– Ne t'inquiète pas, David, chuchota-t-elle en caressant la petite tête. Il est tout petit mais, d'après Mabrouka, il est en bonne santé.

Elle sourit à la villageoise, qui s'inclina.

– Il faut lui donner quelque chose, David, ajouta Katherine d'une voix faible. Elle m'a sans doute sauvé la vie.

Louisa s'était éclipsée discrètement. Elle aspira une grande bouffée d'air frais. Les premières lueurs du matin ne tarderaient pas à éclairer l'horizon.

Un bruit derrière elle la fit se retourner. Carstairs la toisait, les bras croisés. Un sentiment de haine la submergea.

– Vous ne demandez pas de leurs nouvelles ?

– Je suppose que vous allez m'en donner.

– Tous deux vont bien.

– *Inch'Allah !* railla-t-il.

– A présent, je m'en vais.

– Je vous en prie.

Il se détourna.

Mohammed l'attendait, assis en tailleur près du cordage enroulé de la barque. Il se leva d'un bond en l'apercevant.

– Sitt Fielding ?

– Grâce à vous, elle va bien, ainsi que son petit garçon. Pourriez-vous me ramener à l'*Ibis*, puis revenir chercher Mabrouka, s'il vous plaît ? Je suis épuisée.

Il tira sur l'embarcation pour la rapprocher de la coque, puis soudain, émit un cri. Un énorme serpent était enroulé près de la corde. Quand Mohammed bougea, il se mit à siffler et se dressa sur la queue en se balançant d'un côté vers l'autre.

– Non ! gémit Louisa, avant de pivoter en direction de Carstairs. Rappelez-le ! Etes-vous cruel au point de vouloir encore tuer un innocent ?

Carstairs esquissa un sourire.

– Ce n'est pas moi qui l'ai invoqué, madame, je vous assure.

Le cœur serré, elle fit un pas vers le cobra.

– Descendez dans la barque, Mohammed.

– Non, madame ! Je ne partirai pas sans vous !

– Descendez ! Il ne me touchera pas.

Elle tapa du pied tout en ramassant le parasol de Venetia qui gisait sur un fauteuil. Le serpent avait maintenant les yeux sur elle.

– Rappelez-le, lord Carstairs ! A moins que vous ne souhaitiez ma mort, afin que je puisse rejoindre Hassan ?

– Ce n'est pas moi qui l'ai fait venir !

– Je vous en prie, sitt Louisa. Venez, chuchota Mohammed, depuis l'échelle.

– Vos pouvoirs s'affaiblissent, lord Carstairs. Alors ? Allez-vous m'expédier au paradis avec Hassan ?

Carstairs lança un sifflement. Comme le serpent se tournait vers lui, Louisa se précipita dans la barque. Mohammed se mit à ramer de toutes ses forces.

Derrière eux, le rire amer de Carstairs résonna dans la nuit.

A mi-parcours, Mohammed posa sa rame et fouilla dans sa poche.

– Sitt Louisa, j'ai quelque chose pour vous, dit-il en lui remettant un petit paquet emballé de satin. En allant chercher lady Forrester, je l'ai aperçu qui flottait à la surface de l'eau. L'étoffe dans laquelle vous l'aviez enveloppé s'est gonflée d'air.

Louisa palpa le tissu humide en esquissant un sourire triste. Ainsi, le serpent était plus malin qu'ils ne l'avaient cru. La fiole était dans la barque. Les dieux ne l'avaient pas réclamée.

XIV

Délivre-moi de ces esprits-gardiens
Armés de longs couteaux
Et dont les doigts font terriblement mal !

*L*E *sage prend une feuille de papier. Il y inscrit le nom des deux prêtres, Amenanhotep et Psenisis, et raconte leur histoire. Puis il ajoute une mise en garde pour le marchand et pour les hommes de Louxor. C'est la légende de deux esprits maléfiques qui s'entretueront s'ils le peuvent et massacreront quiconque touchera la fiole sacrée. Les mains qui la profanent seront réduites en poussière ; celles des prêtres sont maculées de sang.*

Quand il termine le texte, le soleil s'est couché et l'obscurité a envahi la maison du commerçant. Le sage salue et sort. Le marchand réfléchit à ce qu'il vient d'apprendre. Il détient un trésor de l'ère ancienne. Faut-il le rendre à ses propriétaires d'antan, ou le revendre pour une somme considérable ?

Il étudie longuement les mots écrits. Les prêtres s'impatientent. Ils se nourrissent de sa force de vie et de celle de ses fils et de ses femmes et de ses serviteurs. Depuis qu'ils ont franchi les ténèbres de leur tombe, ils sont plus puissants que jamais.

★

★ ★

Plusieurs bateaux s'étaient rangés le long du quai pour transporter les touristes au spectacle de son et lumière dans l'île de Philae. Les passagers du *White Egret* rejoignirent les queues interminables en maîtrisant avec peine leur excitation.

Anna et Serena s'installèrent à la poupe. Andy ne tarda pas à venir s'asseoir à côté d'Anna. Elle fronça les sourcils quand il posa un bras sur ses épaules.

– Sans rancune, j'espère ? Avez-vous apporté un châle ? Il paraît que le vent du désert est glacial.

Elle s'écarta imperceptiblement.

- Merci, Andy, j'ai tout prévu.

Elle observa Serena à la dérobée. Dans son sac, elles avaient rangé le journal et le flacon. Celui de Serena contenait les statuettes, la clochette, l'encensoir et les bougies. Ni l'une ni l'autre ne savait comment elles s'arrangeraient pour s'éclipser jusqu'au petit temple isolé, ni même si ce serait possible. Anna chercha Toby du regard et l'aperçut un peu plus loin devant. Il bavardait avec le barreur. Tous deux riaient et gesticulaient comme s'ils se connaissaient depuis toujours, et elle se rendit compte pour la première fois que Toby parlait l'arabe. Elle ne comprenait toujours pas ce qui s'était passé à Abou Simbel, mais ne s'en inquiétait plus. Toby avait ses raisons et, le moment venu, il lui en ferait part. C'était l'essentiel.

– Alors ? Vous me pardonnez ? insista Andy. C'était pour votre bien, vous savez.

A quoi faisait-il allusion, au journal, à la fiole ou à Toby ? Peu importait. Elle s'en fichait éperdument. Elle se dégagea de son étreinte tandis que les embarcations quittaient la rive.

Le site somptueusement éclairé reflétait toute sa beauté dans les eaux du Nil. Non loin se dressait le kiosque de Trajan si joliment décrit par Louisa, avec ses colonnes délicates, presque éthérées, en silhouette contre le bleu nuit du ciel. Il contrastait

299

nettement avec la sévérité du temple. Anna retint son souffle devant tant de beauté magique.

– Est-ce grave que le monument ne se trouve plus sur son lieu d'origine, mais sur l'île d'Agilkia ? chuchota-t-elle à son amie.

– C'est l'île de Bigga consacrée à Osiris qui était vraiment spéciale. Je crois qu'elle est par là. A mon avis, ce sera comme à Abou Simbel. Malgré le déplacement, il y régnait encore une atmosphère sacrée.

– J'ai peur, avoua Anna.

Serena ébaucha un sourire.

– Je suis convaincue que la déesse est toujours là. Elle viendra. Nous n'avons rien à craindre.

– Pensez-vous qu'elle chassera le prêtre ?

– Qui sait ce qu'elle fera ?

A l'approche du débarcadère, les voyageurs se levèrent. Enjambant les sièges, ils se précipitèrent à la proue pendant que l'équipage achevait la manœuvre. Une forte odeur de pétrole leur portait au cœur, et le bruit des machines était infernal.

Anna et Serena patientèrent alors qu'Andy se faufilait dans la foule.

– Il va nous chercher, murmura Anna avec dépit.

Serena la dévisagea d'un air perplexe, et elle dut répéter ses paroles plus fort pour dominer le ronronnement des moteurs.

– Où est Toby ?

Anna eut un geste vers le groupe devant eux.

– Si Andy nous voit avec lui, peut-être qu'il nous laissera tranquilles, suggéra Serena.

Elles franchirent la passerelle. Arrivée la première sur le quai, Serena se mit à l'écart pour attendre Anna. Elle constata avec irritation qu'Andy en faisait autant.

– Nous devons nous débarrasser de lui, sans quoi notre projet n'aura aucune chance de réussir, grommela Serena.

– Venez, toutes les deux ! Il faut se placer devant ! lança Andy.

– Allez-y, répliqua Anna. Je vais m'asseoir avec Toby.

Il s'assombrit.

– Vous plaisantez ?

– Pas du tout.

– Vous ne croyez tout de même pas ce qu'il vous a raconté ?

– Cela ne vous concerne pas. Suivez les autres, Andy, s'il vous plaît.

Elle crut un instant qu'il allait refuser, mais soudain, Toby fut là, au bord du chemin. Andy lui jeta un coup d'œil haineux et pivota sur ses talons. Quelques secondes plus tard, il s'était fondu dans la foule. Toby se rapprocha des deux femmes.

– C'est moi qui lui ai fait peur ?

– Oui, acquiesça Anna en riant. Et ça tombe bien, car nous devons nous échapper pendant le spectacle. Nous avons l'intention de rappeler les prêtres dans le sanctuaire.

– Impossible ! Regardez tous ces éclairages ! Sans compter tous ces hommes chargés de nous placer. Pourquoi ne pas vous contenter d'un endroit près du temple. Par là, par exemple, précisa-t-il en indiquant un coin sombre près du kiosque.

Serena était de plus en plus agitée.

– Vous venez avec nous ?

– Seulement si vous y tenez. C'est une affaire de femmes, non ? Mais si vous voulez, je peux vous aider à trouver un lieu propice et monter la garde.

– Nous devons agir très vite. Une fois que tout le monde sera assis, nous ne pourrons plus bouger, déclara Serena. Cette île est plus petite que je ne l'avais imaginé et, avec tous ces projecteurs, nous aurons du mal à nous isoler !

– Ne vous inquiétez pas. Venez par ici, répondit Toby en les entraînant derrière des buissons. Vous voyez ? La lumière ne vient pas jusque-là. Personne ne vous remarquera au bord de l'eau.

Ils longèrent le sentier jusqu'à une rangée d'arbres juste en dessous du kiosque de Trajan. Toby s'accroupit dans le noir.

– Une fois le « son et lumière » lancé, vous disposerez d'environ une heure, selon moi. Je remonte surveiller les alentours. Je viendrai vous retrouver à la fin. Bonne chance, et faites attention !

Avant de disparaître, il effleura les lèvres d'Anna d'un baiser. Serena s'agenouilla dans le sable.

– J'allumerai la bougie tout à l'heure, en même temps que l'encens, murmura-t-elle pour elle-même, avant de reprendre son souffle en se mordillant la lèvre. J'ai apporté une étole en guise d'autel.

Les mains tremblantes, elle disposa la statuette, le bougeoir, l'encensoir et la clochette. Pendant ce temps, Anna sortit de son sac le flacon et le déposa aux pieds d'Isis. Soudain, elle se raidit. Au-dessus d'elles, quelqu'un avait éclaté de rire.

– Ils ne peuvent pas nous voir, la rassura Serena. Attendons le début du spectacle. Ce ne devrait pas être long, maintenant.

Elle marmonna un juron tandis que les allumettes tombaient en cascade sur ses genoux.

– Doucement, Serena. Prenez votre temps. Toby a raison, nous ne craignons rien ici... Ecoutez ! C'est le début !

L'île fut soudain plongée dans l'obscurité. Toutes deux retinrent leur souffle.

Il n'était pas facile d'ignorer le bruit, les voix désincarnées et la musique qui résonnait sur l'eau, les jeux de lumières évoquant l'histoire du site. Côte à côte sur la plage, Anna et Serena se concentrèrent pourtant sur le carré de satin pâle étalé devant elles. Serena dut s'y prendre à trois reprises pour allumer la bougie et l'encens.

- O toi, Isis, je t'invoque ! chuchota-t-elle. Ecoute-moi, ici dans ton île, près de ton temple, entends-moi et viens à notre secours. Appelle tes serviteurs Amenanhotep et Psenisis. Qu'ils se présentent devant nous pour régler leur différend et décider de l'avenir de la fiole sacrée qui contient tes larmes.

Elle se pencha, ramassa le flacon et le brandit vers le ciel indigo. Anna eut un frisson.

– Isis, envoie-nous tes serviteurs ! Protège-nous, veille sur nous ! Qu'ils viennent nous parler ici, maintenant, sur ta terre sacrée !

La voix de Serena s'amplifiait. Au-dessus, la musique marqua une pause, et les éclairages diminuèrent. Une légère brise caressa la joue d'Anna, et la flamme vacilla. Elle posa la main sur son amulette.

Serena avait fermé les yeux. Posant la fiole, elle écarta les bras.

Sur l'autre rive, un oiseau poussa un cri. L'air sentait le parfum du désert mêlé de myrrhe et de miel.

Une lueur apparut sur la plage à quelques mètres devant elles. Anna jeta un coup d'œil vers le temple. D'immenses arcs de lumière balayaient le ciel.

La lueur se rapprocha, révélant une silhouette. Anna osait à peine respirer. Serena avait baissé les bras pour les mettre en croix sur sa poitrine. Agenouillée, tête baissée, elle attendait.

C'est à moi de parler, songea Anna. Elle avait la gorge sèche. Le moment était venu pour elle d'exprimer sa requête. Elle leva les yeux vers l'ombre qui continuait d'avancer.

Serena ouvrit brusquement les yeux.

– Traître ! hurla-t-elle.

Autour du temple, la musique allait crescendo et sa voix fut noyée dans la cacophonie.

– Les larmes d'Isis appartiennent au jeune roi. Elles lui sauveront la vie !

Anna hurla. Une douleur intense l'assaillit à la tête. Un étau se resserrait autour de ses poumons. Son corps était brûlant. Tout à coup, elle fut debout.

– Elles appartiennent aux dieux ! Les larmes appartiennent aux dieux et je veillerai à ce qu'elles ne reviennent à personne d'autre ! proclama-t-elle malgré elle.

Serena se redressa. La bougie s'éteignit.

– Anna, soyez forte ! Pensez à la lumière ! O Isis, protégez Anna. Donnez-lui des forces ! Anna ! Anna ! M'entendez-vous ?

Mais Anna était très loin. Elle observait le soleil qui jaillissait de la nuit, énorme boule de feu dans un océan d'éternité. Elle voyait les falaises dorées, l'entrée du temple, secrète, antre de la déesse sur la terre.

Lentement, elle s'en rapprocha, dérivant dans le vent brûlant, attentive aux chuchotements du sable. Dans ce lieu caché se trouvait le secret de l'éternité, gardé uniquement par les deux prêtres dévoués à leurs dieux jusque dans l'au-delà. Elle sentait la présence du chacal et du lion sacré du désert. Et, à ses pieds, les serpents, le cobra, l'aspic et la vipère. Dans sa main, elle tenait un couteau à lame d'or.

– Anna !

Une voix lointaine résonna dans le silence.

– Anna, pour l'amour de Dieu !

Pour l'amour de Dieu. Le Dieu unique, dieu de tous les dieux. C'était si simple. Quelques gouttelettes dans un minuscule flacon scellé, maculé par le sang d'un ami.

– Anna ? M'entendez-vous ? Par pitié, répondez !

Elle sourit en hochant la tête et contempla le fleuve devant elle. Ces eaux fraîches qui donnaient la vie, nourrissaient les lotus et désaltéraient la lionne...

– Anna !

Un jet glacé lui aspergea la figure. Serena tremblait de tous ses membres.

– Vous ne vous êtes pas protégée ! Il vous envahissait. Psenisis était en vous ! J'ai reconnu son visage dans le vôtre. J'ai vu ses traits, sa haine. Vous m'auriez tuée, Anna !

Serena la bouscula si violemment qu'Anna trébucha et tomba.

Derrière elles, l'autel improvisé était dispersé, bougie et encensoir retournés, statuette gisant sur le côté.

Anna frotta ses joues ruisselantes. Un frémissement la parcourut.

– Qu'est-ce que j'ai fait ?

Elle regarda autour d'elle, désemparée. Serena la saisit par le bras et l'entraîna dans l'ombre.

– Vous étiez Psenisis ! Il vous a possédée, Anna !

– Il s'est servi de ma voix ? Comme Amenanhotep de la vôtre ?

Le sable. Le vent du désert. Le soleil éclatant. Ces images hantaient son esprit. Pourtant, le ciel au-dessus de sa tête était noir et constellé d'étoiles.

– Il voyait à travers mes yeux... Le temple. C'était le temple où Amenanhotep l'a trahi. Caché quelque part à l'ouest dans la falaise. Amenanhotep voulait les larmes sacrées pour guérir le jeune pharaon. Mais c'était un sacrilège. Rien ne pouvait le sauver. L'histoire était déjà écrite. C'était Amenanhotep, le traître.

Elle se tut, abasourdie. Elle ne comprenait rien à ce qu'elle racontait.

– Non, Anna. Ce n'est pas vrai. Ils se sont querellés. Il y a eu un meurtre, qu'il a fallu dissimuler.

Elle baissa les yeux, poussa une exclamation de désarroi et tomba à genoux.

– Le flacon ? Où est-il ? Il a disparu !

– Oublions ça. Les prêtres s'en sont emparés. Ça n'a aucune importance. Au contraire. Tant de personnes sont mortes...

Serena cessa momentanément de fouiller dans le sable.

– Comment cela ?

– Hassan n'était pas le seul. Au fil des siècles, des dizaines d'hommes sont morts parce que cette fiole contenait une substance à laquelle ils ne devaient pas toucher. Laissons-la aux dieux.

Elle se détourna. La musique s'était tue, on avait rallumé les projecteurs. Les applaudissements crépitaient.

– Le spectacle est fini. Nous devons remonter. Abandonnons tout ça ici.

Un homme surgit entre deux palmiers. C'était Toby.

– Comment s'est passée votre séance ?

Serena haussa les épaules.

– Nous avons perdu le flacon, murmura-t-elle en ramassant la statuette.

Elle rangea toutes ses affaires dans son sac. Elle en aurait peut-être encore besoin.

– Anna ? Ça va ? s'enquit-il en lui effleurant l'épaule.

Elle opina, le regard vague. Perplexe, Toby s'adressa à Serena.

– Il faut y aller. Vous avez tout ?... Tenez ! Le voilà, votre flacon ! Il a roulé entre deux pierres... Anna ?

Elle semblait ne pas l'avoir entendu. Il confia l'objet à Serena.

– Je m'en occupe, promit-elle. On y va, Anna ?

Anna pivota lentement vers eux, et quand Toby lui tendit la main, elle la prit.

Andy les guettait près de l'embarcadère.

– Qu'en avez-vous pensé ? C'était fabuleux, non ?

– Fabuleux, répéta mollement Anna.

Elle se frotta le visage dans l'espoir d'émerger de sa torpeur. Elle se sentait étrangement distante. Déconnectée.

– Sauf que vous n'avez rien vu, lui murmura-t-il à l'oreille.

Elle recula d'un pas. Il empestait l'alcool.

– Andy !

– Vous êtes allée vous cacher dans les buissons avec votre amant, je suppose ! Vous ne voulez pas croire que c'est un escroc.

Lâchant Anna, Toby fonça sur lui.

– Andy, j'en ai par-dessus la tête ! Qu'essayez-vous de dire, au juste ?

– Que vous êtes un menteur et un assassin, et que vous ne devriez pas harceler les femmes honnêtes.

Andy extirpa une bouteille de son sac et but au goulot. Anna revint brutalement sur terre.

– Toby, non ! Ne le frappez pas ! supplia-t-elle en le rattrapant par la manche. C'est exactement ce qu'il veut...

Elle s'interrompit et posa les doigts sur ses tempes. Elle se sentait de nouveau partir. Autour d'eux, la foule avait grossi. On chuchotait en observant Andy qui agitait sa bouteille. Ben l'entraîna doucement à l'écart, puis Omar s'interposa entre les deux adversaires en gesticulant dans tous les sens. Mais en même temps, elle voyait le soleil éclatant, le désert rougeoyant. Les voix s'estompèrent.

Ses pieds se dirigeaient lentement vers les bateaux. Sur le fleuve, d'autres arrivaient pour déverser leurs flots de touristes juste avant le début du deuxième spectacle. Serena était invisible. Toby aussi. Elle scruta les alentours, affolée. Ses yeux ne se fixaient sur rien. Elle voyait des dunes, le sable porté par le vent lui piquait les joues, le ciel était d'un bleu limpide. Puis Andy fut de nouveau à ses côtés. Il lui souriait.

– S'il vous plaît ! annonça Omar en tentant de rassembler son troupeau. Dépêchons-nous de monter à bord. Le cuisinier nous a préparé un repas exquis. Ibrahim sera furieux contre moi si nous sommes en retard !

Anna s'attarda en s'efforçant de reprendre ses esprits.

– Où est Toby ?

Andy s'esclaffa.

– Interpol a dû l'emmener, ainsi que Serena.

Il la saisit par le bras.

– Savez-vous que Charley est rentrée en Angleterre ? ajouta-t-il. Elle n'en pouvait plus. Aussi suis-je libre de vous accorder toute mon attention, ma chérie. A vous et à votre journal... Ne me dites pas que vous l'avez avec vous ?

Elle tenta de s'écarter.

– Fichez-moi la paix, Andy !

Elle avait un mal fou à se concentrer. Ils descendaient lentement les marches menant à l'embarcadère, où le premier bateau à moteur venait d'accoster. En face, les énormes rochers de l'île de Bigga, que les projecteurs d'Agilkia ne pouvaient atteindre, se dessinaient dans la nuit.

– Anna ! s'écria Serena en apparaissant subitement à ses côtés. Ça va ?

– Bien sûr que ça va ! répliqua Andy à sa place. Je m'occupe d'elle.

Serena eut une moue de dédain.

– Quelle mouche t'a piqué de venir avec une bouteille de vodka ?

– Il fait froid, éluda-t-il. L'idée me semblait bonne. Je l'ai passée à Ben. Si tu en veux, adresse-toi à lui.

– Sais-tu à quel point tu choques les Egyptiens, dans cet état ? explosa-t-elle, scandalisée. Espèce d'idiot !

L'homme qui supervisait l'embarquement leva la main. Le bateau était plein. Il fit marche arrière le long du quai, tandis qu'un autre venait prendre le relais.

Anna aperçut alors Toby. Elle lui sourit.

– Andy a décidé de nous faire honte.

– Quelle surprise ! grommela-t-il. Si ça l'amuse de se ridiculiser, qu'il le fasse ailleurs, où il ne risque pas de tomber à l'eau.

Il propulsa Andy loin du bord, vers Ben.

– Pouvez-vous le surveiller, Ben ? Il est ivre, et il nous ennuie sérieusement. Quant à vous, Anna, reprit-il en se retournant vers elle, vous n'avez pas l'air dans votre assiette. Que s'est-il passé sur la plage ? murmura-t-il à son oreille.

– C'était très étrange.

On détacha la chaîne devant la passerelle afin que les passagers puissent avancer. Ils se faufilèrent parmi les sièges, jusqu'à la poupe. Serena, Anna et Toby prirent place tout au fond dans le coin.

– Je suis fatiguée. Je me sens bizarre.

Elle leva les yeux. Andy venait vers eux avec un sourire radieux. Il s'installa à l'opposé. Ben était sur ses talons.

– Il faut qu'il se restaure, commenta ce dernier. Il ira beaucoup mieux une fois qu'il aura avalé quelque chose. Qu'avez-vous pensé du spectacle, mesdames ? Cela vous a plu ?

– C'était remarquable, déclara Anna.

– Faux ! gronda Andy en se penchant vers elle et en lui frôlant les genoux. Elle n'a rien vu, la vilaine. Elle flirtait avec notre ex-détenu.

Toby se raidit, et Anna se cramponna à lui.

– Je vous en supplie, ignorez-le.

Mais Andy était intarissable. Haussant le ton pour dominer les conversations et le ronronnement des machines, il enchaîna :

– Avez-vous apporté votre joli petit flacon ? Vous ne vous en séparez jamais, semble-t-il.

– Oui.

Elle sourit. Le bateau avait démarré. Derrière eux, le temple illuminé se dressait de toute sa taille.

– Vos prêtres se sont-ils manifestés dans l'île d'Isis ?

– Oui.

– Pas possible ! Alors ça marche ! Vous l'avez frotté une fois, deux fois, et hop ! le génie a surgi !

Renversant la tête, il rit aux éclats.

– En effet.

– Et ensuite ? A votre avis, vont-ils se montrer devant nous ? Allez-vous leur demander de se présenter au bal du commandant, juste avant notre arrivée à Louxor ? Vous entendez ça, tous ? Les fantômes de l'Egypte ancienne vont nous faire un tour de magie !

Il se leva en ondulant des hanches.

– Asseyez-vous, Andy. Vous êtes odieux ! intervint Ben.

– Ils ne reviendront plus, Andy. Pour la simple raison que j'ai laissé la fiole sur la plage. Elle est enterrée dans le sable. Disparue à jamais. Dieu merci pour vous, personne ne la reverra plus. N'en parlons plus, je vous en prie.

Elle avait de nouveau la migraine. Un voile s'épaississait devant ses yeux. Elle cligna désespérément les paupières.

– Je savais bien que vous finiriez par la perdre ! De toute façon, c'était un faux.

– Non, Andy, lança Serena. C'est toi qui es factice. Tu n'es qu'un crétin obstiné et stupide ! Tu ne peux pas savoir combien j'en ai assez de tes opinions et de tes railleries.

Elle plongea la main dans son sac en continuant :

– Si tu veux tout savoir, Anna n'a pas perdu le flacon. Je l'ai ramassé. Tu peux nous prouver l'étendue de ton ignorance, si ça t'amuse. Tu n'y connais rien en matière d'antiquités. Cette fiole a plus de trois mille ans !

– Serena ! Je l'avais rendue aux dieux ! s'écria Anna, outragée. Donnez-moi ça !

– Pourquoi ? Vous n'en vouliez plus. Je vais m'en occuper.

– Non, Serena. Cette bouteille a provoqué la mort de dizaines de personnes, voire de centaines...

– Parce qu'elles ne savaient pas de quoi il s'agissait. Nous sommes au courant. Nous traiterons cet objet avec tout le respect qu'il mérite.

– Trois mille ans, ça ? marmonna Andy en se laissant choir lourdement.

– Oui, Andy, trois mille ans, ça. Si je te le confie, sais-tu ce qui se passera ?

– Quoi ? Fais voir...

– Un cobra apparaîtra ici même sur ce bateau. Un serpent venimeux, mortel. Et il te tuera !

– Ça suffit ! décréta Anna en récupérant son bien.

– Montrez-moi ! glapit Andy. Allez ! Je veux voir le serpent. Pas vous ? s'enquit-il auprès de ses voisins. Ce serait drôle, non ?

Il se remit debout, chancelant, la main tendue.

– Andy, vous êtes grotesque !

– Rendez-le-moi, Anna ! insista Serena.

– Non, Serena, je regrette, mais ce flacon appartient à une autre ère, à un autre peuple. Louisa l'avait jeté dans le Nil. Maintenant, c'est mon tour !

Elle se leva, face à l'eau.

– Non ! hurla Serena. Non !

Andy se rua sur Anna à l'instant précis où elle prenait son élan.

– Du calme ! Je l'ai !

Mais il rata son bras, perdit l'équilibre et, tandis qu'elle se rasseyait, s'agrippa à la rambarde. Là, il tituba un instant, avant de basculer par-dessus bord.

– Andy !

Le cri de Serena fut repris par les autres passagers. Les hommes d'équipage pivotèrent vers eux, comprenant qu'il se passait quelque chose de grave.

– Vous l'apercevez ?

Toby et Ben scrutaient l'obscurité.

– Une lampe électrique ! Qui a une lampe électrique ?

Toby ôta ses chaussures et se hissa sur un siège. Alors que plusieurs faisceaux apparaissaient simultanément, il plongea.

Ben se plia en deux pour détacher l'une des bouées de sauvetage suspendues sur le côté.

– Tenez, Toby ! aboya-t-il alors que la tête de ce dernier émergeait.

Deux autres bouées suivirent. Un Egyptien sauta à son tour.

– Andy ! Andy, où es-tu ? gémit Serena.

Soudain d'autres bateaux surgirent du noir et les encerclèrent, tous les voyageurs se tordant le cou pour voir la scène. Une vedette arriva à toute vitesse, et un projecteur illumina le fleuve.

– On n'y voit rien ! annonça Toby.

Anna se détourna et enfouit son visage dans ses mains.

– Il est mort, n'est-ce pas ? Et par ma faute. Les dieux l'ont pris. Je l'ai tué !

Elle dévisagea Serena en sanglotant.

– Si quelqu'un a quelque chose à se reprocher, c'est moi, chuchota-t-elle. Je l'ai énervé. Je lui ai mis le flacon sous le nez.

Ils étaient plusieurs à nager, à présent. Une seconde vedette apparut, avec à sa proue des hommes en uniforme.

– Ils vont le retrouver, rassura Ben en serrant la main d'Anna. Andy est un sportif, contrairement à moi, sans quoi je serais là-bas avec les autres.

– Mais il avait tellement bu ! s'exclama Serena.

– Je sais. Mais il en faut plus que le Nil pour vaincre Andy, murmura Ben, sans grande conviction.

– Ils ne le retrouveront pas, dit Anna.

Un silence pesant les enveloppa. Tout le monde était sous le choc.

La deuxième vedette s'approcha, et deux policiers grimpèrent sur le pont. Ils eurent un échange animé avec le commandant, puis se dirigèrent vers Anna et Serena. L'un d'entre eux s'assit près d'elles.

— Ce jeune homme avait bu de l'alcool ?

Toutes deux opinèrent.

— Il était vraiment ivre ?

— Oui, répondit Anna. Il avait apporté une bouteille de vodka avec lui. Il s'est levé et... Et il a basculé la tête la première, acheva-t-elle, en larmes.

— L'eau est très froide... Il savait nager ?

— Oui, déclara Ben. Très bien, même.

— Dans ce cas, c'est mauvais signe. Il aurait dû remonter à la surface et appeler au secours. *Yalla !* conclut l'officier avec un haussement des épaules, avant de s'adresser à son collègue.

Tous deux s'en allèrent. Un à un, les sauveteurs se laissèrent hisser hors de l'eau. Tremblant, Toby enveloppé dans une couverture, rejoignit Anna et Serena

— C'était noir comme de l'encre. On ne voit rien en dessous. Rien du tout !

— Vous avez été très courageux de plonger, murmura Anna.

— Je n'ai pas réfléchi. J'aurais dû attendre de voir où il resurgissait.

— Nous étions tous là, Toby. Il n'a pas reparu, lâcha Serena.

L'équipage accueillit solennellement les passagers de l'*Egret* et les encouragea à se rendre directement au restaurant. Pendant qu'Omar emmenait Toby voir un médecin, les autres se dirigèrent docilement vers la salle à manger. Personne n'avait faim, et bientôt, par deux ou par trois, ils se retirèrent dans leurs cabines respectives. Serena suivit Anna jusqu'à la sienne, et elles s'effondrèrent côte à côte sur le lit.

— C'était un accident, Anna. Il était ivre.

— C'est notre faute. Nous l'avons poussé à bout. Si je n'avais pas tenté de jeter le flacon, ce ne serait jamais arrivé.

Anna plissa les yeux. Elle voyait une fois de plus le soleil, les dunes et les palmiers.

— Ç'aurait pu se passer n'importe quand. Andy était ainsi. Quel imbécile...

Elle se mit à sangloter violemment. Anna secoua la tête, se frotta les paupières.

— Je vais nous chercher un verre au bar.

Elle hésita, puis s'aventura dans la coursive déserte. Ibrahim était derrière le comptoir. Plusieurs personnes bavardaient à voix basse autour d'une boisson.

— Vous portiez l'amulette ? lui demanda-t-il aussitôt.

— Oui.

— Les dieux n'apprécient pas qu'on se moque d'eux, mademoiselle. Je suis désolé pour monsieur Andy, mais ces choses-là arrivent. *Inch'Allah !*

— Il ne méritait pas de mourir, Ibrahim, soupira-t-elle en se juchant sur un tabouret.

— Ce n'est pas à nous d'en décider, mademoiselle.

— Est-ce que j'aurais pu le sauver ?

Il soutint son regard sans ciller.

— Pas si c'était son destin.

— Je ne peux pas m'empêcher d'espérer qu'il a échoué quelque part sur un rocher, et que nous le retrouverons vivant.

— Tout est possible, concéda Ibrahim.

— Mais peu probable.

— C'est la volonté de Dieu, mademoiselle.

— Croyez-vous qu'ils vont interrompre la croisière ?

— La police viendra demain, avec le représentant de la compagnie. Omar les rencontrera. J'imagine qu'ils vous interrogeront. Ce bateau est petit. Tout le monde connaissait monsieur Andrew. Tout le monde est triste.

— J'ai envie de dormir.

— Vous voulez emporter une boisson ?

— S'il vous plaît, et une pour Serena.

— Je vous les apporte. Allez-y... Ah ! Surtout, n'enlevez pas l'amulette. Je sens encore le danger autour de vous.

Elle porta machinalement une main à sa gorge. Elle s'étonnait de son conseil, mais il s'affairait déjà et, au fond, elle n'avait pas envie d'en savoir davantage. Pas pour l'instant. Elle était à bout de forces.

Serena allongée sur le lit tenait le journal de Louisa.

— J'espère que ça ne vous ennuie pas, dit-elle à son intention. Votre sac était ouvert, et je voulais lire les dernières pages.

— Non, au contraire. Ibrahim nous prépare un de ses cocktails à vous assommer... Alors ? Cette suite de l'histoire ?

— Il vaudrait mieux que vous la découvriez vous-même.

Serena approuva de la tête tandis qu'on frappait discrètement à la porte. Elle alla prendre le plateau des mains d'Ibrahim.

– Tenez... Pour vous assommer. C'est impressionnant, de la part d'un musulman... Ne vous torturez pas, Anna. Vous n'y êtes pour rien. Andy était complètement ivre... Je vous laisse. Nous nous verrons demain matin.

Après le départ de Serena, Anna resta immobile un long moment, puis elle s'empara de son verre. Otant ses chaussures, elle se cala contre ses oreillers avec le journal. Serena avait raison. Il ne restait plus que quelques pages, et ce serait une bonne distraction.

★
★ ★

Les trois dahabiahs restèrent au mouillage pendant plusieurs jours après l'accouchement de Katherine. Dès qu'elle fut suffisamment rétablie pour reprendre le voyage, les Fielding et les Forrester levèrent l'ancre, abandonnant derrière eux le *Scarabée*. Lord Carstairs ne s'était pas montré depuis que Louisa avait quitté son bateau à l'aube, le jour de la naissance. Interrogé par sir John, le *reis* avait déclaré qu'aucun serpent n'avait été vu à bord.

Ce fut à Louxor que Louisa se décida.

– Je vais prendre le bateau à vapeur pour Le Caire, annonça-t-elle ce soir-là aux Forrester, après le dîner. Vous avez été si gentils, si accueillants... Mais il me tarde de revoir mes fils.

De retour dans sa cabine, elle avait entrepris de ranger son matériel de peinture. Jane Treece se chargerait de ses vêtements, mais ses dessins lui étaient trop précieux. Ouvrant l'un de ses carnets, elle contempla longuement son visage, ses grands yeux noirs, sa bouche, ses longues mains, à la fois si fortes et si sensibles.

La chaleur était suffocante, et elle avait ouvert les jalousies. Sur la rive opposée, toutes les dahabiahs pointaient vers le nord. La saison prenait fin, et la plupart des Européens étaient pressés de regagner leur pays.

313

Posant son carnet, Louisa s'approcha de la fenêtre. Le soleil était en suspension juste au-dessus des collines de Thèbes. Un bruit la fit sursauter. Elle n'eut pas à se retourner, elle savait qui était là.

– J'ai essayé de rendre le flacon à vos dieux, dit-elle tout bas. Chaque fois, il me revient. Que dois-je faire ?

Elle n'avait pas peur. Elle ferma les yeux.

Prenez-le. Je vous en supplie, emportez-le.

Les mots résonnèrent si fort dans son esprit qu'elle crut les avoir prononcés à voix haute.

On frappa. Jane Treece apparut, un chandelier à la main.

– Voulez-vous que je vous aide à vous habiller, madame ? s'enquit-elle d'un ton amer.

Louisa comprit tout de suite la raison de son courroux.

– Sir John dit qu'il n'y a plus de places avant la semaine prochaine pour Le Caire. Vous allez devoir prolonger votre séjour parmi nous.

Elle tourna les talons pour aller chercher un broc d'eau chaude. Louisa la regarda s'éloigner avec dépit. Elle en avait assez de l'Egypte. Elle voulait clore ce chapitre de son existence, où le moindre souffle d'air lui rappelait l'homme qu'elle avait aimé et qui était mort à cause d'elle.

Elle fixa la table, et son cœur cessa un instant de battre. Elle crut que la fiole avait disparu. Puis elle l'aperçut, nichée près d'une boîte de fusains.

Elle savait ce qu'il lui restait à faire. Le lendemain, elle demanderait à Mohammed de l'emmener à la Vallée des Rois. Là, elle enterrerait le flacon dans le sable, sous l'image de la déesse.

Les paupières lourdes, Anna but une gorgée de son cocktail. Ibrahim y avait mis du cognac et d'autres substances étranges, amères, qu'elle ne parvenait pas à identifier. Le journal devint très lourd, tout à coup, et tomba sur sa poitrine. Elle tendit la main pour éteindre sa lampe de chevet. Elle allait se reposer un peu, avant d'aller prendre une douche pour effacer les douleurs de la soirée.

Tandis qu'elle sombrait dans le sommeil, des ombres s'approchèrent, et les chuchotements du sable s'intensifièrent.

Elle fut réveillée par le soleil. Brûlant. Eclatant. Lentement, elle se dirigea vers l'entrée du temple, en secouant la tête pour dissiper la brume miroitante qui l'entourait.

Elle avançait, submergée par la colère. Puis ce fut la peur qui s'empara d'elle, quand les dieux se présentèrent et lui tournèrent le dos.

– Anna ? Anna ?

Les voix s'amplifièrent, s'estompèrent, emportées par le vent du désert.

– Anna ? Vous m'entendez ? Mon Dieu ! Qu'est-ce qu'elle a ?

Les parfums des fleurs et des fruits s'échappaient du temple. Elle sourit. L'anis, la cannelle, le thym, les figues, les olives, les raisins et les dattes. Les herbes, les résines et les encens.

Elle tendit les mains vers la lumière aveuglante. Ses paumes étaient collantes de miel et de vin.

– Anna !

C'était Toby.

– Anna ? Que se passe-t-il ?

Il était très, très loin. Quelqu'un cherchait son pouls. Elle soupira. Ce n'était pas important. Le soleil couchant embrasait l'horizon. Bientôt, les étoiles brilleraient au-dessus du désert, la Voie lactée se refléterait dans les eaux du fleuve.

Tout devint noir. Elle dormit. Lorsqu'elle se réveilla, l'eau fraîche de la rivière humectait ses lèvres. De nouveau, des voix lui parvenaient.

– Anna ! Anna, c'est Serena. Vous allez rentrer chez vous.

Mais elle était chez elle. Au pays des dieux, du dieu du soleil, Râ.

Etrange. Elle était dans une voiture. Elle sentait les roues qui rebondissaient sur la route, elle entendait les Klaxon, mais très faiblement. Des bras solides lui maintenaient les épaules. Elle s'y blottit avec reconnaissance. Elle était lasse, lasse.

Elle dormit encore. Le rugissement des moteurs de l'avion était celui des torrents des cataractes ; l'appareil quitta le tarmac : elle volait, tel le grand faucon.

Docilement, elle but un jus de fruits et grignota un bout de pain. Elle ferma les yeux. Dans sa tête se mêlaient le hurlement du vent, la furie d'une tempête de sable, les éclairs jaillissant de nuages qui ne donneraient jamais une goutte de pluie.

Serena et Toby échangèrent des regards inquiets.

L'air d'Angleterre était glacial. Dans le taxi, Anna bougea. Où était le soleil ?

Elle s'affaiblissait de seconde en seconde.

– Je suis navré de te prendre de court, maman. Nous ne savions pas où l'emmener.

La voix de Toby était nette et claire, son bras, toujours solide, la guidait, lui redonnait des forces.

– Elle habite seule, et comme je te l'ai expliqué, Charley est chez Serena, il n'y a donc plus de place là-bas. Je ne sais pas comment prendre contact avec sa famille.

– Monte-la dans la chambre d'amis, mon chéri. Laisse-la dormir. Le médecin ne va pas tarder.

Elle s'enfonça dans le lit moelleux et savoura la douceur de la couette.

Petit à petit, il lâchait prise. L'Egypte était loin.

A travers les yeux d'une Anglaise, le prêtre de Sekhmet découvrait un monde étrange et hostile. Il fut soudain assailli par la peur.

XV

Je suis l'Hier. Je suis l'Aujourd'hui
Et je ne mourrai pas pour la seconde fois.
Salut, ô Râ, toi qui te manifestes
Sous toutes les formes du devenir universel !
Que ton nom soit sanctifié !

LES voisins sont très choqués, quand la fièvre emporte tous les habitants de la maison du marchand. Son neveu vient chercher ses trésors et les porte au bazar. Au fil des semaines et des mois, l'argent change de mains. Le petit flacon, un joli cadeau pour une dame, accompagné d'un texte qui en raconte la légende, se dresse sur une étagère. Furieux, les prêtres se querellent sur les voies du paradis et brandissent leurs épées.

Le commerçant de l'étal tombe malade. Il meurt après avoir vendu la fiole à un jeune homme au regard brillant d'amour, qui cherche un cadeau pour sa dame.

★
★ ★

– Anna, vous êtes réveillée ?

Frances Hayward posa son plateau près de la porte et traversa la pièce pour ouvrir les rideaux afin que le pâle soleil d'hiver éclaire le lit. Elle se tourna vers la malade. La jeune femme était blême, trop mince, ses longs cheveux noirs éparpillés sur l'oreiller. Pour la première fois, elle ouvrit complètement ses grands yeux verts. Ils étaient cernés.

Depuis plusieurs jours, l'étrange amnésie qui lui oblitérait l'esprit et l'empêchait de fonctionner normalement s'estompait. Elle sourit en se redressant. La chambre, déjà imprégnée du parfum des jacinthes sur la table devant la fenêtre, se remplit d'un délicieux arôme de café et de pain grillé.

– Comment vous sentez-vous ? lui demanda Frances en lui présentant son petit déjeuner et en s'asseyant auprès d'elle.

– Désorientée. Cotonneuse. Je ne retrouve pas la mémoire.

Elle dévisagea son hôtesse, une femme grande, aux boucles grises, à la carrure solide et au visage avenant. La ressemblance avec Toby était faible, mais indubitable.

– Voulez-vous que je reprenne de zéro ? proposa Frances avec indulgence. Je suis la mère de Toby. Vous êtes chez moi depuis trois semaines. Vous vous souvenez de Toby ?

Anna grignota un bout de tartine. Comme elle ne répondait pas, Frances poursuivit.

– Vous l'avez rencontré lors d'une croisière sur le Nil. A la fin du séjour, vous êtes tombée malade. Toby et votre amie Serena ne savaient pas quoi faire. Ils vous ont amenée ici.

– Et vous, vous vous occupez d'une inconnue.

– Avec grand plaisir, rassurez-vous. Cependant, je m'inquiète. Vous devez avoir de la famille, des amis, qui s'étonnent de votre absence.

Anna prit sa tasse de café et souffla dessus. Elle réfléchit. Les images étaient là, inatteignables comme un rêve qui s'évapore quand on se réveille. La chaleur miroitante sur les dunes, le fleuve bordé de palmiers... Mais aucun nom, aucun visage ne lui revenait.

– Toby pense que cela vous aiderait peut-être, si nous vous amenions chez vous. A condition que vous en ayez la force, bien sûr.

Anna tressaillit, et son expression s'anima.

– Vous connaissez mon adresse ?

– Nous savons au moins cela. Mais nous ne pouvons pas vous y laisser seule, et nous ne savons pas qui prévenir. Vous en avez parlé avec Toby, mais il ne se rappelle ni leurs noms, ni leurs coordonnées.

Plus tard dans l'après-midi, ils prirent un taxi. Anna portait un pantalon et un pull élégant que lui avait prêtés Frances pour se protéger des vents de mars. Dans sa valise, elle n'avait que des vêtements d'été.

La voiture s'arrêta devant une jolie maison de Notting Hill. Ils descendirent tous les trois. Anna examina les pierres de taille grises, les petites fenêtres carrées équipées de porte-jardinières en fer forgé, la porte d'entrée peinte en bleu, le jardin minuscule. L'endroit lui semblait familier, mais très vaguement.

– C'est charmant, constata-t-elle. Vous êtes sûrs que j'habite ici ?

– Je ne suis sûr de rien, répondit Toby en la prenant par les épaules. Vous avez peut-être une clé.

Elle fourragea dans son sac et en extirpa un trousseau.

L'intérieur était froid et humide, et une pile de lettres s'entassait derrière la porte. Anna se pencha pour les ramasser et se dirigea vers le salon, situé à droite d'un étroit couloir. Les meubles étaient anciens, leurs bois cirés rehaussés par les tapis, les coussins et les rideaux de couleurs vives. Toby appuya sur l'interrupteur.

– C'est superbe ! s'exclama-t-il.

Sur la table basse près du sofa, la lumière rouge du répondeur clignotait en annonçant cinq messages.

– Cinq seulement, et je suis partie depuis des semaines.

– Vos amis savaient sans doute que vous alliez en Egypte, la rassura-t-il. Vous ne les écoutez pas ? Peut-être vous fourniront-ils un indice.

Anna haussa les épaules et pressa sur le bouton d'écoute.

– ... Anna, ma chérie, c'est ta grand-tante Phyllis ! proclama une voix indignée. Où diable es-tu passée ? Tu m'avais promis de me rendre visite dès ton retour ! Je meurs d'impatience. Appelle-moi.

– ... Anna ? Ta grand-tante semble persuadée que tu lui

fais la tête. Téléphone-lui, pour l'amour du ciel ! gronda une voix masculine.

Son père. Elle le reconnut instantanément.

– ... Anna, c'est Félix. J'ai reçu ta carte postale. Je suis content de savoir que tout va bien. A bientôt.

Lui aussi, elle l'identifia. Elle ébaucha un sourire.

– ... Anna ? Anna, tu es là ?

Silence. Un juron marmonné. Une femme. Mystère...

– ... Anna ? C'est encore Phyllis. Ma chérie, je suis très inquiète. J'attends ton coup de fil.

Toby la dévisageait avec attention.

– Alors ?

– J'ai identifié plusieurs personnes. Et cette maison est bien la mienne. Pourtant, je n'en ai pas la sensation. J'ai l'impression d'être une étrangère.

– Je vais rappeler votre tante.

Toby décrocha l'appareil et composa le 3131. Après une courte pause, il enfonça le 3 pour renverser l'appel.

– Vous voulez lui parler ? proposa-t-il en lui tendant le combiné.

– Oui.

– Anna ? Anna, Dieu soit loué, tu es rentrée ! Je craignais que tu ne sois tombée amoureuse de l'Egypte, ou que tu te sois laissé séduire par un cheik !... Anna ?

Anna hocha la tête. Les larmes ruisselaient sur ses joues. Elle était incapable de s'exprimer. Toby prit la relève.

– Mademoiselle Shelley ? Je suis désolée d'interrompre votre conversation. Je m'appelle Toby Hayward, et j'ai fait la croisière avec Anna. Elle est souffrante. Pouvez-vous venir à Londres ? Sinon, je la conduirai chez vous. Elle a très envie de vous voir... Entendu... Non, plutôt demain. Je suis heureux que nous ayons pu vous joindre.

Il raccrocha.

– Elle souhaitait que vous y alliez aujourd'hui, mais j'ai eu peur que cela ne vous fatigue trop. Nous partirons tôt dans la matinée... Maman, veux-tu aider Anna à trouver des vête-ments chauds, pendant que nous sommes là ?

Anna s'était détournée pour regarder son courrier. Elle tomba sur une carte postale, l'examina longuement, lut le message. Il y en avait une autre. Deux au moins de ses amis avaient pris des vacances récemment. Les factures étaient assez nombreuses, mais elle les ignora, ce qui amusa beaucoup Toby. Il lui fit remarquer que son sens pratique ne l'avait pas désertée en même temps que sa mémoire.

– C'est uniquement le souvenir du voyage qui s'est effacé, murmura-t-elle d'un ton las. Le reste est intact, apparemment. J'ai reconnu la voix de mon père, et celle de Félix, mon ex-mari. Celle de Phyllis, aussi. C'est curieux, ça ne m'est pas revenu spontanément. Quand vous et le médecin m'avez interrogée, c'était le trou noir, mais là...

Les mots moururent sur ses lèvres. A la main, elle tenait une enveloppe avec des timbres égyptiens. Elle pâlit.

Toby jeta un coup d'œil vers Frances et posa l'index sur ses lèvres. Tous deux observèrent Anna, tandis qu'elle l'ouvrait.

– C'est Omar. Il veut savoir comment je vais.

Redressant la tête, elle écarquilla les yeux. Le déclic venait de se produire. Un torrent d'images, de bruits et de cris l'assaillit. Elle se laissa choir sur le canapé.

– Oh, mon Dieu ! Andy ! Je me rappelle, à présent. Andy est mort !

Toby la serra contre lui.

– Savez-vous comment ?

– Le flacon. Le flacon du prêtre de Sekhmet !

Elle se mit à sangloter violemment.

– Andy est tombé dans le Nil. Nous revenions de Philae...

Toby acquiesça.

– Son corps a disparu.

– Il a été retrouvé le lendemain, Anna.

– Ibrahim m'avait donné une amulette... Je l'ai encore ! Mais c'est un bijou précieux. J'aurais dû la lui rendre.

– Non. Il a tenu à ce que vous la gardiez. Pour toujours. Il a insisté.

– Et Andy... ? hoqueta-t-elle.

– Son corps a été rapatrié par avion. Il est enterré dans son village d'origine. Serena, Charley et Ben ont assisté aux obsèques.

– Charley... comment va-t-elle ?

– Très bien.

– Donc, ce n'est que moi. Ce n'est pas une réaction au choc, vous savez...

Soudain, tout était clair.

– ... Il avait besoin de moi. Le prêtre s'est servi de moi quand Charley a quitté l'Egypte. Serena l'avait conjuré à Philae, et il m'a possédée. Elle savait à quel point il était dangereux. Ibrahim aussi. Mais moi, je l'ai laissé faire. A propos, qu'est devenue Serena ?

– Elle est venue vous voir plusieurs fois, Anna. Elle était folle d'angoisse. Elle a essayé d'expliquer au médecin ce qui s'était passé, mais il n'a rien voulu entendre. Il était odieux. Un jour, elle est arrivée en compagnie de quelqu'un pour vous aider, mais vous étiez réticente. Nous avons donc décidé de patienter. Maman voulait vous faire exorciser par un homme du clergé mais, d'après Serena, cela aurait risqué de fâcher le prêtre.

Anna eut un frémissement.

– Je vous ai causé bien des soucis. Tout ça, c'est ma faute.

– Mais non, dit Frances en se mettant à genoux devant elle. Comment pouviez-vous imaginer de tels événements ? Venez, nous allons rassembler quelques affaires et rentrer à la maison. Demain, nous rendrons visite à votre grand-tante. Tout ça va s'arranger très vite.

– Rien ne sera plus comme avant, marmonna Anna. J'ai tué Andy. Avec ce flacon ridicule.

– Non ! décréta fermement Toby. Andy avait englouti une bouteille entière de vodka. Vous n'avez rien à vous reprocher, Anna.

Ce soir-là, pour la première fois, elle se demanda où allait Toby, après qu'ils avaient dîné tous les trois autour de la table de la cuisine. Elle posa la question à Frances une fois qu'il les eut saluées.

– Il ne vous l'a pas dit ? Il loge chez un certain Ben Forbes. Si j'ai bien compris, il l'a rencontré lors de la croisière. Toby vit en Ecosse, ajouta-t-elle après une brève hésitation. Vous étiez au courant, non ? Après le décès de sa femme, il a préféré quitter Londres. Il m'a donné cette maison. En temps normal, il couche dans votre chambre quand il est en ville, mais il ne voulait pas vous envahir.

322

– Il a été si gentil avec moi. Je ne sais pas ce que je serais devenue s'il n'avait pas été là... En plus, je n'aurais pas eu le plaisir de vous connaître.

– J'étais heureuse qu'il vous amène ici, dit Frances en s'affairant pour préparer un chocolat chaud. Je suis veuve, et Toby est mon unique enfant. Je suis enchantée que nous soyons si bons amis. Je suppose qu'il vous a raconté le cauchemar qu'il a vécu, il y a une dizaine d'années ? Après cela, il s'est complètement renfermé sur lui-même.

Le moment se prêtait aux confidences. Anna aurait voulu lui demander ce qui s'était réellement passé, mais elle ne sut pas saisir sa chance. Au lieu de cela, elle changea de sujet.

– Vous viendrez avec nous demain dans le Suffolk ?

– Non. Ce serait un plaisir pour moi de connaître votre grand-tante, mais pas cette fois... Toby m'a dit que vous étiez divorcée ?

– Oui.

– Ce fut une épreuve douloureuse, j'imagine.

– Pas tant que ça. Au début, j'étais stupéfaite de découvrir à quel point j'avais fait fausse route. Mais pour finir, j'ai été soulagée. Nous avons conservé une relation cordiale.

Frances lui tendit une tasse fumante.

– Toby vous a-t-il raconté notre voyage ?

– En partie. J'avoue que, vu d'ici, tout ça paraissait un peu tiré par les cheveux. Je ne dis pas que ce n'est pas arrivé. J'ai du mal à l'imaginer, c'est tout.

– J'aimerais aller sur la tombe d'Andy. Lui porter des fleurs. Lui demander pardon.

Frances lui lança un regard anxieux, ne sachant comment réagir.

– Anna, vous n'étiez pas amoureuse d'Andy, n'est-ce pas ?

– Amoureuse de lui ? Sûrement pas !

– Je tenais à m'en assurer.

Il y eut un long silence. Anna cherchait ses mots, consciente de s'aventurer sur un terrain délicat.

– Toby ne vous a-t-il rien dit ? Andy cherchait à s'emparer du journal intime de mon arrière-arrière-grand-mère.

– Si, si. Il m'a dit beaucoup de choses. Pas tout, cependant.

– Ah, bon ?

– Cela ne me regarde pas, naturellement. Par exemple, il ne m'a pas parlé de vos sentiments réciproques.

Anna se sentit rougir.

– Je sais ce que je ressens pour lui.

– De l'affection ? De l'amour ?

– De l'amour, je pense. Mais nous nous connaissons depuis peu, et les événements se sont enchaînés à une telle allure...

– Sachez simplement que je suis heureuse de cette rencontre, murmura Frances en lui serrant le bras.

Plongée dans un bain moussant qui sentait la rose, Anna se répéta indéfiniment cette conversation, le sourire aux lèvres. Elle s'enveloppa d'un grand drap de bain et gagna sa chambre, où elle erra quelques minutes en pensant à leur visite chez Phyllis, le lendemain.

Le journal était sur la petite table devant la fenêtre. Elle avait promis à Frances de le lui confier pendant leur absence, mais en attendant, ne lui restait-il pas une ou deux pages à lire ?

Elle s'empara du cahier, songeuse. Etait-il vraiment parti, ce prêtre qui l'avait possédée, ou attendait-il son heure ? Avec un frisson, elle remua la tête de droite à gauche, comme pour la tester. Elle en était restée au moment où Louisa envisageait de retourner dans la Vallée des Rois enterrer le flacon aux pieds d'Isis.

Le jour se levait à peine, quand Louisa et Mohammed, juchés sur leurs mulets, tournèrent le dos au fleuve pour se diriger vers l'ouest, à travers les plaines fertiles. Ils effectuèrent le trajet en silence, le regard sur les premières lueurs du ciel.

– Où laisserez-vous le flacon, sitt Louisa ? lui demanda enfin Mohammed. Dans quelle tombe ?

– Quelque part où il reposera, de préférence aux pieds d'Isis.

Son âne trébucha, et elle se cramponna à sa selle.

— C'est tout ce que je veux faire. Ensuite, nous rentrerons directement au bateau et nous n'y penserons plus.

Il opina gravement. Le chemin se rétrécit à l'approche de la vallée. Il scruta les falaises. Il n'était pas drogman. Il n'avait pas les connaissances et l'expérience d'Hassan. Il eut un geste désabusé.

— Savez-vous par où il faut passer ?

Elle regarda autour d'elle en espérant que Mohammed attribuerait ses larmes au soleil aveuglant. Les souvenirs l'envahissaient. Ici, chaque pierre, chaque ombre portait l'empreinte du visage d'Hassan, l'écho de sa voix.

Elle se résolut enfin à avancer. Cette fois, il y avait du monde. Plusieurs groupes de touristes exploraient le site en compagnie de leurs guides.

Ils s'arrêtèrent près de l'une des entrées. Mohammed descendit de sa monture pour venir aider Louisa, puis sortit de son sac des bougies. Il frissonna.

— Je n'aime pas ça, sitt Louisa. Il y a des esprits maléfiques. Et des scorpions.

Des serpents, aussi.

Le mot resta en suspens dans le silence. Louisa se mordit la lèvre, mais s'obligea à rester calme.

— Vous avez la pelle, Mohammed ? Ce sera vite fait, je vous le promets.

Il hocha la tête et passa devant elle. Elle remarqua qu'il avait la main sur le manche de son couteau, à sa ceinture, et fut réconfortée à l'idée qu'il était armé.

Ayant gravi le sentier qui menait à l'une des ouvertures dans le roc, ils reprirent leur souffle.

— Ici ? murmura Mohammed, en faisant subrepticement le signe contre le mauvais œil.

— Oui.

Elle trouverait sûrement une représentation de la déesse coiffée d'un disque solaire et tenant son sceptre, symbole de la vie.

Elle chercha la fiole, toujours enveloppée dans l'écharpe en satin, dans le fond de son sac.

— Ce ne sera pas long, insista-t-elle.

Elle le précéda. Derrière elle, elle entendit le craquement de l'allumette, tandis qu'il allumait sa bougie. Des ombres se mirent à danser sur les murs recouverts d'images aux couleurs denses et de leurs interminables légendes en hiéroglyphes.

– Sitt Louisa !

Le cri étranglé de Mohammed se perdit dans les profondeurs de la tombe.

Elle fit volte-face.

Il était sur le seuil, là où elle venait de le laisser encore éclairé par le soleil. Mais il s'était aplati contre la roche, figé de terreur. Un cobra se balançait devant lui.

– Non ! hurla-t-elle en se ruant vers lui. Laissez-le ! Non ! Non ! *Non...*

A l'instant précis où le serpent frappait, elle se jeta sur le reptile et le saisit à pleines mains. Chaud, lourd, souple, il se débattit, puis disparut. Elle fixa ses doigts.

Mohammed se laissa tomber sur les genoux en sanglotant.

– Sitt Louisa ! Vous m'avez sauvé la vie !

– Il ne vous a pas mordu ?

Ses jambes tremblantes se dérobèrent sous elle, et elle se retrouva agenouillée près de lui.

– Non, chuchota-t-il, paupières closes, en s'efforçant de reprendre sa respiration. Non, *Hamdulillah* ! Il ne m'a pas mordu. Voyez...

Il lui montra le bas de son pantalon, où elle put distinguer la marque des crochets et le filet de venin qui avait coulé sur le coton.

Un roulement de pierres plus bas les fit sursauter. Deux hommes gravissaient le chemin. L'un d'entre eux, en djellaba, brandissait un poignard. L'autre était européen.

– Nous vous avons entendu crier, dit ce dernier, de toute évidence un Anglais.

Il échangea quelques mots en arabe avec son compagnon.

– C'était un serpent, expliqua Louisa. Je crois qu'il est parti, ajouta-t-elle en se levant.

– Il a mordu quelqu'un ?

– Dieu merci, il a raté sa cible.

Le flacon s'était volatilisé. Il n'était nulle part, ni à l'entrée de la tombe, ni sur le sentier. Il s'était évaporé avec le cobra.

Après s'être reposés et rafraîchis avec les nouveaux venus,

Louisa et Mohammed rejoignirent leurs mulets et reprirent la route du fleuve.

Lorsqu'ils arrivèrent, épuisés et poussiéreux, les Forrester étaient dans tous leurs états. L'un des passagers en partance pour Le Caire était souffrant, une cabine s'était donc libérée à bord du vapeur du lendemain. Si Louisa voulait en profiter, il lui restait très peu de temps. Elle devait faire ses valises et ses adieux sans tarder.

Avec le recul, elle fut soulagée que tout se soit déroulé aussi vite. Mohammed et le *reis* avaient pleuré, de même que Katherine Fielding qui, à son immense joie, avait prénommé son bébé Louis en son honneur. Venetia avait à peine daigné lui sourire. David Fielding et sir John l'avaient étreinte avec fougue. Augusta lui avait pris les deux mains et les avait serrées très fort.

– Le temps fait bien les choses, ma chère. Vous verrez, plus tard, les souvenirs les plus éprouvants s'estomperont. Vous ne chérirez que les meilleurs.

Louisa profita du voyage pour se reposer. Ses yeux rougis cachés par des lunettes fumées, elle contempla le défilé des rives plantées de palmiers et les barques des pêcheurs. Elle dessina, écrivit quelques lignes dans son journal et dormit.

Elle atteignit Londres le 24 avril. Une semaine plus tard, elle retrouvait ses fils. Ce ne fut que le 29 juillet, par un chaud après-midi, alors qu'elle travaillait dans son atelier au fond de leur maison londonienne, qu'elle eut le courage d'ouvrir la malle contenant ses œuvres égyptiennes. Elle les accrocha aux murs et les étudia longuement, une par une. Pour la première fois depuis son retour, elle s'autorisa à se remémorer la chaleur et la poussière, les eaux bleues du Nil, le soleil aveuglant sur le sable, les temples et leurs bas-reliefs. Elle se tourna vers la fenêtre qui s'ouvrait sur un petit jardin carré. Son monde, son univers anglais était essentiellement vert, même à Londres. Le désert et le Nil n'étaient plus que des souvenirs.

Elle revint vers la malle. Le sac dans lequel elle transportait ses couleurs était là. Elle s'en était servie pour caler ses tableaux. Elle le ramassa et l'observa d'un air dépité. A l'intérieur, il restait encore quelques pinceaux. Elle le posa sur la table pour les en retirer.

A sa grande stupeur, la fiole était toujours emballée dans le foulard de satin ! Elle fixa le paquet un long moment puis, tout doucement, le déballa.

Pourtant elle l'avait lancé vers le serpent. Elle en avait la certitude et se rappelait parfaitement l'avoir eu à la main.

L'étoffe glissa à terre. Louisa eut un frémissement : le flacon était donc revenu. Ne s'en débarrasserait-elle jamais ?

– Hassan... Aidez-moi...

Les yeux brillants de larmes, elle s'installa devant son secrétaire. Elle l'ouvrit, tira l'un des tiroirs et y plongea la main pour manipuler le petit levier activant le compartiment secret. Elle y déposa la fiole, puis porta ses doigts à ses lèvres avant d'en effleurer le verre bleuté. Un dernier regard, une ultime pensée pour Hassan... Elle referma le tiroir.

Elle n'y toucherait plus jamais.

★
★ ★

– Est-ce que vous saviez tout ça, quand vous m'avez confié le journal ? demanda Anna.

Elle était assise à côté de Toby dans la salle de séjour inondée de soleil de Phyllis.

– J'ai toujours eu l'intention de le lire, mais ma vue a baissé, et le temps a passé.

– Vous n'étiez donc pas au courant, quand vous m'avez offert le flacon ?

Phyllis secoua la tête avec vigueur.

– Je ne te l'aurais jamais donné si j'avais su, ma chérie ! s'indigna-t-elle. Tu étais une fillette. Il était resté dans le tiroir depuis que Louisa l'y avait mis. Le secrétaire m'est revenu par mon père, bien sûr, et j'ignorais qu'elle avait collé un texte d'explication dans son journal. De toute façon, je n'aurais rien compris, puisque le texte était rédigé en arabe.

Tous trois se réfugièrent dans le silence. Un feu crépitait dans la cheminée, et l'air sentait le bois de pommier.

– Savez-vous comment Louisa a fini sa vie ? s'enquit enfin Anna.

328

– Comme tu le sais, mon grand-père était son fils aîné, David.

Elle marqua une pause, songeuse.

– Elle ne s'est jamais remariée. Apparemment, elle n'est jamais non plus retournée en Egypte. Elle a quitté Londres vers 1880. Elle devait avoir près de soixante ans, je suppose. Elle avait acheté une maison dans le Hampshire, qu'elle a laissée à David à son décès. Je me rappelle y être allée, petite, mais elle a été revendue après la dernière guerre. Naturellement, Louisa n'a jamais cessé de peindre. Elle était très connue, même de son vivant.

– A-t-elle tenu un journal intime ? demanda Toby.

– Pas que je sache.

– J'aurais bien voulu savoir si elle pensait souvent à l'Egypte, dit Anna d'un ton nostalgique. J'imagine ce qu'elle a dû ressentir, quand elle a découvert le flacon après avoir tout fait pour s'en débarrasser. Pourquoi l'a-t-elle caché ? Pourquoi ne l'a-t-elle pas détruit ? Elle aurait pu le jeter dans la Tamise. A la mer ? Pourquoi l'a-t-elle conservé si près d'elle ? Ne craignait-elle pas le retour des prêtres ? Ou du serpent ?

Phyllis se cala dans les coussins et contempla la flambée. Le chat sur ses genoux s'étira langoureusement, puis s'enroula de nouveau pour dormir.

– J'ai une idée. Dans un carton, là-haut, j'ai toute la correspondance de Grand-Père. Il ne me semble pas y avoir relevé quoi que ce soit d'excitant, mais si tu veux, je te donne ces lettres. Toby, pourriez-vous monter les chercher, s'il vous plaît ?

Elle lui indiqua où aller, puis le regarda sortir de la pièce. Son visage s'éclaira d'un large sourire.

– Ne le laisse pas s'échapper, ma chérie. C'est un homme charmant. Tu es amoureuse de lui ?

Anna s'empourpra.

– Je l'aime beaucoup.

– Ce n'est pas suffisant, trancha Phyllis. Je veux t'entendre dire que tu adores quelqu'un. Et réciproquement. C'est le cas, tu sais. Il ne te quitte pas des yeux. Je pense que tu ne m'as pas tout dit. Je suis navrée pour cet homme, qui est mort noyé. Mais ce n'est pas tout, semble-t-il. Tu as été malade ?

— Pas exactement. Je vais vous raconter toute l'histoire. Saviez-vous que le flacon était maudit ? Je sais que cela paraît fou, voire impossible. C'est pourtant la vérité. Il était gardé par deux prêtres de l'Egypte ancienne, qui se le disputaient. Ils sont apparus sur le bateau et m'ont tellement effrayée que j'ai commis une bêtise. Je m'étais liée d'amitié avec une femme, Serena Canfield. C'est une initiée à une sorte de culte moderne d'Isis. Elle a conjuré les prêtres dans l'espoir de les décourager de revenir. Mais je me suis laissé posséder par l'un d'entre eux. J'ai perdu la tête après l'accident d'Andy. Si Toby ne s'était pas occupé de moi, je ne sais pas ce que je serais devenue.

— Amenanhotep et Psenisis, murmura Phyllis.

Anna se demanda un instant si son ouïe lui jouait un mauvais tour. Elle écarquilla les yeux.

— Vous avez lu le journal ?

— Non. J'ai un tableau qui les représente. Leurs noms sont inscrits, derrière.

Anna la dévisagea, le sang glacé.

— Où est-il ?

— Je ne l'ai jamais apprécié, mais je savais qu'il avait une certaine valeur. Je l'ai accroché dans l'office.

Elle se tourna vers Toby qui avait resurgi avec un carton sous le bras.

— Posez ça là. Merci, mon cher... Anna, attends ! Où vas-tu ? Fais attention ! Toby, suivez-la !

— Je n'en reviens pas ! Elle a un portrait des deux prêtres. Dans l'office !

Anna poussa la porte de la cuisine, une vaste pièce réchauffée par un Aga blanc cassé. La table en chêne était jonchée de livres et de papiers. Dans les vitrines du buffet étaient accrochés autant de tasses neuves que de gobelets ébréchés. Elle marqua une pause, l'œil rivé sur l'ouverture entre ce meuble et l'évier.

— C'est là, bredouilla-t-elle en posant la main sur son amulette.

— Rien ne vous oblige à le regarder.

— Si ! Il le faut. J'ai besoin de savoir si ce sont les mêmes.

Sans s'en rendre compte, elle chercha la main de Toby. Son cœur battait la chamade.

– Vous n'avez rien à craindre, Anna. Le flacon est au fond du Nil. Il ne s'agit que d'un tableau. Nous pouvons l'ignorer. Retourner devant le feu pour lire les lettres. Remettre de l'eau à bouillir pour le thé. Rentrer à la maison.

– Non.

Retenant son souffle, elle franchit le seuil, appuya sur l'interrupteur. La pièce était petite. Trois des murs étaient remplis d'étagères où s'entassaient boîtes, bocaux et conserves. Le quatrième était presque entièrement caché par un énorme congélateur. Au plafond étaient suspendus des crochets pour les oignons, l'ail, les vieilles casseroles et les paniers. Anna regarda autour d'elle, en vain. Puis elle aperçut la toile, à moitié masquée par un filet de pommes de terre. Elle la dégagea aussitôt. Deux hommes grands, au teint basané, se dressaient dans le désert sur un fond de ciel saphir, encadrés par un gigantesque acacia. L'un d'entre eux portait une djellaba blanche, l'autre, une peau de bête drapée sur l'épaule et autour de la taille. Chapeautés de coiffes bizarres, ils tenaient chacun une sorte de crosse et semblaient fixer le spectateur avec une expression de concentration intense. Toby pivota vers Anna. Elle était blanche comme un linge.

– Ce sont eux. Exactement.

– Bon ! Ça suffit ! décréta Toby en l'attirant à l'écart. Venez. Rejoignons votre tante.

Il éteignit la lumière et ferma la porte derrière eux.

– Comment ne l'ai-je pas vu plus tôt ? Je suis entrée des centaines de fois dans l'office. J'ai ouvert le congélateur, attrapé des boîtes sur les étagères. Depuis toujours !

– Peut-être n'était-il pas là avant ? A moins que vous ne l'ayez tout simplement jamais remarqué parce qu'il était à moitié caché. Rien de plus simple : il ne signifiait rien pour vous, auparavant.

Phyllis s'était installée par terre sur le tapis devant le feu, le carton ouvert à ses côtés. Le chat avait accaparé le fauteuil.

– Alors ?

– Depuis quand est-il là ? s'écria Anna en se jetant à genoux en face de sa grand-tante.

– Je n'en sais rien, ma chérie. Trente ans, peut-être ? Je ne me rappelle plus quand je l'ai fourré là. Il me donnait des frissons. Un jour, j'en ai eu assez et je l'ai placé hors de ma vue.

– Comment se fait-il que je ne l'aie jamais vu ?

– Oh, tu l'as vu, mais tu n'y as pas prêté attention.

– Mais je les aurais reconnus ! J'aurais su qui ils étaient !

Elle enfouit son visage dans ses mains. Toby s'accroupit près d'elle.

– Anna...

– Je l'avais peut-être remarqué et emmagasiné dans ma mémoire comme un cauchemar à ressortir plus tard. C'est un sentiment que j'ai éprouvé en Egypte... Et si j'avais tout inventé ? Si toute cette histoire était le fruit de mon imagination ?

Elle porta sur eux un regard empli d'espoir.

– Je suis tombée sur ça, dit-elle tout bas en brandissant un paquet d'enveloppes entourées d'un ruban blanc.

Les mains tremblantes, Anna ouvrit la première. Elle parcourut la lettre et la passa à Phyllis en souriant.

– Dans celle-ci, votre grand-père était encore à l'école.

Elle prit la seconde, puis une troisième. Petit à petit, elle se décontracta en s'immergeant dans la narration des activités quotidiennes d'une famille à l'ère victorienne. Soudain, au bout de dix minutes, elle poussa un cri.

– Non ! Mon Dieu ! Ecoutez ! Celle-ci est datée de 1873. Elle est signée John, son frère. Le fils cadet de Louisa. « Cher David. Maman est de nouveau souffrante. J'ai appelé le médecin, mais il ne comprend pas ce qu'elle a. Il lui recommande de rester au chaud et de se reposer. Sur ses ordres, je suis allé à l'atelier chercher son carnet à dessins. Imagine ma surprise quand je me suis retrouvé en face d'un énorme serpent ! Je ne savais absolument pas quoi faire ! J'ai claqué la porte et appelé Norton. »... Qui était Norton ?... « Nous y sommes retournés tous les deux. Il avait disparu. Il avait dû se faufiler par la fenêtre, qui était ouverte jusque dans la rue ! Je suppose qu'il s'était échappé du Jardin zoologique. »

Anna posa le papier par terre, le regard sur les flammes.

– Le cobra est venu en Angleterre. Il a suivi le flacon.

– Est-ce tout ? s'enquit Toby, l'air perplexe.

– Non. « Nous n'en avons pas parlé à Maman, pour ne pas

l'effrayer. »... En effet, c'était plus sage ! commenta-t-elle avec un rire nerveux.

Elle continua son investigation.

– Il n'y a rien d'autre sur ce sujet. Ces lettres viennent de Cambridge, celles-ci, de l'armée. Attendez ! Sur celle-là, je reconnais l'écriture de Louisa.

La gorge nouée, elle déplia les feuillets. Elle était émue. Elle avait l'impression de retrouver une vieille amie.

– Lisez, dit-elle enfin en se redressant, pâle, les traits tirés. A voix haute, s'il vous plaît, Toby.

– « J'ai peint un portrait de mes persécuteurs dans l'espoir de les chasser de mon esprit. Ils continuent de hanter mes rêves, tant d'années après mon voyage en Egypte. »... A qui s'adresse-t-elle ?

– A Augusta. Les Forrester habitaient dans le Hampshire. C'est peut-être la raison qui l'a poussée à s'installer là-bas... Poursuivez.

– « La nuit dernière, j'ai rêvé d'Hassan. Il me manque terriblement. Il ne se passe pas une seule journée sans que je pense à lui. Mais je redoute les deux autres. Ne me laisseront-ils jamais en paix ? Ils me supplient de ramener la fiole en Egypte. Si j'en avais la force, je le ferais peut-être. J'espère qu'un jour, un de mes fils ou petits-enfants s'en chargera... »

Toby se tut, regarda Anna.

– C'est vous. Vous, son arrière-arrière-petite-fille.

– Mais les choses ont mal tourné. Je ne savais pas ce que je devais faire. Je m'y suis mal prise.

– Tu as laissé le flacon là-bas, intervint Phyllis. C'est l'essentiel.

– J'ai aussi sacrifié la vie d'un homme.

– Non, Anna. C'était un accident. Andy était ivre. A propos, bien que ce ne soit pas une consolation, j'ai lu quelque part qu'il était de bon augure de mourir dans les eaux du Nil, car les dieux viennent vous y chercher directement. Mais rappelez-vous, il n'y avait ni prêtres ni serpent sur ce bateau.

– Oh, si, Toby. Celui de Sekhmet était dans ma tête.

Phyllis décida qu'elle en avait assez. Elle dévia la conversation.

– Nous n'avons pas parlé de vous, Toby. Allons, dites-moi tout. Quel est votre métier ?

Il sourit, s'inclina avec humour.

– Je peins, moi aussi, avoua-t-il. Je ne suis pas aussi célèbre que Louisa, mais j'ai déjà exposé à plusieurs reprises, et j'arrive à gagner ma vie. De plus, j'ai eu la chance d'hériter d'un peu d'argent après la mort de mon père. J'ai donc été très gâté. Je suis veuf... J'ai une mère, je suis fils unique, malheureusement. Il me reste un oncle aussi, qui travaille au consulat du Caire, d'où mes contacts là-bas. Je ne travaille ni pour la CIA ni pour la mafia. Je ne suis pas recherché par la police comme le prétendait notre ami défunt. J'ai une maison à la frontière de l'Ecosse et une autre à Londres, où vit ma mère. Jusqu'ici, j'ai peint et voyagé. La plupart du temps, je pars en solitaire, mais il m'arrive parfois de faire un caprice, comme de prendre l'Orient-Express ou de m'offrir une croisière sur le Nil. J'ajoute que j'ai écrit deux livres, qui ont connu un certain succès.

Il reprit son souffle, sourit.

– Si je décide de relater mon voyage en Egypte, cependant, ce sera un roman policier, sinon personne n'y croira. Voilà, c'est à peu près tout. Il ne me reste qu'à m'excuser d'avoir abandonné Anna à Abou Simbel. Je n'ai jamais eu l'occasion de lui expliquer ce qui s'était passé... J'ai rencontré une amie de ma mère qui suivait un autre circuit. Elle était seule, et peu après notre conversation, elle est tombée malade. C'est pourquoi la police est venue me chercher. A sa demande. Le temps que tout soit réglé, et Anna était dans l'autocar.

– Une fois de plus, vous portiez secours à une demoiselle en détresse ! dit Anna en riant. Le prétexte est bon. Vous êtes pardonné.

– Tant mieux ! approuva Phyllis en se levant avec peine. Mes enfants, il me semble qu'un petit remontant serait le bienvenu. Anna, tu peux emporter ces lettres si tu le veux. Le tableau aussi, d'ailleurs. Non ? Très bien. Les prêtres resteront là... A propos, Toby, vous l'ai-je précisé ? Vous êtes jugé apte. Toutes mes félicitations, conclut-elle avant de sortir.

Anna se mit à rire.

– Elle détestait mon ex. Et la plupart de mes anciens petits amis. Vous pouvez vous sentir flatté.

– J'en suis heureux, murmura-t-il en l'embrassant sur le front. Cependant, tout va un peu trop vite pour moi, Anna. Je ne suis pas prêt à me remarier. Du moins, pas pour l'instant...

– Moi non plus ! Jamais ! Je suis une femme indépendante et je vais entamer une carrière de photographe, ne l'oubliez pas. Mais surtout, pas un mot à Phyllis. Ça lui gâcherait son plaisir. D'accord ?

– D'accord.

★
★ ★

Il était très tard lorsqu'ils arrivèrent à Londres. Pourtant, toutes les lumières étaient éclairées au sous-sol. Frances était en train de lire dans la cuisine.

– Bonsoir ! Avez-vous passé une bonne journée ? Vous allez tout me raconter. Mais avant cela... Anna, je me suis plongée dans la lecture du journal. C'est fascinant. Je n'ai pratiquement pas bougé depuis votre départ.

Elle se leva et s'étira longuement.

– J'ai quelque chose à vous dire. Je ne sais pas comment vous allez le prendre. Asseyez-vous, tous les deux.

Ils obéirent en échangeant des regards inquiets. Un sentiment d'angoisse s'empara d'Anna. Le visage de Frances, en général si serein, était tendu.

– Le méchant. Roger Carstairs. Savez-vous ce qu'il est devenu ?

– Son nom n'est jamais mentionné dans le journal après l'accouchement de Katherine Fielding. J'ai cru comprendre qu'il avait eu son heure de gloire. Serena en avait entendu parler. Toby aussi, il me semble.

– Il était célèbre, en effet, dit Frances. Il a quitté l'Egypte en 1869 pour aller aux Indes, puis en Orient. Au bout de cinq ans environ, il a refait surface à Paris. Il habitait à la lisière du bois de Boulogne, dans une vieille maison ayant appartenu à un duc.

– Comment sais-tu cela ? s'étonna Toby.

Frances leva une main.

– Il a épousé une Française, Claudette de Bonville. Ils ont eu deux filles. L'une d'entre elles était la grand-mère de ma mère.

Toby et Anna arrondirent les yeux, stupéfaits.

– Vous êtes une descendante de Roger Carstairs !

– Je crains que oui. Il avait déjà deux fils du premier lit. Ils sont restés en Ecosse. L'aîné, James, a hérité du titre de son père, mais cette branche s'est éteinte puisque ni lui ni son frère n'ont eu d'enfants.

– Et Roger ?

– Il a disparu. On pense qu'il est retourné en Egypte. J'ai consulté les archives de la famille cet après-midi. Il a fui la France en disgrâce après y avoir vécu cinq ans avec Claudette. Il est parti pour Constantinople, puis Alexandrie, où il est resté environ deux ans. Après cela, il a de nouveau bougé. On n'a plus jamais eu de ses nouvelles.

Elle pivota vers Toby.

– Avant que tu ne me demandes pourquoi tu n'étais pas au courant, je te répondrai : a) tu ne t'es jamais intéressé à l'histoire de notre famille ; b) mes parents interdisaient qu'on prononce le nom de Carstairs dans la maison. Il m'était totalement sorti de l'esprit jusqu'au moment où le journal de Louisa me l'a remis en mémoire. Claudette a emmené ses filles en Ecosse dans l'espoir de récupérer quelques-uns de ses biens. Il l'avait abandonnée sans rien. Les frères ont refusé de lui céder quoi que ce soit, et elle est descendue au sud de l'Angleterre rencontrer la sœur de Roger. C'était une personne sympathique. Elle l'a aidée à s'installer en Angleterre et, pour finir, les deux filles ont épousé des Anglais.

Anna dévisageait Toby, muette.

– Je suis content que vous ayez jeté le flacon. Sans quoi vous m'auriez vraiment soupçonné de vouloir le récupérer !

– J'espère que vous n'avez pas hérité de ses pouvoirs.

Elle s'obligea à sourire, mais le cœur n'y était pas.

– Non. Sinon que j'ai une fascination pour les serpents Anna, vous paraissez bouleversée, mais tout cela remonte à plus d'un siècle !

– Je sais, je sais. Tout de même, la coïncidence est étrange. Ma réaction n'est pas logique, mais cela fait des semaines que je vis avec Louisa.

Paupières closes, elle se laissa submerger par le désespoir.

– Je regrette, j'aurais peut-être mieux fait de me taire, dit Frances. Cependant, je ne voulais pas qu'il y ait de secrets entre nous. Je savais que cela vous intriguerait. C'est un véritable coup de théâtre dans votre histoire.

Anna se leva et alla s'asseoir sur le petit canapé en rotin sous la fenêtre.

– D'après Serena, les coïncidences, ça n'existe pas.

– Dans ce cas, intervint Toby, nous avons peut-être une chance de nous rattraper. Ce doit être mon karma qui cherche à réparer les souffrances que Roger a causées à Louisa.

– Il était si cruel...

– Beaucoup de gens ont eu des ancêtres cruels, Anna, fit remarquer Frances. Il faut savoir pardonner. C'est ce que nous enseigne le Christ. Si Roger Carstairs était un ignoble individu, mon grand-père – qui, je vous le signale, était aussi l'aïeul de Toby – était recteur dans un village des Midlands, un homme respecté qui n'a fait que du bien. Il avait du mal à vivre avec le souvenir de son grand-père. Il a prié pour lui chaque jour, du moins c'est ce qu'on nous a raconté. Vous voyez, tout s'équilibre. Nous ne sommes pas complètement mauvais. A présent, si vous voulez bien m'excuser, il est tard. Je vais me coucher. Bonsoir, mes enfants.

Toby et Anna la regardèrent partir en silence. Ce fut lui qui prit la parole le premier.

– Quelle affaire ! J'avais beaucoup de choses à vous raconter sur mon passé, mais je n'imaginais pas ça.

Il se planta devant un placard et y prit une bouteille de whisky.

– J'ai besoin d'un remontant. En voulez-vous ? proposa-t-il en saisissant au vol deux verres. Maman a raison. Ça n'a pas d'importance. Enfin si, mais ça ne nous affecte en rien. N'est-ce pas ?

– Bien sûr que non, répondit Anna. C'est moi qui suis un peu perdue. Je ne peux pas m'empêcher de penser qu'il existe un lien entre la mort de deux hommes, il y a trois mille ans, avec Serena, avec Charley, avec tout le reste.

— Vous n'avez donc pas passé de bonnes vacances...

Elle rit malgré elle.

— Oh, si ! Malgré les circonstances, j'ai vu des monuments magnifiques et rencontré des gens merveilleux.

— J'aimerais croire que je suis l'un d'entre eux.

— Vous l'êtes... Je monte, Toby. Je prends mon verre avec moi. Cette journée m'a épuisée.

— Très bien. Demain, nous lirons le reste des lettres, si vous voulez, dit-il en indiquant le carton qu'il avait déposé sur la table.

— Peut-être.

Elle s'éloigna, se retourna sur le seuil.

— Toby, j'aimerais rentrer chez moi. Votre mère a été d'une extrême gentillesse, mais je vais mieux, et j'ai besoin de me retrouver. Vous comprenez ?

— Oui, murmura-t-il, visiblement décontenancé.

— Ça n'a aucun rapport avec Carstairs. Il faut que je reprenne le fil de mon existence.

— En ferai-je partie ?

Elle hésita.

— Je pense que oui, si c'est ce que vous voulez. Mais j'ai besoin d'un peu de temps.

— Je comprends, assura-t-il en s'approchant pour lui ouvrir la porte.

Au passage, il l'embrassa sur la joue.

— Vous êtes ce qui m'est arrivé de mieux depuis bien long-temps, Anna.

— J'en suis heureuse.

Ce ne fut qu'après son départ qu'il se rendit compte qu'elle n'avait pas renchéri.

Réfugiée dans sa chambre, elle enleva ses chaussures et but une gorgée de whisky. Elle se sentait en sécurité, ici. Dorlotée, gâtée comme elle l'avait rarement été. Elle appréciait énormé-ment Frances. Elle avait confiance en elle. Elle aimait beau-coup Toby. Peut-être l'aimait-elle tout court. Pourquoi, alors, ce brusque sentiment de mélancolie ?

Elle s'approcha de la commode qui servait aussi de coiffeuse et se regarda dans la glace. Son visage était mince et pâle. Il était dans l'ombre aussi, bien sûr, l'unique lampe allumée se trouvant derrière elle.

Le soleil était éclatant. Elle voyait les falaises, un oiseau dans le ciel. Les feuilles d'un palmier bruissaient contre le carreau.

– Non !

Elle fit volte-face, laissant échapper son gobelet qui atterrit sur le coin de la commode et se fracassa, saupoudrant sa brosse et ses affaires de maquillage de minuscules bouts de verre. Elle ferma les yeux et reprit sa respiration. Quand elle les rouvrit, tout était comme avant. Chaleureux. Accueillant. Sûr. Les mains tremblantes, elle ramassa les morceaux de verre et les mit dans la corbeille. Elle épongeait l'alcool avec des mouchoirs en papier quand on frappa à sa porte.

– Anna ? Ça va ? s'enquit doucement Toby.

Elle se mordit la lèvre. En larmes, elle alla s'allonger sur le lit et enfouit sa tête sous l'oreiller.

– Anna ? Vous dormez ?

Au bout d'un instant, elle l'entendit repartir et descendre l'escalier. Dix minutes plus tard, le moteur de sa voiture vrombissait dans la rue.

Quand elle se réveilla, il faisait encore noir dehors. Elle avait laissé la lampe allumée et serrait l'oreiller contre sa poitrine. Elle était complètement habillée, et la pièce empestait le whisky. Avec un gémissement, elle se redressa et consulta sa montre. Quatre heures du matin. Elle descendit prendre un bain chaud. Elle y resta longtemps, le regard rivé sur le carrelage rose derrière les robinets. Enfin, elle se résigna à émerger de l'eau. Enveloppée d'une serviette, elle franchit le palier. La porte de Frances était fermée, tout était calme. Elle remonta dans sa chambre, l'aéra un bon coup, puis se coucha.

Elle dormit jusqu'à dix heures. Elle se vêtit rapidement et courut à la cuisine, où elle trouva un mot sur la table. « J'ai préféré vous laisser faire la grasse matinée. Je vous verrai au déjeuner. A tout à l'heure. Frances. »

Songeuse, elle se prépara un café et remonta au salon. Toby était invisible. Elle s'empara de l'annuaire et y chercha le numéro de Serena.

— Je voulais vous remercier d'être venue me voir.

— Comment allez-vous ?

Serena semblait en pleine forme. Anna perçut de la musique en bruit de fond et reconnut le jingle d'une chaîne consacrée aux œuvres classiques, puis l'ouverture de la sixième symphonie de Beethoven.

— Je rentre chez moi cet après-midi. Pourriez-vous passer ? Je vous donne mon adresse.

— Quelque chose ne va pas, devina Serena.

— En effet, hoqueta Anna. Pas du tout.

Toby et Frances revinrent ensemble à l'heure du repas avec du pâté, du fromage, du pain frais et une bouteille de vin. Ils ne furent pas surpris de découvrir la valise d'Anna dans le vestibule.

— Je vous reconduirai, promit Toby en lui tendant un verre. Vous allez nous manquer.

— Je ne serai pas loin. J'espère que vous me rendrez souvent visite.

Elle ne s'était pas rendu compte à quel point sa déclaration semblait définitive. Toby avait blêmi. Il s'obligea à sourire.

— Vous ne vous débarrasserez pas de nous comme ça, déclara-t-il sans conviction.

Ils mangèrent à peine et, moins d'une heure plus tard, ils étaient dans la voiture. Toby se gara presque devant la maison.

— Le destin a pris les choses en main, constata-t-il. Vous êtes pressée de retrouver votre vie.

— Toby...

— Non. Je crois beaucoup au destin. Ce qui sera sera, etc. Venez.

Il poussa sa portière et contourna le véhicule pour ouvrir celle d'Anna. Elle s'avança lentement jusqu'à l'entrée, laissant à Toby le soin de porter ses bagages. Les premiers crocus avaient percé la terre des plates-bandes sous les fenêtres. Anna chercha ses clés dans son sac.

– Ce n'est pas un adieu, Toby. Il me faut un peu de temps pour moi, toute seule... Je vous en prie, soyez là si j'ai besoin de vous.

– Vous pouvez compter sur moi.

Elle l'embrassa sur les lèvres puis, prenant sa valise, entra et ferma la porte derrière elle.

Quelques instants, Toby resta planté sur le seuil, le regard vide.

A l'intérieur de la maison, Anna s'était elle aussi immobilisée. Elle posa ses bagages en ravalant un sanglot. Ça recommençait. La lumière aveuglante du soleil. Dans cet étroit couloir d'une maison londonienne, la chaleur lui brûlait les joues, et un parfum capiteux de *kyphi*, l'encens des dieux, lui montait à la tête.

Elle jeta un coup d'œil sur sa montre. Serena serait bientôt là et, ensemble, elles tenteraient de chasser l'intrus pour toujours.

Elle se pencha pour ramasser son courrier sur le paillasson. Parmi les lettres, il y avait un petit colis. Avec des timbres égyptiens. Elle le retourna plusieurs fois dans ses mains, puis alla s'asseoir au salon pour l'ouvrir. A l'intérieur, elle découvrit un message dactylographié, ainsi qu'un petit paquet enrobé de plastique.

La lettre provenait du commissariat de police de Louxor.

« L'objet ci-inclus a été retrouvé dans la main du défunt M. Andrew Watson quand on a repêché son corps dans le Nil. Il a été établi par la suite que cet objet vous appartenait, et qu'il avait été importé sans licence. Après vérification, nous en avons eu confirmation. Je vous le restitue... Veuillez agréer, madame... »

– Non !

Elle secoua furieusement la tête.

– Non ! Je vous en supplie, non !

Epouvantée, elle posa le paquet sur la table basse. Puis elle courut à la porte d'entrée.

– Toby !

Elle tira le verrou, ouvrit.

– Toby ! Attendez !

La voiture démarrait.

– Toby !

Elle fonça jusqu'au portail mais, déjà, il prenait le virage. Il n'avait pas regardé derrière lui.

– Toby !

Jamais elle ne s'était sentie aussi désemparée.

– Toby, revenez, je vous en prie ! J'ai besoin de vous !

Elle remonta lentement les marches du perron. Le chant du sable, l'odeur de l'encens, la chaleur de Râ, le dieu du soleil, la rappelaient.

Au carrefour de Notting Hill Gate, Toby freina, le front plissé. Il pianotait nerveusement sur son volant. Sa tête résonnait de bruits étranges, qu'il n'avait jamais entendus auparavant : une sorte d'incantation lointaine sur un fond de harpe et de hautbois.

Il secoua la tête, intrigué.

Toby !

L'appel venait de très, très loin.

Toby !

Il fronça le nez. C'était la voix d'Anna.

Un violent coup de Klaxon derrière lui le fit sursauter. Le feu était passé au vert, et il ne l'avait pas remarqué. Il fixa le rétroviseur, perplexe, puis soudain, prit une décision. Dans un crissement de pneus, il fit demi-tour.

Quelques secondes plus tard, il cognait à sa porte.

– Anna ! Anna ?

Il avait abandonné sa voiture au milieu de la rue, portière ouverte, moteur en marche.

– Anna ! Ouvrez !

Il frappa des deux poings. Il perçut un cliquetis, et elle céda. Anna ne l'avait pas bien refermée en rentrant.

– Anna ! Où êtes-vous ?

Le couloir était désert. Il se précipita dans le salon.

– Anna !

Il s'arrêta brutalement.

La pièce sentait l'Egypte. La chaleur, le sable, les parfums exotiques.

Une ombre l'enveloppait.

– Anna ! Luttez, ma chérie. Je ne les laisserai pas vous reprendre. Anna, regardez-moi ! Je vous aime !

Il la saisit par les mains et la tourna vers lui.

– Anna !

Elle cligna les paupières.

– Toby ?

– Je suis là, mon amour. Tout va bien.

Elle revenait. L'ombre se dissipait.

– Le flacon, Toby. Il est là. Louisa n'a pas pu s'en débarrasser, moi non plus. Je l'ai jeté dans le Nil, mais Andy l'avait rattrapé. Il le tenait à la main, Toby. Andy me l'a renvoyé !

Secouée de sanglots, elle lança un regard vers la table sur laquelle trônait la petite fiole en verre.

– Je ne serai jamais libérée !

Il réfléchit.

– Nous avons plusieurs solutions, Anna. Nous pouvons le donner au British Museum. Nous pouvons le réexpédier en Egypte. Ou le jeter dans la Tamise. Quoi qu'il en soit, nous affronterons le problème ensemble.

Elle le dévisagea.

– Vous êtes sérieux ?

– Parfaitement. Vous n'êtes pas seule. Vous ne le serez plus jamais, et vous réussirez à chasser Amenanhotep et Psenisis. Je vous le promets.

Il déposa un baiser sur son front et leva les yeux. La surface de la table basse était saupoudrée de fragments de résine sèche à l'odeur capiteuse. Il y en avait aussi sur le tapis.

– Serena ne va pas tarder, annonça Anna. Elle nous aidera, j'en ai la certitude.

Toby lui étreignit le bras.

– Sûrement. Et n'oubliez pas, j'ai dans mes veines le sang de Roger Carstairs et de mon arrière-grand-père pasteur. C'est déjà un début.

Il lui sourit.

– Courage, mon amour, je viens d'avoir une idée. Si je brandis un marteau au-dessus du flacon, peut-être les prêtres

LES LARMES D'ISIS

de l'Egypte ancienne vous écouteront-ils, pour changer.
Qu'en pensez-vous ?

La déesse Isis est avec toi ; elle ne t'abandonnera jamais ;
Tu ne seras pas vaincu par tes ennemis...

Que les serviteurs des dieux reposent en paix...

NOTE DE L'AUTEUR

Comme de nombreuses personnes, je suppose, j'attendais tellement de mon voyage en Egypte que je redoutais presque d'y aller. Et si ce n'était pas aussi merveilleux que je l'avais espéré ? Si ma visite s'avérait un désastre, si mes rêves et mes fantasmes s'écroulaient ? Je tiens à remercier Carole Blake d'avoir suggéré cette aventure et de m'y avoir accompagnée ; ce fut extraordinaire !

Le bateau que nous avons pris de Louxor à Assouan ressemblait beaucoup au *White Egret*. Je suis heureuse de pouvoir dire qu'il ne nous est rien arrivé de sinistre à bord, bien que j'aie aperçu un fantôme dans le salon des passagers ! Peut-être est-ce ce qui m'a donné l'idée que les fantômes pouvaient faire des croisières !

Dans le taxi, à peine dix minutes après avoir quitté l'aéroport de Louxor vers le centre-ville, j'ai su qu'il y aurait un roman égyptien. J'ai été ensorcelée dès cet instant. L'Egypte ne m'a déçue en rien. L'atmosphère, l'histoire, les souvenirs étaient tous là, malgré la foule.

Je possédais déjà de nombreux ouvrages sur l'Egypte. J'en ai racheté, mais ceux qui m'ont le plus aidée dans les passages victoriens furent les récits de deux dames intrépides issues d'un milieu semblable à celui de Louisa. A tous ceux qui se passionnent pour l'Egypte au XIXe siècle, je recommande la lecture de *Letters from Egypt* de Lucie Duff Gordon, et de *A Thousand Miles up the Nile* d'Amelia Edwards. Bien entendu, on ne peut non plus se passer des lithographies magiques de David Roberts.

Rachel Hore et Lucy Ferguson m'ont permis de revenir sur terre en corrigeant mon texte. Je les en remercie vivement. Ma visite fut si courte et si intense que certains souvenirs sont peut-être déformés. Si c'est le cas, c'est uniquement à moi qu'il faut en tenir rigueur.

J'ai fait mon offrande à Isis, au temple de Philae. Peut-être, comme les pièces que l'on jette dans la fontaine de Trevi, me permettra-t-elle de retourner un jour en Egypte ? Je l'espère sincèrement.

B.E.

CHEZ LE MÊME ÉDITEUR

Romans

L'OISEAU DE SAINT-NY
par Juliane Georges
Au cœur de la Bretagne,
l'étrange mystère d'une maison marquée par un lourd passé.

•

LE DIVAN DES MORTS
par Lisa Rivers
Isabelle a été assassinée.
Son ami Léo devra peu à peu découvrir son passé pour retrouver son meutrier.

•

POTO POTO
par Erich von Stroheim
En plein cœur de l'Afrique,
Masha tombe entre les mains d'un sadique.

•

INDOMPTABLE CASSIE
par Charlotte Bingham
Seule à la tête de son haras, Cassie se bat contre la malveillance.

———————

Collection les Grandes Aventures de l'Archéologie

VOYAGE DANS LA BASSE ET LA HAUTE ÉGYPTE
par Vivant Denon
A l'origine de l'égyptologie, la découverte de l'empire des pharaons
par le fondateur du Louvre.

•

CHAMPOLLION
par Hermine Hartleben
La biographie fondamentale consacrée au plus grand
égyptologue français.

•

LE SECRET DES BÂTISSEURS DES GRANDES PYRAMIDES
par Georges Goyon Maître de recherche au CNRS
Nouvelles données sur la construction des monuments mégalithiques.

•

L'AVENTURE ARCHÉOLOGIQUE EN ÉGYPTE
par Brian M. Fagan
Grandes découvertes, pionniers célèbres, chasseurs de trésors
et premiers voyageurs.

•

**LA FABULEUSE DÉCOUVERTE
DE LA TOMBE DE TOUTANKHAMON**
par Howard Carter
Les mémoires inédits de l'auteur de la découverte.

•

VOYAGE EN ÉGYPTE ET EN NUBIE
par Belzoni
« L'un des livres les plus fascinants de toute la littérature
concernant l'Égypte »
(Howard Carter).